WATT

OUVRAGES DE SAMUEL BECKETT

SAMUEL BECKETT

WATT

Traduit de l'anglais par
Ludovic et Agnès Janvier
en collaboration avec l'auteur

LES ÉDITIONS DE MINUIT

En application des articles L. 122-10 à L. 122-12 du Code de la propriété intellectuelle, toute reproduction à usage collectif par photocopie, intégralement ou partiellement, du présent ouvrage est interdite sans autorisation du Centre français d'exploitation du droit de copie (CFC, 20, rue des Grands-Augustins, 75006 Paris). Toute autre forme de reproduction, intégrale ou partielle, est également interdite sans autorisation de l'éditeur.

ISBN 978-2-7073-2016-2

I

Monsieur Hackett prit à gauche et vit, à quelque distance de là, dans le demi-jour déclinant, son banc. Il semblait occupé. Ce banc, propriété sans doute de la ville, ou du public sans distinction, n'était certes pas à lui, mais pour lui il était à lui. C'était là l'attitude de Monsieur Hackett envers les choses qui lui plaisaient. Il savait qu'elles n'étaient pas à lui, mais pour lui elles étaient à lui. Il savait qu'elles n'étaient pas à lui, parce qu'elles lui plaisaient.

Il s'arrêta et regarda le banc avec plus de soin. Oui, il n'était pas libre. Immobile Monsieur Hackett voyait les choses un peu plus nettement. Sa démarche était une démarche très agitée.

Monsieur Hackett ne savait pas s'il devait avancer ou s'il devait reculer. La voie était libre sur sa droite et sur sa gauche, mais il savait que jamais il n'en tirerait parti. Il savait aussi qu'il ne resterait pas longtemps immobile, son état de santé pour son malheur s'y opposant. Le dilemme était donc d'une extrême simplicité : avancer ou faire demi-tour et s'en retourner, en prenant à droite, par où il était venu. Devait-il, autrement dit, rentrer tout de suite ou devait-il rester dehors un peu plus longtemps ?

Il étendit la main gauche et attrapa le barreau d'une grille. Cela lui permit de cogner sa canne contre le trottoir. Sentir vibrer jusque dans sa paume le bout en caoutchouc l'apaisa, quelque peu.

Mais il n'avait pas atteint le coin qu'il refit demi-tour et, de son pas le meilleur, se hâta vers le banc. Arrivé si

7

près de celui-ci qu'il aurait pu le toucher, s'il l'avait voulu, avec sa canne, il s'arrêta de nouveau et dévisagea les occupants. Il avait le droit, à son humble avis, de se poster là et d'attendre le tram. Eux aussi attendaient peut-être le tram, un tram, car de nombreux trams s'arrêtaient à cet endroit, à la demande, que celle-ci vînt du dedans, ou qu'elle vînt du dehors.

Monsieur Hackett jugea, au bout d'un moment, que s'ils attendaient le tram ils l'attendaient depuis un certain temps déjà. Car la dame tenait le monsieur par les oreilles, et la main du monsieur était sur la cuisse de la dame, et la langue de la dame était dans la bouche du monsieur. Las d'attendre le tram, dit (1) Monsieur Hackett, ils font un brin de connaissance. La dame retirant alors sa langue de la bouche du monsieur celui-ci en profita pour remettre la sienne dans la sienne. Donnant donnant, dit Monsieur Hackett. Faisant un pas en avant, histoire de s'assurer que l'autre main du monsieur ne perdait pas son temps, Monsieur Hackett eut un haut-le-corps en la voyant qui pendait inerte derrière le banc, les trois quarts d'une cigarette éteinte entre les doigts.

Je ne vois pas d'indécence, dit l'agent.

Nous arrivons trop tard, dit Monsieur Hackett, quel dommage.

Vous me prenez pour un imbécile ? dit l'agent.

Monsieur Hackett recula d'un pas, renversa la tête à s'en faire craquer la peau du cou et vit enfin, au loin, penchée rageusement sur lui, la face rouge et violente.

Sergent, s'écria-t-il, Dieu m'est témoin qu'il avait la main dessus.

Dieu est un témoin inassermentable.

Si j'ai interrompu votre ronde, dit Monsieur Hackett,

_____

(1) Il a été gagné, dans cet ouvrage, un temps précieux, un espace précieux, qui sans cela eussent été perdus, par l'omission systématique, après le verbe dire, du pléthorique pronom réfléchi.

8

mille excuses. Je l'ai fait avec les meilleures intentions, pour vous, pour moi, pour la communauté tout entière.

L'agent répliqua brièvement.

Si vous vous imaginez que je n'ai pas relevé votre numéro, dit Monsieur Hackett, détrompez-vous. J'ai beau être infirme, ma vue est excellente. Monsieur Hackett s'assit sur le banc encore tout chaud des ébats. Bonsoir et merci, dit-il.

C'était un vieux banc, bas et usé. La nuque de Monsieur Hackett reposait contre l'unique traverse, au-dessous sa bosse jaillissait sans contrainte, ses pieds frôlaient le sol. Au bout des longs bras déployés ses mains serraient les accoudoirs, la canne accrochée à son cou pendait entre ses jambes.

Ainsi mêlé à l'ombre il regardait passer les derniers trams, oh pas les tout derniers, mais presque, et au ciel, et à la calme surface du canal, les longs ors et verts du soir d'été.

Mais voilà qu'un monsieur venant à passer, une dame à son bras, l'aperçut.

Oh ma chère, dit-il, mais c'est Hackett.

Hackett, dit la dame. Quel Hackett ? Où ?

Tu connais Hackett, dit le monsieur. Tu as dû souvent m'entendre parler de Hackett. Hackett la Bosse. Là. Sur le banc.

La dame détailla Monsieur Hackett.

C'est donc ça Hackett, dit-elle.

Lui-même, dit le monsieur.

Le pauvre, dit-elle.

Oh, dit le monsieur, arrêtons-nous, veux-tu, et souhaitons-lui le bonsoir.

Il avança, s'exclamant, Mon cher ami, mon cher ami, comment va ?

Monsieur Hackett leva les yeux de dessus le jour mourant.

Ma femme, s'écria le monsieur. Voici ma femme. Ma femme. Monsieur Hackett.

9

J'ai tant entendu parler de vous, dit la dame, et vous voilà enfin, en chair et en os, Monsieur Hackett !

Je ne me lève pas, dit Monsieur Hackett, n'en ayant pas la force.

Mais vous n'y pensez pas, dit la dame. Elle se pencha vers lui, frémissante de sollicitude. Vous n'y songez pas, dit-elle.

Monsieur Hackett crut qu'elle allait lui tapoter le crâne ou tout au moins lui flatter la bosse. Il ramena ses mains et ils s'assirent à côté de lui, d'un côté la dame, de l'autre le monsieur, de sorte qu'il se trouva entre les deux. Sa tête leur arrivait aux aisselles, leurs mains se rejoignaient au-dessus de sa bosse, sur la traverse, ils ployaient sur lui avec tendresse.

Vous vous souvenez de Green ? dit Monsieur Hackett.

L'empoisonneur, dit le monsieur.

L'avoué, dit Monsieur Hackett.

Je l'ai connu un peu, dit le monsieur. Six ans, n'est-ce pas ?

Sept, dit Monsieur Hackett. On en colle rarement six.

Il en méritait dix, à mon avis, dit le monsieur.

Ou douze, dit Monsieur Hackett.

Qu'est-ce qu'il a fait ? dit la dame.

D'un rien outrepassé ses prérogatives, dit le monsieur.

J'ai reçu une lettre de lui ce matin, dit Monsieur Hackett.

Oh, dit le monsieur, j'ignorais qu'ils pussent communiquer avec le monde extérieur.

Il est avoué, dit Monsieur Hackett. Il ajouta, Je ne suis guère le monde extérieur.

Voyons voyons, dit le monsieur.

Allons allons, dit la dame.

A la lettre, dit Monsieur Hackett, était jointe une pièce dont, connaissant votre goût pour la littérature, je vous donnerais bien la primeur, s'il ne faisait pas trop sombre pour y voir.

La primeur, dit la dame.

C'est bien ce que j'ai dit, dit Monsieur Hackett.

J'ai mon briquet à essence, dit le monsieur.

Monsieur Hackett sortit un papier de sa poche et le monsieur alluma son briquet à essence.

Mr Hackett lut :

A NELLY

A Nelly, dit la dame.

A Nelly, dit Monsieur Hackett.

Le silence se fit.

Dois-je continuer ? dit Monsieur Hackett.

Ma mère s'appelait Nelly, dit la dame.

Le nom n'est pas si rare, dit Monsieur Hackett, même moi j'ai connu plus d'une Nelly.

Lisez donc, mon cher ami, dit le monsieur.

Monsieur Hackett lut :

A NELLY

Vers toi, m'amour, vienne la nuit
(Vienne la nuit)
Dans ma cellule
Je bande en soupirant.
Avecques Dunn sort-elle encore ?
Denis va-t-il sous ses jupes fouillant
Encore ? Lors Echo de répondre, Encore, encore.

C'est bon ! C'est bon ! Loin loin de moi
(Loin loin de moi)
De blâmer, ange,
D'aussi chastes ébats.
Donne à Dunn tout, à Denis ne dénie
Que ce qui appartient à Green. Mais ça,
Le dénie à Denis, à Dunn ne donne mie.

Ça ! Gage exquis d'intactitude !
(D'intactitude !)
Ah te pouvoir
Me porter garant, bitte,
Qu'au sortir de ton long cachot
Tu vas revoir sous la fleur d'Aphrodite
Le bouton d'Artémis fidèle au statu quo.

Alors pourrait s'embraser l'âme
(S'embraser l'âme)
Comme au lointain
S'annoncent les accents
D'épithalames éperdus
Et Hymen épancher sur tous mes sens
Du lit des voluptés les joyeux avant-jus.

Assez —

Largement, dit la dame.

Mais voilà que vint à passer devant eux une dame enveloppée d'un châle. Son ventre se dessinait vaguement, bombé comme un ballon.

Je n'ai jamais été comme ça, mon cher, dit la dame, n'est-ce pas ?

Pas à ma connaissance, mon amour, dit le monsieur.

Tu te souviens de la nuit où Larry a vu le jour ? dit la dame.

Si je m'en souviens, dit le monsieur.

Quel âge a Larry à présent ? dit Monsieur Hackett.

Quel âge a Larry, dit la dame. Larry aura quarante ans le mois prochain, s'il plaît à Dieu.

C'est le genre de chose qui plaît à Dieu toujours, dit Monsieur Hackett.

Comme vous y allez ! dit le monsieur.

Ça vous dirait, Monsieur Hackett, dit la dame, que je vous raconte la nuit où Larry a vu le jour ?

12

Oh oui raconte-lui, ma chère, dit le monsieur.

Eh bien, dit la dame, ce matin-là au petit déjeuner Goff se tourne vers moi et me dit, Tetty, dit-il, Tetty chérie, j'aimerais beaucoup inviter Thompson, Cream et Colquhoun à partager notre caneton si j'étais sûr que tu le supportes. Mais mon cher, dis-je, jamais de ma vie je ne me suis sentie plus d'attaque. C'étaient mes propres termes, n'est-ce pas ?

Je crois que oui, dit Goff.

Eh bien, dit Tetty, au moment où Thompson pénètre dans la salle à manger, suivi de Cream et de Berry (Colquhoun s'était engagé ailleurs, ça me revient), j'étais déjà assise à table. Rien d'étrange à cela, vu que j'étais la seule dame présente. Tu n'as pas trouvé cela étrange, n'est-ce pas, mon amour ?

Bien sûr que non, dit Goff, tout à fait normal.

Pas plus tôt avalée ma première fourchetée de navets, dit Tetty, que Larry fit un bond dans ma trice.

Votre quoi ? dit Monsieur Hackett.

Vous savez, dit Goff, sa trice.

Quelle affaire pour vous, dit Monsieur Hackett.

J'ai continué de boire et de manger, dit Tetty, tout en faisant des étincelles, et Larry de bondir comme une carpe.

Quelle situation pour vous, dit Monsieur Hackett.

Il y avait des moments, dit Tetty, où je croyais qu'il allait dégringoler sur le parquet, à mes pieds.

Miséricorde, dit Monsieur Hackett, vous le sentiez glisser.

Aucune trace de ces labours ne paraissait sur mon visage, dit Tetty, n'est-ce pas, mon trésor ?

Pas la moindre, dit Goff.

Je n'en perdais pas non plus le sens de l'humour, dit Tetty. Quel pudding, dit Monsieur Berry à un moment donné, ça me revient, se tournant vers moi avec un sourire, quel pudding exquis, il fond dans la bouche. Pas que dans la bouche, Monsieur, répliquai-je du tac au tac, pas que dans

13

la bouche, mon cher Monsieur. Pas trop gallois, me semblait-il, à l'heure de l'entremets.

Pas trop quoi ? dit Monsieur Hackett.

Gallois, dit Goff, vous savez, pas trop gallois.

Servi le pousse-café le travail battait son plein, je vous donne ma parole d'honneur, sous la table gémissante.

C'est le cas de le dire, dit Goff.

Vous la saviez pleine ? dit Monsieur Hackett.

C'est-à-dire euh, dit Goff, vous comprenez euh, moi je euh, nous nous euh —

La main de Tetty s'abattit rondement sur la cuisse de Monsieur Hackett.

Il pensait que je faisais des chichis, dit Tetty. Hahahaha. Haha. Ha.

Haha, dit Monsieur Hackett.

Je me faisais un sang d'encre, dit Goff, j'en conviens.

Ils ont fini par passer à côté, n'est-ce pas ? dit Tetty.

En effet, dit Goff, nous sommes passés au billard pour une partie de snooker.

J'ai monté les escaliers, Monsieur Hackett, dit Tetty, à quatre pattes, en tordant les tringles du tapis comme autant de fétus.

Vous ressentiez de telles douleurs, dit Monsieur Hackett.

Trois minutes plus tard j'étais mère.

Toute seule, dit Goff.

J'ai tout fait de mes propres mains, dit Tetty, tout.

Elle a sectionné le cordon avec ses dents, dit Goff, n'ayant pas de ciseaux sous la main. Qu'est-ce que vous dites de ça ?

Je l'aurais rompu sur mon genou, dit Tetty, s'il l'avait fallu.

C'est une chose que je me suis souvent demandée, dit Monsieur Hackett, l'effet que ça vous fait lorsqu'on coupe le cordon.

Pour la mère ou pour l'enfant ? dit Goff.

14

Pour la mère, dit Monsieur Hackett. On ne m'a pas trouvé dans un chou, que je sache.

Pour la mère, dit Tetty, c'est un grand ouf, comme lorsque les invités s'en vont. Tous mes cordons subséquents furent sectionnés par le Professeur Cooper, mais l'effet fut toujours le même : ouf.

Ensuite vous avez ajusté vos vêtements, dit Monsieur Hackett, et vous êtes descendue, en tenant le bébé par la main.

Nous avons entendu les cris, dit Goff.

Jugez de leur surprise, dit Tetty.

Les mises en blouse de Cream avaient été extraordinaires, dit Goff, extraordinaires, je n'avais jamais rien vu de pareil. Nous le regardions, le souffle coupé, qui s'attaquait à un jenny très long et rasant, et avec la noire pour comble.

Quelle témérité, dit Monsieur Hackett.

Un coup tout à fait infaisable, à mon avis, dit Goff. Il reculait enfin sa queue pour frapper lorsque le vagissement se fit entendre. Il se permit une expression que je ne répéterai pas.

Pauvre petit Larry, dit Tetty, comme si c'était sa faute.

Pas un mot de plus, dit Monsieur Hackett, c'est inutile.

Ces ciels nord-ouest sont vraiment inouïs, dit Goff, vous ne trouvez pas ?

Si voluptueux, dit Tetty. On les croit éteints et hop les revoilà qui s'embrasent plus éclatants qu'avant.

Pas comme ma bosse, dit Monsieur Hackett.

Pauvre Monsieur Hackett, dit Tetty, pauvre *cher* Monsieur Hackett.

Oui, dit Monsieur Hackett.

Rien à voir avec les Hackett de Glencullen, je présume, dit Tetty.

C'est là où je suis tombé de l'échelle, dit Monsieur Hackett.

Quel âge aviez-vous alors ? dit Tetty.

15

Un an, dit Monsieur Hackett.

Et où était votre chère maman ? dit Tetty.

Sortie, dit Monsieur Hackett.

Et votre cher papa ? dit Tetty.

Sorti tailler le granit dans la montagne, dit Monsieur Hackett.

Vous étiez tout seul, dit Tetty.

Il y avait la chèvre, à ce qu'on m'a dit, dit Monsieur Hackett.

Il se détourna de l'échelle tombée dans la cour sombre et promena son regard en contrebas sur les petits champs aux murettes branlantes et par-delà la rivière sur l'autre versant toujours plus haut jusqu'à la masse du sommet déjà dans l'ombre et de là au ciel d'été. Il se glissa au gré des champs ensoleillés, il peina tout au long des pentes jusqu'au sommet sombre et il entendit le cliquetis lointain des marteaux.

Elle vous a laissé tout seul dans la cour, dit Tetty, avec la chèvre.

C'était un beau jour d'été, dit Monsieur Hackett.

Et qu'est-ce qui lui a pris de filer comme ça ? dit Goff.

Je ne lui ai jamais posé la question, dit Monsieur Hackett. La taverne, ou l'église, ou les deux.

Pauvre femme, Dieu lui pardonne, dit Tetty.

Fichtre ça ne m'étonnerait pas de lui, dit Monsieur Hackett.

La brune s'épaissit, dit Goff, il fera bientôt nuit noire.

Et nous rentrerons tous à la maison, dit Monsieur Hackett.

De l'autre côté de la rue, en face d'où ils étaient assis, un tram s'arrêta. Il resta en place un bon moment et ils entendirent, grossie par la colère, la voix du contrôleur. Puis il repartit, découvrant sur le trottoir, immobile, une forme solitaire qu'éclairaient de moins en moins, à mesure

16

qu'elles s'éloignaient, les lumières du véhicule, et qui bientôt se détacha à peine du mur sombre derrière elle. Tetty se demanda si c'était un homme ou une femme. Monsieur Hackett se demanda si ce n'était pas un colis, un tapis par exemple ou un rouleau de toile goudronnée enveloppé de papier brun et ficelé au milieu. Goff se leva, sans un mot, et traversa vivement la rue. Tetty et Monsieur Hackett pouvaient voir ses gestes impétueux, car sa veste était de couleur claire, et entendre sa voix vibrante de reproche. Mais Watt ne bougeait pas plus, pour autant qu'ils pussent voir, que s'il avait été de pierre, et s'il parlait il parlait si bas qu'aucun son ne leur parvenait.

Monsieur Hackett n'aurait pas su dire quand il avait été plus fortement intrigué, bien plus, il n'aurait pas su dire quand il avait été aussi fortement intrigué. Il n'aurait pas su dire non plus ce que c'était qui l'intriguait si fortement. Qu'est-ce que c'est, dit-il, qui m'intrigue si fortement, moi que même l'insolite, même le surnaturel, intriguent si rarement, et si faiblement. Rien ici apparemment qui sorte le moins du monde de l'ordinaire et cependant je brûle de curiosité, et d'émerveillement. La sensation n'est pas désagréable, c'est entendu, mais je ne me vois pas en train de la supporter plus de vingt minutes ou une demi-heure.

La dame aussi était tout yeux.

Goff les rejoignit, de fort méchante humeur. Je l'ai reconnu, dit-il, du premier coup d'œil. Il se servit, à propos de Watt, d'une expression que nous ne rapporterons pas.

Depuis sept ans, dit-il, il me doit cinq shillings, c'est-à-dire six shillings et neuf pence.

Il ne bouge pas, dit Tetty.

Il refuse de payer, dit Monsieur Hackett.

Il ne refuse pas de payer, dit Goff. Il me propose quatre shillings et quatre pence. C'est toute sa fortune.

Après quoi il ne vous devrait plus que deux shillings et trois pence, dit Monsieur Hackett.

Je ne peux pas le laisser sans un, dit Goff.

Et pourquoi pas ? dit Monsieur Hackett.

Il part en voyage, dit Goff. Si j'acceptais son offre il n'aurait plus qu'à rentrer chez lui.

C'est peut-être ce qu'il aurait de mieux à faire, dit Monsieur Hackett. Un jour peut-être, quand nous ne serons plus, penché sur son passé il dira, Si seulement Monsieur Nesbit avait accepté —

Nixon je m'appelle, dit Goff. Nixon.

Si seulement Monsieur Nixon avait accepté mes quatre shillings et quatre pence et que je fusse rentré chez moi, au lieu de continuer.

Bobards en tout cas, dit Madame Nixon, d'un bout à l'autre. Non ?

Non non, dit Monsieur Nixon, il est la véracité même, vraiment incapable, j'en suis persuadé, du moindre mensonge.

Vous auriez pu accepter un shilling au moins, dit Monsieur Hackett, ou un shilling et six pence.

Le voilà à présent sur le pont, dit Madame Nixon.

Il leur tournait le dos, le haut du corps se détachant faiblement contre les dernières traînées du jour.

Vous ne nous avez pas dit son nom, dit Monsieur Hackett.

Watt, dit Monsieur Nixon.

Je ne t'ai jamais entendu parler de lui, dit Madame Nixon.

Bizarre, dit Monsieur Nixon.

Vieille connaissance ? dit Monsieur Hackett.

Je ne prétends pas le connaître vraiment, dit Monsieur Nixon.

Un tuyau d'égout, dit Madame Nixon. Où sont les bras ?

Depuis quand ne prétendez-vous pas le connaître vraiment ? dit Monsieur Hackett.

Mon cher ami, dit Monsieur Nixon, d'où vient ce soudain intérêt ?

18

Ne répondez pas, dit Monsieur Hackett, si cela vous ennuie.

Il m'est difficile de répondre, dit Monsieur Nixon. Il me semble le connaître depuis toujours, mais il a dû y avoir une période où je ne le connaissais pas.

Comment cela ? dit Monsieur Hackett.

Il est considérablement plus jeune que moi, dit Monsieur Nixon.

Et vous ne parlez jamais de lui, dit Monsieur Hackett.

Ma foi, dit Monsieur Nixon, j'ai très bien pu parler de lui, je n'ai vraiment aucune raison pour ne pas le faire. Il est vrai que... Il se tut. Il reprit, Il ne s'y prête pas, à ce qu'on parle de lui, il y a des gens comme ça.

Pas comme moi, dit Monsieur Hackett.

Il a disparu, dit Madame Nixon.

Tiens, dit Monsieur Nixon. Il ajouta, Ce qui est curieux, mon cher ami, je ne vous le cache pas, c'est que chaque fois que je le vois, ou pense à lui, je pense à vous, et que chaque fois que je vous vois, ou pense à vous, je pense à lui. Pourquoi, je n'en ai pas la moindre idée.

Voyez-vous ça, dit Monsieur Hackett.

Il se dirige à présent vers la gare, dit Monsieur Nixon. Je me demande pourquoi il est descendu ici.

C'est la fin de la section, dit Madame Nixon. Avec un penny on ne va pas plus loin.

Ça dépend d'où il est monté, dit Monsieur Nixon.

Il peut difficilement être monté à un point plus éloigné que le terminus, dit Monsieur Hackett.

Mais est-ce bien ici la fin de la section, dit Monsieur Nixon, à un arrêt entièrement facultatif ? Ne serait-ce plutôt à la gare ?

Je pense que vous avez raison, dit Monsieur Hackett.

Alors pourquoi descendre ici ? dit Monsieur Nixon.

Peut-être avait-il envie de respirer un peu, dit Monsieur Hackett, avant d'être bouclé dans le train.

Chargé comme il l'est, dit Monsieur Nixon. Voyons voyons.

Peut-être s'est-il trompé d'arrêt, dit Madame Nixon.

Mais ici ce n'est pas un arrêt, dit Monsieur Nixon, dans le sens habituel du terme. Ici le tram ne s'arrête qu'à la demande. Et puisque personne d'autre n'est descendu et que personne n'est monté la demande n'a pu venir que de Watt lui-même.

Un silence s'ensuivit. Madame Nixon dit enfin :

Je ne te suis pas, Goff. Pourquoi n'aurait-il pas demandé au tram de s'arrêter, s'il en avait envie ?

Aucune raison, ma chère, dit Monsieur Nixon, mais aucune, pour quoi il n'aurait pas demandé au tram de s'arrêter, la preuve. Mais le fait d'avoir demandé au tram de s'arrêter nous montre qu'il ne s'est pas trompé d'arrêt, comme tu viens de l'insinuer. Car s'il s'était trompé d'arrêt, se croyant déjà à la gare, il n'aurait pas demandé au tram de s'arrêter. Car le tram s'arrête toujours à la gare.

Fortement raisonné, dit Monsieur Hackett. Il ajouta, Peut-être n'a-t-il plus toute sa tête.

Il est un peu bizarre par moments, dit Monsieur Nixon, mais c'est un voyageur chevronné.

Peut-être, dit Monsieur Hackett, s'apercevant qu'il avait un peu de temps devant lui, a-t-il préféré le consacrer aux suavités du crépuscule plutôt qu'aux miasmes et remugles de la gare.

Mais il va manquer son train, dit Monsieur Nixon, il va manquer le dernier départ, à moins de courir.

Peut-être, dit Madame Nixon, a-t-il voulu contrarier le contrôleur, ou le wattman.

Mais on ne peut rêver être plus doux, dit Monsieur Nixon, plus inoffensif. Il tendrait positivement l'autre joue, j'en suis persuadé, s'il en avait la force.

Peut-être, dit Monsieur Hackett, a-t-il brusquement décidé de ne pas quitter la ville après tout. Entre le terminus et ici il a eu le temps de réfléchir. Puis ayant décidé qu'il vaut mieux après tout ne pas quitter la ville pour le moment il fait arrêter le tram et descend, car à quoi bon continuer.

Mais il a bel et bien continué, dit Monsieur Nixon, il n'a pas rebroussé chemin, il a continué vers la gare.

Peut-être a-t-il pris le chemin des écoliers, dit Madame Nixon.

Où habite-t-il ? dit Monsieur Hackett.

Il n'a pas de domicile fixe, que je sache, dit Monsieur Nixon.

Alors le fait de continuer vers la gare ne prouve rien, dit Madame Nixon. Il est peut-être à l'Hôtel Quin à l'heure qu'il est, plongé dans le sommeil.

Avec en poche quatre shillings quatre, dit Monsieur Hackett.

Ou sur un banc quelque part, dit Madame Nixon. Ou dans le parc. Ou sur le terrain de football. Ou sur le terrain de cricket. Ou sur les courts de tennis.

Ou sur le boulingrin, dit Monsieur Nixon.

Je ne pense pas, dit Monsieur Hackett. Il descend du tram, résolu à ne pas quitter la ville après tout. Mais une plus ample réflexion lui démontre la folie d'une telle conduite. Cela expliquerait son comportement après que le tram se fut remis en route, le laissant là.

La folie de quelle conduite ? dit Monsieur Nixon.

De cette retraite précipitée, dit Monsieur Hackett, à peine pris son élan.

Vous avez vu l'accoutrement ? dit Madame Nixon. Qu'est-ce qu'il avait sur la tête ?

Son chapeau, dit Monsieur Nixon.

La pensée de quitter la ville lui était douloureuse, dit Monsieur Hackett, mais celle d'y rester ne l'était pas moins. Il se dirige donc vers la gare, souhaitant à demi manquer son train.

21

Vous avez peut-être raison, dit Monsieur Nixon.

Sans courage pour prendre sur lui le poids d'une décision, dit Monsieur Hackett, il s'en remet à la froide machinerie d'une relation temps-espace.

Très ingénieux, dit Monsieur Nixon.

Et qu'est-ce qui lui a fait peur tout d'un coup, dit Madame Nixon, à votre avis ?

Ça ne peut pas être le déplacement à proprement parler, dit Monsieur Hackett, puisque vous me dites que c'est un voyageur chevronné.

Un silence s'ensuivit.

Maintenant que j'ai tiré ça au clair, dit Monsieur Hackett, vous pourriez décrire votre ami avec un peu plus de précision.

A vrai dire je ne sais rien, dit Monsieur Nixon.

Mais vous devez bien savoir quelque chose, dit Monsieur Hackett. On ne lâche pas cinq shillings à une ombre. Nationalité, famille, lieu de naissance, confession, profession, moyens d'existence, signes particuliers, il est impossible que vous soyez dans l'ignorance de tout cela.

Dans l'ignorance absolue, dit Monsieur Nixon.

Monsieur Hackett n'avait pas lu ses *Eglogues* pour rien.

Il n'est cependant pas issu du roc, dit-il.

Je vous dis qu'on ignore tout, s'écria Monsieur Nixon.

Un silence suivit ces mots rageurs, Monsieur Hackett les ressentant, Monsieur Nixon s'en repentant.

Il a un gros nez rouge, dit Monsieur Nixon enfin, de mauvaise grâce.

Monsieur Hackett médita ce détail.

Tu ne dors pas, ma chérie ? dit Monsieur Nixon.

Le sommeil me gagne, dit Madame Nixon.

Voici quelqu'un qu'il vous semble connaître depuis toujours, dit Monsieur Hackett, qui vous doit cinq shillings depuis sept ans, et tout ce que vous trouvez à me dire c'est qu'il a un gros nez rouge et pas de domicile fixe. Il

22

se tut. Il reprit, Et que c'est un voyageur chevronné. Il se tut. Il reprit, Et qu'il est considérablement plus jeune que vous, état à vrai dire fort répandu. Il se tut. Il reprit, Et qu'il est doux, la véracité même et par moments un peu bizarre. Il leva la tête et braqua sur le visage de Monsieur Nixon un regard plein de colère. Mais ce regard plein de colère échappa à Monsieur Nixon, car il regardait tout autre chose.

Peut-être qu'il est temps de se trotter, dit-il, qu'en dis-tu, ma chérie ?

Dans un instant les dernières fleurs seront englouties, dit Madame Nixon.

Monsieur Nixon se leva.

Voici quelqu'un que vous avez connu d'aussi loin qu'il vous souvienne, dit Monsieur Hackett, à qui vous avez prêté cinq shillings il y a sept ans, que vous reconnaissez du premier coup d'œil à une distance considérable, dans l'obscurité. Vous dites que vous ignorez tout de ses antécédents. Je suis obligé de vous croire.

Rien ne vous y oblige, dit Monsieur Nixon.

Je choisis de vous croire, dit Monsieur Hackett. Et que vous soyez incapable de dire ce que vous ne savez pas, je veux bien le croire aussi. C'est une faiblesse des plus répandues.

Tetty, dit Monsieur Nixon.

Mais il y a certaines choses que vous devez savoir, dit Monsieur Hackett.

Par exemple, dit Monsieur Nixon.

Comment vous avez fait sa connaissance, dit Monsieur Hackett. En quelles circonstances il vous a tapé. Où on peut le voir.

Qu'est-ce que ça peut faire qui il est ? dit Madame Nixon. Elle se leva.

Prends mon bras, ma chère, dit Monsieur Nixon.

Ou ce qu'il fait, dit Madame Nixon. Ou comment il vit.

23

Ou d'où il vient. Ou où il va. Ou de quoi il a l'air. Qu'est-ce que ça peut bien nous faire, à nous ?

Je me pose la même question, dit Monsieur Hackett.

Comment j'ai fait sa connaissance, dit Monsieur Nixon. Vraiment je ne m'en souviens pas plus que je ne me souviens avoir fait la connaissance de mon père.

Seigneur, dit Monsieur Hackett.

En quelles circonstances il m'a tapé, dit Monsieur Nixon. Un jour je l'ai rencontré dans la rue. Il avait un pied nu. J'oublie lequel. Il m'a pris à l'écart et m'a dit qu'il avait besoin de cinq shillings pour s'acheter un brodequin. Je ne pouvais pas refuser.

Mais on n'achète pas un brodequin, s'écria Monsieur Hackett.

Peut-être qu'il avait la possibilité de le faire faire sur mesure, dit Madame Nixon.

Je n'en sais rien, dit Monsieur Nixon. Quant aux endroits où on peut le voir, on peut le voir dans la rue, allant et venant. Mais on ne le voit pas souvent.

Il a fait l'université bien entendu, dit Madame Nixon.

Le contraire m'étonnerait, dit Monsieur Nixon.

Monsieur et Madame Nixon s'éloignèrent bras dessus bras dessous. Mais au bout de quelques pas ils firent demi-tour. Monsieur Nixon se pencha et chuchota à l'oreille de Monsieur Hackett, Monsieur Nixon qui n'aimait pas que le soleil se couche sur le moindre nuage de dissension.

La dive, dit Monsieur Hackett.

Oh mon Dieu non, dit Monsieur Nixon, il ne boit que du lait.

Du lait, s'écria Monsieur Hackett.

Même l'eau, dit Monsieur Nixon, jamais une goutte.

Eh ben, dit Monsieur Hackett, je vous suis obligé je suppose.

Monsieur et Madame Nixon s'éloignèrent bras dessus bras dessous. Mais au bout de quelques pas ils entendirent un cri. Ils firent halte et prêtèrent l'oreille. C'était Monsieur Hackett qui criait, dans la nuit, Heureux de vous avoir rencontrée, Madame Nisbet.

Madame Nixon, serrant plus fort le bras de Monsieur Nixon, cria en guise de réponse, Tout le bonheur est pour moi, Monsieur Hackett.

Quoi ? cria Monsieur Hackett.

Elle dit que tout le bonheur est pour elle, cria Monsieur Nixon.

Monsieur Hackett étreignit de nouveau les accoudoirs. Se tirant vivement en avant et se laissant retomber de même en arrière, plusieurs fois de suite, il gratta la crête de sa brosse contre le bas de la traverse. Il leva les yeux vers l'horizon qu'il était sorti voir, qu'il avait si peu vu. Maintenant il faisait tout à fait noir. Oui, maintenant le ciel de l'ouest était comme le ciel de l'est, lequel était comme le ciel du sud, lequel était comme le ciel du nord.

Watt se heurta contre un porteur qui roulait devant lui un bidon de lait. Watt tomba et son chapeau et ses sacs s'éparpillèrent. Le porteur ne tomba pas, mais il lâcha son bidon qui retomba lourdement en porte-à-faux, chancela avec fracas sur sa base et finit par s'immobiliser. Heureux hasard s'il en fut, car s'il était retombé sur le flanc, plein de lait qu'il était peut-être, alors qui sait le lait aurait pu se répandre à flot sur le quai, et jusque sur les rails pour finalement se perdre, sous le convoi.

Watt se ramassa, plus ou moins intact comme d'habitude.

Couillon d'abruti, dit le porteur.

C'était un beau garçon, quoique crasseux. Etre porteur en gare et se tenir propre et net, cela n'est pas chose facile, vu le travail à faire.

Tu ne peux pas regarder où tu mets les pieds ? dit le porteur.

Watt ne se récria pas à cette extravagante suggestion

lâchée, soyons justes, dans le feu de la colère. Il se pencha pour ramasser son chapeau et ses sacs, mais se redressa sans l'avoir fait. Il ne se sentait pas libre de s'attaquer à cette affaire tant que le porteur n'aurait pas fini de l'injurier.

Aussi muet qu'aveugle, dit le porteur.

Watt sourit, joignit les mains, les leva devant sa poitrine et ne bougea plus.

Watt avait observé des gens en train de sourire et croyait savoir comment il fallait s'y prendre. Et il est vrai que le sourire de Watt, quand il souriait, ressemblait davantage à un sourire qu'à une bouche en cœur, par exemple, ou en cul de poule. Mais le sourire de Watt avait quelque chose d'incomplet, il lui manquait un petit quelque chose, et ceux qui le voyaient pour la première fois, et la plupart de ceux qui le voyaient le voyaient pour la première fois, avaient souvent des doutes sur la nature exacte de l'expression visée. Pour beaucoup il ne s'agissait que d'une simple succion des dents.

Watt n'abusait pas de ce sourire.

Son effet sur le porteur fut de lui suggérer des expressions infiniment plus désobligeantes que toutes celles employées jusque-là. Mais elles ne furent jamais déversées, par lui, sur Watt, car soudain le porteur se saisit de son bidon et fila en le roulant devant lui. Le chef de gare, un certain Monsieur Lowry, s'avançait.

Cet incident était d'un genre trop répandu pour éveiller chez les témoins un intérêt particulier. Mais il y avait là des connaisseurs à qui ne pouvait échapper l'exceptionnelle qualité de Watt, de son entrée, de sa chute, de son rétablissement et de ses attitudes depuis. Ceux-là étaient contents.

Le marchand de journaux était du nombre. Il avait tout vu du fond de son nid douillet de livres et de périodiques. Mais maintenant que le meilleur était passé il sortit sur

26

le quai, avec l'intention de fermer son kiosque, pour la nuit. Il baissa donc et verrouilla le tablier de tôle ondulée. D'aspect exceptionnellement acerbe, il semblait souffrir sans trêve de quelque mal mental, moral et peut-être même physique. Sa casquette tirait l'œil, à cause sans doute du front blanc comme neige et des boucles noires et moites dont elle était l'aboutissement. Mais c'était toujours sur la bouche amère que revenait se fixer le regard et de là, enfin, qu'il s'élevait vers la suite. La moustache, réussie en tant que telle, était pour des raisons obscures sans intérêt. On gardait l'image d'un homme dont c'était le propre, entre autres, de ne jamais quitter sa casquette, une simple casquette de drap bleu uni, avec visière et bouton. Car il ne quittait pas davantage ses pinces à bicyclette, d'un modèle qui faisait saillir, vers l'extérieur, le bas du pantalon. Il était petit et boitait effroyablement. Une fois en branle il avançait rapidement, dans un déchaînement de génuflexions avortées.

Il ramassa le chapeau de Watt et le lui rapporta, en disant, Votre chapeau, Monsieur, je crois.

Watt regarda le chapeau. Se pouvait-il que ce fût là son chapeau ? Il le mit sur sa tête.

Mais voici qu'au bout du quai une porte s'ouvrit et que le marchand de journaux parut, poussant sa bicyclette. Il allait la porter en bas par la longue rampe courbe de l'escalier en pierre, puis pédaler jusqu'à la maison. Là il ferait une partie d'échecs, entre grands maîtres, dans le manuel de Monsieur Staunton. Le lendemain matin, par le même escalier, il porterait sa bicyclette jusqu'au quai. Elle pesait lourd, étant ce qu'on fait de mieux, comme bicyclette. Il aurait été plus simple de la laisser en bas. Mais il préférait la savoir près de lui. Cet homme s'appelait Evans.

Watt ramassa ses sacs et monta dans le train. Il ne choisit pas le compartiment. Il se trouvait être vide.

Sur le quai le porteur leur faisait faire la navette, à ses

bidons. A un bout du quai il y avait un groupe de bidons, à l'autre un autre. Le porteur choisissait avec soin un bidon dans l'un des groupes et le roulait jusqu'à l'autre. Puis il choisissait avec soin un bidon dans l'autre groupe et le roulait jusqu'à l'un. Il trie les bidons, dit Watt. Ou c'est peut-être une punition pour désobéissance. Ou pour quelque faute de service.

Watt s'assit le dos à la locomotive qui bientôt, la vapeur mise, traîna hors de la gare la longue suite de wagons. Watt préférait déjà tourner le dos à sa destination.

Mais il n'était pas allé bien loin que, se sentant observé, il leva les yeux et vit un gros monsieur assis dans le coin diagonalement opposé au sien. Les pieds de ce monsieur reposaient en face de lui sur la banquette en bois et les mains dans les poches de son manteau. Le compartiment n'était donc pas aussi vide que Watt l'avait d'abord supposé.

Je m'appelle Spiro, dit le monsieur.

Voilà enfin un homme raisonnable. Il commençait par l'essentiel et de là, poussant plus avant, traiterait des choses de moindre importance, l'une après l'autre, avec ordre et méthode.

Watt sourit.

Sans vouloir vous offenser, dit Monsieur Spiro.

Le sourire de Watt avait encore ceci de particulier, qu'il venait rarement seul, mais était suivi peu après d'un second, moins marqué certes. En quoi il ressemblait au pet. Et il arrivait même parfois qu'un troisième fût nécessaire, très faible et fugace, avant que le visage pût retrouver sa sérénité. Mais c'était rare. Et Watt ne sourira plus de sitôt, sauf événement imprévu de nature à le troubler.

Mes amis m'appellent Dum, dit Monsieur Spiro, tant je suis vif et gai. D-U-M. Anagramme de mud (1).

_____

(1) Mot anglais signifiant à peu près boue.

28

Monsieur Spiro avait bu, mais pas plus qu'il n'aurait dû.

J'édite *Crux*, dit Monsieur Spiro, mensuel catholique à grande diffusion. Nous ne payons pas nos collaborateurs, mais ils y trouvent d'autres avantages. Nos petites annonces sont extraordinaires. Nous maintenons la tonsure hors de l'eau. Nos concours sont charmants. Les temps sont durs, tous les vins sont à baptiser. Nos concours. D'une tournure pieuse ils font plus de bien que de mal. Exemple : *Recomposez les seize lettres de la Sainte Famille sous forme de question avec réponse.* Solution gagnante : *Me réjouis-je ? Pssah !* Autre exemple : *Dites ce que vous savez de l'adjuration, excommunication, malédiction et anathématisation foudroyante des anguilles de Côme, hurebers de Beaune, rats de Lyon, limaces de Macon, vers de Côme, sangsues de Lausanne et processionnaires de Valence.*

Défilaient déjà à toute allure, blêmes sous les feux du train, haies et fossés, mais seulement en apparence, car en fait c'était le train qui se mouvait, à travers une terre à jamais immobile.

Tout en sachant ce que nous savons, dit Monsieur Spiro, nous n'avons pas la fibre partisane. Pour ma part je suis néo-thomiste à mes heures et m'en glorifie. Mais pas au point d'en être gêné dans mes histoires de cul. *Podex non dextra sed sinistra* — quelle mesquinerie. Nos colonnes sont ouvertes aux jobards de toutes confessions et des libres penseurs figurent à notre tableau d'honneur. Ma contribution personnelle à la rédemption d'appoint, *Un Clysoir Spirituel pour les Constipés en Dévotion,* est si élastique, si flexible, que même un Presbytérien pourrait en profiter, sans douleur. Mais pourquoi vous ennuyer avec ça, vous, un parfait inconnu. C'est que ce soir il faut que je parle, avec un co-voyageur. Où descendez-vous, Monsieur ?

Watt nomma l'endroit.

Je vous demande pardon, dit Monsieur Spiro.

Watt nomma l'endroit de nouveau.

29

Alors il n'y a pas un instant à perdre, dit Monsieur Spiro. Il tira un papier de sa poche et lut :

Lourdes
Hautes-Pyrénées
France

Monsieur

Un rat, ou tout autre petit animal, mange d'une hostie consacrée.
1. *Ingère-t-il le Corps Réel, oui ou non ?*
2. *Si non, qu'est devenu celui-ci ?*
3. *Si oui, que faire de celui-là ?*
Veuillez agréer etc.
         Martin Ignatius MacKenzie
  (Auteur du Samedi Soir de l'Expert Comptable)

Et Monsieur Spiro de répondre à ces questions, c'est-à-dire de répondre à la question un et de répondre à la question trois. Il le fit longuement, en citant saint Bonaventure, Pierre Lombard, Alexandre de Hales, Sanchez, Suarez, Henno, Soto, Diana, Concina et Dens, étant un homme à loisirs. Mais Watt n'entendait rien, à cause d'autres voix qui allaient lui chantant, criant, disant, murmurant, des choses incompréhensibles, à l'oreille. Ces voix, si elles ne lui étaient pas connues, ne lui étaient pas inconnues non plus. Si bien qu'il ne s'alarmait pas, outre mesure. Tantôt elles chantaient seulement, tantôt criaient seulement, tantôt disaient seulement, tantôt murmuraient seulement, tantôt chantaient et criaient, tantôt chantaient et disaient, tantôt chantaient et murmuraient, tantôt criaient et disaient, tantôt criaient et murmuraient, tantôt disaient et murmuraient, tantôt chantaient et criaient et disaient, tantôt chantaient et criaient et murmuraient, tantôt criaient et disaient et murmuraient, tantôt chantaient et criaient et disaient et murmuraient, toutes ensemble, en même temps, comme alors, pour ne parler que de ces quatre sortes de voix, car il y en avait d'autres. Et tantôt Watt comprenait tout, et tantôt il comprenait beaucoup, et tantôt il comprenait peu, et tantôt il ne comprenait rien, comme alors.

Mais voici que le champ de courses, surgissant avec ses belles barrières blanches dans la lumière impétueuse, avertit Watt qu'il approchait de son but et qu'au prochain arrêt du train il aurait à le quitter. Il ne pouvait voir les tribunes, celle d'honneur, celle des sociétaires, celle du public, si ? vides aux couleurs blanche et rouge, car elles étaient trop loin.

Il se mit donc en posture, ses sacs bien en main, de quitter le train dès l'arrêt complet.

Car une fois Watt avait manqué cette station, et s'était vu emporter jusqu'à la suivante, faute d'avoir pris ses dispositions à temps, pour pouvoir descendre dès l'arrêt du train.

Car c'était une ligne si peu fréquentée, surtout à cette heure tardive, où le mécanicien, le chauffeur, le contrôleur et le personnel des stations tout au long de la ligne anhélaient vers leurs épouses, après les longues heures de continence, que le train à peine arrêté repartait de plus belle, comme une balle qui rebondit.

Pour ma part je le poursuivrais, dit Monsieur Spiro, si j'étais sûr de le tenir, avec toute la rigueur du droit canon. Il ôta ses pieds de la banquette. Il sortit la tête par la portière. Et des décrets pontificaux, cria-t-il. Une grande rafale le rejeta en arrière. Il était seul, emporté à travers la nuit.

La lune était maintenant levée. Elle n'était pas levée de beaucoup, mais elle était levée. Elle était d'un jaune nauséeux. Son plein depuis longtemps dépassé elle allait décroissant, décroissant.

La méthode dont usait Watt pour avancer droit vers

31

l'est, par exemple, consistait à tourner le buste autant que possible vers le nord et en même temps à lancer la jambe droite autant que possible vers le sud, et puis à tourner le buste autant que possible vers le sud et en même temps à lancer la jambe gauche autant que possible vers le nord, et derechef à tourner le buste autant que possible vers le nord et à lancer la jambe droite autant que possible vers le sud, et puis à tourner le buste autant que possible vers le sud et à lancer la jambe gauche autant que possible vers le nord, et ainsi de suite, inlassablement, sans halte ni trève, jusqu'à ce qu'il arrivât à destination, et pût s'asseoir. Ainsi, debout tantôt sur une jambe, tantôt sur l'autre, il progressait, tardigrade effréné, en ligne droite. Les genoux, en ces occasions, ne pliaient pas. Ils l'auraient pu, mais ne le faisaient pas. Pas de genoux plus aptes à plier que ceux de Watt, quand ils s'y décidaient, il n'y avait rien à reprocher aux genoux de Watt, comme il apparaîtra peut-être. Mais quand ils se promenaient ils ne pliaient pas, pour quelque obscure raison. Ce nonobstant les pieds se posaient, talons et plantes ensemble, à plat sur le sol et ne le quittaient plus, pour les voies inexplorées de l'air, qu'avec une répugnance manifeste. Les bras se bornaient à baller, dans une équipendance parfaite.

A Lady McCann, avançant à sa suite, il semblait n'avoir jamais vu, sur la voie publique, de mouvements aussi extraordinaires, et peu de femmes avaient de la voie publique une expérience plus vaste que Lady McCann. Qu'ils ne dussent rien à l'alcool se voyait à leur régularité, et à ce qu'ils avaient d'acharné. Watt avait la titubation funambulesque.

Encore plus que les jambes la tête l'étonnait. Car les mouvements des jambes pouvaient s'expliquer de plusieurs façons. Et comme elle réfléchissait à certaines de ces façons, dont les mouvements des jambes pouvaient s'expliquer, il lui revint en mémoire la vieille histoire dont elle s'était diver-

32

tie fillette, la vieille histoire des étudiants en médecine et du monsieur qui marchait devant eux, les jambes raides et écartées. Comme ils arrivaient à sa hauteur, Pardon Monsieur, dit l'un des étudiants, en levant sa casquette, mon ami que voici soutient que c'est des hémorrhoïdes et moi je prétends que c'est une simple chaude-pisse. En ce cas, répondit le Monsieur, nous nous sommes trompés tous les trois, car moi j'aurais juré des vents sans plus.

C'était donc moins les jambes qui intriguaient Lady McCann que la tête, que chaque pas faisait tourner avec roideur, sur le cou roide, sous le chapeau melon, d'un quart de cercle au moins. Où avait-elle bien pu lire qu'ainsi, de côté et d'autre, les ours tournent la tête, quand les chiens les harcèlent. Chez Monsieur Walpole peut-être.

Promeneuse peu rapide, par vieille habitude peut-être, et à cause de ses pieds qu'elle avait vieux et tendres, néanmoins Lady McCann voyait tous ces détails de plus en plus nettement, à chaque pas qu'elle faisait. Car ils allaient dans la même direction, Lady McCann et Watt.

Femme peu timorée, dans l'ensemble, grâce à ses traditions, catholiques et militaires, néanmoins Lady McCann jugea préférable de s'arrêter et d'attendre, s'appuyant sur son ombrelle, que l'écart entre eux augmente. Ainsi, tantôt arrêtée, tantôt en marche, elle suivit à une distance prudente la haute masse piétinante jusqu'au portail de sa demeure. Arrivée là, fidèle à l'esprit de ses ancêtres royalistes, elle ramassa une pierre et la jeta de toutes ses forces, qui sous l'aiguillon de la colère n'étaient pas négligeables, en direction de Watt. Et il faut croire que Dieu, toujours favorable aux McCann de ? , guida son bras, car la pierre s'abattit sur le chapeau de Watt et le projeta de sa tête, au sol. Bonheur providentiel s'il en fut, pour lui aussi, car la pierre se fût-elle abattue sur une oreille, ou sur la nuque, comme si facilement elle l'aurait pu, comme à si peu de chose près elle l'avait fait, alors qui sait une blessure se fût ouverte pour

33

ne plus jamais se refermer, plus jamais, jamais se refermer. Car Watt avait la cicatrice paresseuse et son sang devait être pauvre en ? . Et il avait beau la panser matin et soir devant un miroir, il gardait toujours, cinq ou six ans après à la hanche droite une plaie suintante d'origine traumatique.

Hormis qu'il s'arrêta, et déposa ses sacs, et ramassa son chapeau, et le remit sur sa tête, et ramassa ses sacs, et se remit, après deux ou trois faux départs, en mouvement, Watt, fidèle à sa règle, n'accusa pas davantage cette agression que s'il s'était agi d'un accident. C'était là selon lui la sagesse, à savoir étancher, au besoin, à l'échappée, avec le petit linge rouge qu'il avait toujours dans sa poche, le flot de sang, ramasser ce qui était tombé et reprendre, aussi vite que possible, soit son chemin, soit sa pose, telle la victime d'un simple contretemps. Mais à cela il n'avait aucun mérite tant cette sagesse, à force de s'exercer, faisait partie de sa nature. Et il se serait vu cracher dans l'œil, pour prendre un exemple simple, sans en concevoir plus de ressentiment qu'envers ses bretelles lui pétant au dos, ou une bombe lui explosant au cul.

Mais il n'était pas allé bien loin que, pris d'une défaillance, il quitta le haut de la route et s'assit sur le bas-côté, haut à cet endroit et bordé d'une épaisse herbe folle. Il savait, ce faisant, qu'il aurait de la peine à se relever, et il le faudrait, et à se remettre en route, et il le faudrait. Mais la défaillance, à laquelle il s'attendait depuis quelque temps déjà, était telle qu'il y céda et s'installa sur le bord du bas-côté, son chapeau rejeté en arrière, et ses sacs à ses côtés, et les genoux remontés, et les bras sur les genoux, et la tête sur les bras. Les diverses parties du corps sont vraiment bien disposées, dans des moments pareils, les unes envers les autres. Mais c'était là une position qui ne pouvait longtemps le satisfaire, dans l'air frisquet de la nuit, et il ne tarda pas à s'étendre, moitié sur la route, moitié sur le bas-côté. Sous la nuque et sous les

34

paumes lointaines il sentait l'herbe fraîche et humide du bord du fossé. Ainsi il reposa un petit moment, écoutant les petits bruits nocturnes dans la haie derrière lui, dans la haie hors lui, les entendant avec plaisir, et au loin d'autres bruits nocturnes, comme en font les chiens, par les nuits de lune, au bout de leurs chaînes, et les chauvessouris avec leurs petites ailes, et les lourds oiseaux de jour se mettant plus à l'aise, et les feuilles qui ne sont jamais au repos jusqu'à ce que l'hiver les couche dans un tas pourrissant, et le souffle qui n'est jamais tranquille. Mais c'était là une position que Watt, au bout d'un moment, ne put maintenir, et une des raisons de cela était peut-être ceci, qu'il sentait la lune l'inonder de ses rayons à présent blanchissants, comme s'il n'était pas là. Car s'il était deux choses faites pour déplaire à Watt, l'une était bien la lune et l'autre était bien le soleil. De sorte que, assurant solidement son chapeau sur la tête, et se redressant à moitié pour attraper ses sacs, il se laissa rouler dans le fossé et ne bougea plus, aplati sur le ventre, à demi enseveli sous les hautes herbes folles, les digitales, l'hysope, les orties jolies, la haute ciguë lippue et autres fleurs et herbes sauvages amies des fossés. Et ainsi aplati il perçut très distinctement, venues de loin, du dehors, oui, vraiment il aurait juré du dehors, les voix médiocres en qualité d'un chœur mixte (1).

Mais déjà Watt était las de ce fossé et envisageait justement de le quitter quand le chant vint l'en empêcher. Et une des raisons pour lesquelles Watt était las de ce fossé était peut-être ceci, que la terre, dont jusque-là les contours et l'odeur indescriptible avaient été masqués par la végétation, maintenant l'envahissait, nue, dure, sombre, puante. Et s'il y avait deux choses faites pour dégoûter Watt, l'une

---

(1) Quelle était la musique de ce thrène ? Enigme. Quelle était, au moins, celle chantée par le soprano ? Mystère.

était bien la terre, et l'autre était bien le ciel. De sorte qu'il rampa hors du fossé, sans oublier ses sacs, et reprit son voyage, avec moins de peine qu'il n'avait craint, au point où celui-ci avait été interrompu, par la défaillance. Cette dernière Watt l'avait laissée, conjointement avec son récent dîner de lait de chèvre et de morue bleue, dans le fossé, et c'était avec confiance que maintenant il avançait, au milieu de la route, avec confiance et avec crainte aussi, car les cheminées de la maison de Monsieur Knott étaient en vue enfin, sous la lune.

La maison était dans l'obscurité.

Trouvant la porte de devant fermée à clef, Watt alla à la porte de derrière. Il lui était difficile de sonner, ou de frapper, car la maison était dans l'obscurité.

Trouvant la porte de derrière fermée à clef aussi, Watt retourna à la porte de devant.

Trouvant la porte de devant fermée à clef toujours, Watt retourna à la porte de derrière.

Trouvant la porte de derrière maintenant ouverte, oh pas toute grande ouverte, mais au loquet, comme on dit, Watt put entrer dans la maison.

Watt s'étonna de trouver la porte de derrière, si récemment fermée, maintenant ouverte. A cela deux explications lui vinrent à l'esprit. La première était ceci, que sa science de la porte fermée, si rarement prise en défaut, l'avait été en cette occasion, et que la porte de derrière, quand il l'avait trouvée fermée à clef, n'était pas fermée à clef, mais ouverte. Et la seconde était ceci, que la porte de derrière, quand il l'avait trouvée fermée à clef, était fermée à clef en effet, mais avait été par la suite ouverte, de l'intérieur, ou de l'extérieur, par quelqu'un, pendant que Watt s'escrimait à faire la navette, allant de la porte de derrière à la porte de devant, et de la porte de devant à la porte de derrière.

S'il lui avait fallu choisir entre ces deux explications, Watt aurait sans doute choisi la seconde, comme étant la plus belle.

Car si quelqu'un avait ouvert la porte, de l'intérieur, ou de l'extérieur, Watt n'aurait-il pas vu une lumière, ou entendu un bruit ? Ou la porte avait-elle été ouverte, de l'intérieur, dans l'obscurité, par quelque familier des lieux, chaussé de pantoufles, ou en chaussettes, ou nu-pieds ? Ou, de l'extérieur, par quelqu'un au jeu de jambes si sûr que ses pas ne faisaient pas de bruit ? Ou y avait-il eu bruit, y avait-il eu lumière, sans que Watt entendît l'un, sans qu'il vît l'autre ?

Ainsi Watt ne sut jamais comment il était entré dans la maison de Monsieur Knott. Il savait qu'il était entré par la porte de derrière, mais il ne devait jamais savoir, jamais jamais savoir, comment la porte de derrière en était venue à s'ouvrir. Et si la porte de derrière ne s'était jamais ouverte, mais était restée fermée, alors qui sait Watt ne serait jamais entré dans la maison de Monsieur Knott, mais aurait fait demi-tour, et regagné la gare, et pris le premier train pour la ville. A moins qu'il ne fût entré par une fenêtre.

Le seuil de Monsieur Knott à peine franchi Watt vit que la maison était moins dans l'obscurité qu'il ne l'avait d'abord supposé, car une lumière brillait dans la cuisine.

Parvenu jusqu'à cette lumière Watt s'assit à côté d'elle, sur une chaise. Il posa ses sacs à côté de lui, sur le beau carrelage rouge, et il enleva son chapeau, car il était arrivé à destination, découvrant ses rares cheveux roux, et le posa sur la table à côté de lui. Et ça faisait un tableau joli à voir, le crâne de Watt, et ses touffes gris-roux, et le carrelage rougeoyant par en dessous.

Watt voyait, dans le foyer du fourneau, les cendres grises. Mais elles viraient au rouge pâle quand il masquait la lampe, avec son chapeau. Le fourneau était presque éteint, mais pas tout à fait. Une poignée de copeaux secs et les flammes jailliraient, joyeuses en apparence, dans la cheminée, avec un ronflement d'orgue. Ainsi Watt s'affaira quelque temps, masquant la lampe de moins en moins, de plus en plus, avec son chapeau, regardant les cendres virer au gris, au rouge, au gris, au rouge, dans le foyer du fourneau.

Watt s'affairait tellement de la sorte, à faire aller et venir son chapeau derrière lui, qu'il ne vit, ni n'entendit, la porte s'ouvrir et un monsieur entrer. Sa surprise fut donc extrême, quand il leva les yeux, de son petit jeu. Car ça n'était que ça, qu'un petit jeu innocent, pour faire passer le temps.

Voici donc encore quelque chose que Watt ne saurait jamais, faute de prêter une attention suffisante à ce qui se passait autour de lui. Non qu'il s'agît d'une connaissance pouvant apporter à Watt le moindre avantage, ou le moindre dommage, ou lui procurer le moindre plaisir, ou la moindre peine, loin de là. Mais tous ces petits changements de scène, les petits gains, les petites pertes, la chose ajoutée, la chose retirée, la lumière donnée, la lumière reprise, l'écume de tout ce qui vient, reste et part, tous ces riens offerts en vain à l'heure, dire qu'il n'en saurait jamais rien, rien de ce qu'ils avaient été, aussi longtemps qu'il vivrait, ni quand ils étaient venus, ni comment, ni comment c'était alors, comparé avec avant, ni combien de temps ils étaient restés, ni comment, ni ce qu'il y avait de changé alors, ni quand ils étaient partis, ni comment, ni comment c'était alors, comparé avec avant, avant qu'ils viennent, avant qu'ils partent.

Le monsieur portait un beau tablier montant de serge verte. Watt ne se rappelait avoir jamais vu plus beau tablier. Devant il y avait une vaste poche, ou cavité, et le monsieur y tenait les mains enfoncées. Watt voyait les menus remous de l'étoffe, comme insensiblement elle s'enflait et se froissait, et comme soudain elle se creusait, là où elle se faisait pincer, entre pouce et index vraisemblablement, car ce sont là les pinces.

Le monsieur dévisagea Watt un bon moment, avant de s'en aller, sans un mot d'explication. Alors Watt, faute de mieux, reprit son petit jeu, avec les couleurs. Mais il ne tarda pas à s'en départir. Et la raison de cela était peut-être ceci, que les cendres à présent ne viraient plus au rouge, mais restaient obstinément grises, même sous l'éclairage le plus faible.

Ainsi se trouvant seul, sans rien de particulier à faire, Watt se mit l'index dans le nez, d'abord dans une narine, ensuite dans l'autre. Mais il n'y avait pas de croûtes dans le nez de Watt, ce soir-là.

Mais peu après le monsieur réapparut, devant Watt. Il était en tenue de voyage et portait canne. Mais pas de chapeau sur sa tête, pas de sac dans sa main.

Avant de partir il fit le bref exposé que voici.

Ha ! comme tout me revient, bon Dieu ! Cet œil ! Ce vide ! Cette vigilance ! Cette lassitude ! L'homme arrive. Les chemins obscurs tous derrière lui, tous en lui, les longs chemins obscurs, dans sa tête, ses flancs, ses mains, ses pieds, et lui assis dans l'ombre vermeille, se curant le nez, attendant l'aube. L'aube ! Le soleil ! La lumière ! Ha ! Les lents jours d'azur pour sa tête, ses flancs, et les petits sentiers pour ses pieds, toute cette clarté à tâter et à prendre. Par l'herbe les petits sentiers de mousse, aux vieilles racines osseuses, et les arbres fichés en terre, et les fleurs fichées en terre, et les fruits pendant à terre, et les papillons blancs exténués, et les oiseaux jamais les mêmes filant se cacher de l'aube au soir. Et tous les bruits ne signifiant rien. Puis repos la nuit dans la maison tranquille, plus de routes, plus de rues, on se couche près d'une fenêtre s'ouvrant sur le refuge, les petits bruits arrivent qui ne réclament rien, n'ordonnent rien, ne proposent rien, n'expliquent rien, et la brève nuit nécessaire est tôt finie, et le ciel bleu de nouveau sur tous les endroits secrets où jamais personne ne vient, endroits secrets jamais les mêmes, mais toujours simples et indifférents, purs endroits toujours, où se mouvoir n'est ni aller ni venir, où être se fait présence si légère que c'est comme la présence de rien. Comme je le sens de nouveau, tout ça, tout ça, après

39

si longtemps, là, et là, et dans mes mains, et dans mes yeux, comme un visage levé, un visage offert, tout confiance et innocence et candeur, toutes les vieilles souillures et peurs et faiblesses offertes, pour être lavées et pardonnées ! Ha ! Ou ne l'ai-je jamais senti jusqu'à maintenant, maintenant qu'il n'y a plus lieu. M'étonnerait pas. Tout pardonné et guéri. Pour toujours. Dans un moment. Demain. Six, cinq, quatre heures encore, du vieux noir, du vieux poids, les sentir qui cèdent. Car on y est, on y reste. Ha ! Tous les chemins menaient ici, tous les détours, les escaliers sans paliers où l'on se visse à mort, agrippé à la rampe, comptant les marches, la fièvre des chemins les plus courts sous les longues housses du ciel, les routes loin de tout où vos morts marchent à vos côtés, sur les galets nocturnes chaque fois pour la dernière le demi-tour vers les feux du bourg, les rendez-vous tenus et les rendez-vous manqués, toutes les délices du va-et-vient urbain et rural, tous les exitus et redditus, bouclés et achevés. Tout menait ici, à cette pénombre où un homme d'âge mûr, le cul sur une chaise, se masturbe le blair en attendant que la première aube se lève. Car il va sans dire qu'il ne connaît pas encore les lieux. Au point qu'il n'en revient pas, et n'en reviendra jamais, ayant trouvé les alentours d'avoir su trouver la grille, et ayant trouvé la grille d'avoir su trouver la porte, et ayant trouvé la porte d'avoir su la franchir. Qu'à cela ne tienne, il est content. Non. N'exagérons rien. Il n'est pas mécontent. Car il sait qu'il est à la place qu'il faut, enfin. Et il sait qu'il est l'homme qu'il faut, enfin. A une autre place il serait toujours l'homme qu'il ne faut pas, et pour un autre homme, oui, pour un autre homme, ce serait encore la place qu'il ne faut pas. Mais lui étant tel qu'il est devenu, et la place étant telle qu'elle fut faite, l'accord est parfait. Et il le sait. Non. Gardons la mesure. Il le sent. Irrécusables les sensations d'harmonie, les prémonitions d'harmonie proche, quand tout le hors lui sera lui, les fleurs les fleurs qu'en lui il est, le ciel le ciel qui en lui les éclaire, la terre foulée la terre qui foule et chaque rumeur l'écho de la sienne. Lorsqu'en un mot il sera à son centre enfin, après tant d'années fastidieuses passées à s'accrocher au périmètre. Ces premières impressions, si chèrement gagnées, sont sans conteste délicieuses. Quel sentiment de sécurité ! Ce sont des transports auxquels peu échappent, tant la nature est souple d'une part, et l'homme de l'autre. De quelles couleurs brillent soudain épreuves et fautes anciennes, vues dans leur nouvelle, leur vraie perspective, simples stations sur le chemin d'ici ! Ha ! Tout est racheté, largement. Car le voilà arrivé. Il ose même ôter son chapeau, et déposer ses sacs, sans appréhension. Rendez-vous compte ! Il ôte son chapeau sans appréhension, déboutonne son manteau, s'assied et s'offre tout pur et grand ouvert aux longues joies d'être lui-même, comme une cuvette à un vomissement. Oh pas dans l'oisiveté. Car il y a à faire. C'est ça qui est si exquis. Ayant toute sa vie balancé entre les tourments d'une torpeur de surface et les affres de l'effort désintéressé il se trouve enfin dans une situation où ne rien faire de façon exclusive serait un acte de la plus haute valeur et signification. Et que se passe-t-il ? Pour la première fois, depuis que dans l'angoisse et le dégoût il soulagea sa mère de son lait, il se voit assigner des tâches précises d'une indiscutable utilité. N'est-ce pas charmant ? Mais son regret, son indignation, sont de courte durée, et disparaissent en général au bout du troisième ou quatrième mois. D'où cela ? Du fait de la nature du travail à accomplir, d'une fécondité peu commune, et du fait aussi qu'il finit par comprendre qu'il travaille non seulement pour la personne de Monsieur Knott, et pour la maison de Monsieur Knott, mais aussi, voire surtout, pour lui-même, afin qu'il puisse durer, tel qu'il est, à l'endroit où il est, et que l'endroit, tel qu'il est, puisse durer autour de lui. Incapables de résister à ces considérations émollientes, ses regrets, vifs au début, fondent enfin, fondent tout à fait, et se dissipent, doucement, dans la célèbre conviction que tout est bien ou, tout au moins, pour le mieux. Son indignation subit une réduction semblable et c'est calme et joyeux enfin qu'il vaque à son travail, calme et joyeux qu'il pèle la pomme de terre et vide le vase de nuit, calme et joyeux qu'il perçoit et est perçu. Tant que ça dure. Car vient le jour où il dit, Ne suis-je pas un peu détraqué, aujourd'hui ? Non qu'il se sente détraqué, au contraire, il se sent si possible encore plus en train qu'à l'ordinaire. Ha ! Il se sent si possible encore plus en train qu'à l'ordinaire et il se demande s'il n'est pas peut-être un peu patraque. L'imbécile. Il n'a rien appris. Rien. Pardonnez ma véhémence. Mais c'est un jour terrible (rétrospectivement), le jour où l'horreur de ce qui s'est passé le réduit à l'ignoble expédient d'examiner sa langue dans une glace, sa langue plus rose que jamais, dans une bouche plus que jamais fraîche. C'était un mardi après-midi, au mois d'octobre, une belle après-midi d'octobre. J'étais assis sur la marche, dans la cour, je regardais la lumière, sur le mur. J'étais au soleil, le mur était au soleil. J'étais le soleil, inutile d'ajouter, et le mur, et la marche, et la cour, et le moment de l'année, et le moment de la journée, et j'en passe. Etre assis ainsi, au cher point de convergence de ses trajets, en soi-même, avec soi-même, c'est là je pense sans contredit une façon pas plus mauvaise qu'une autre, et meilleure que certaines, de filer un instant de loisir. Tout en tirant sur ma pipe, qui cet après-midi était aussi large et plate qu'une spatule d'apothicaire, je sentis ma poitrine se gonfler, comme celle sauf erreur du pélican. De joie ? Eh bien non, peut-être pas exactement de joie. Car le changement dont je parle n'avait pas encore eu lieu. Tel un hymen elle s'interposait toujours, la chose sur le point d'être changée, entre moi et toutes les horreurs oubliées de la joie. Mais ne nous attardons pas sur ma poitrine. Regardez-la maintenant — putains de boutons ! —

42

aussi plate et — aïe ! — aussi creuse qu'un tambourin. Vous avez vu ? Vous avez entendu ? Aucune importance. Où en étais-je ? Le changement. En quoi consistait-il ? Difficile à dire. Quelque chose glissa. Me voilà assis, chaud et clair, tout à ma pipe à tabac et au mur chaud et clair, quand soudain quelque part il glissa quelque chose, un petit quelque chose, un infime quelque chose. Glisse — isse — isse — STOP. J'espère que c'est clair. Il y a une grande alpe de sable, haute d'une centaine de mètres, entre les pins et l'océan, et là dans la chaude nuit sans lune, quand personne ne voit, personne n'écoute, par infimes paquets de deux ou trois millions les grains glissent, tous ensemble, un petit glissement de deux ou trois millimètres peut-être, puis s'arrêtent, tous ensemble, pas un en moins, et c'est tout, c'est tout pour cette nuit, et peut-être pour toujours c'est tout, car au matin avec le soleil un petit vent de mer peut se lever et les disperser très loin les uns des autres, ou un promeneur les éparpiller du pied, cas moins probable. C'est ce genre de glissement que je ressentis, ce mardi après-midi, des millions de petites choses s'en allant toutes ensemble de leur vieille place dans une nouvelle tout à côté, et sournoisement, comme si c'était défendu. Et je ne doute pas d'avoir été le seul vivant à s'en apercevoir. De là à conclure que l'incident fut interne serait téméraire, à mon avis. Car mon — comment dire ? — mon système personnel était si distendu à l'époque dont je parle que distinguer entre ce qui était au-dedans de lui et ce qui était au-dehors de lui n'était point facile. Tout ce qui se passait se passait au-dedans de lui et en même temps tout ce qui se passait se passait au-dehors de lui. J'espère que c'est net. Je ne vis, inutile d'ajouter, ni n'entendis la chose arriver, mais je la perçus d'une perception si physique qu'en comparaison les impressions d'un enterré vif à Lisbonne, à l'heure de gloire de Lisbonne, semblent une froide et artificielle construction de l'entendement. Le soleil sur le mur, puisqu'il est ques-

43

tion du soleil sur le mur, subit en même temps une transformation foudroyante et j'ose dire radicale. C'était toujours le même soleil, le même mur, ou si peu vieillis qu'on peut sans danger négliger la différence, mais si changés que je me sentis transporté, en un tournemain, dans une tout autre cour, et dans une tout autre saison, dans un pays inconnu. Simultanément ma pipe à tabac, puisque je ne mangeais pas une banane, cessa à tel point d'être le soulas auquel je m'étais fait, que je l'ôtai de ma bouche, craignant d'avoir affaire à un thermomètre minute, ou à un tire-langue d'épileptique. Et ma poitrine, où je venais de sentir presque frissonner les plumes, du délicieux frissonnement propre aux plumes de poitrine, s'affaissa pour redevenir la concavité creuse et osseuse dont mon cher tuteur disait qu'elle lui rappelait Crécy. Car sternum et colonne, petit merdeux déjà je les avais concentriques. C'est alors que dans mon désarroi j'eus la faiblesse d'appeler à mon secours une constipation tenace de fraîche date, corsée d'inappétence. Mais en quoi *consistait* le changement ? Qu'est-ce qui était changé, et comment ? Ce qui était changé, si je suis bien renseigné, était le sentiment qu'un changement avait eu lieu autre qu'un simple changement de degré. Ce qui était changé était l'existence hors l'échelle. Ne descends pas par l'échelle, Ifor, je l'ai enlevée. C'est là, j'ai l'honneur de vous l'apprendre, la métamorphose à rebours. Le Laurier en Daphné. La chose de toujours là de nouveau où elle n'avait cessé d'être. Comme lorsqu'un homme, ayant enfin trouvé ce qu'il cherchait, une femme par exemple, ou un ami, s'en voit dépossédé, ou se rend compte de ce que c'est. Et rien ne sert pourtant de ne pas chercher, de ne pas vouloir, car lorsqu'on cesse de chercher, alors on commence à trouver, et lorsqu'on cesse de vouloir, alors la vie commence à vous entonner son ragoût de charogne jusqu'à ce qu'on dégueule, et puis le dégueulis par-dessus jusqu'à ce qu'on dégueule le dégueulis, et puis le degueulis dégueulé jusqu'à ce qu'on

44

commence à y prendre goût. Le glouton naufragé, l'ivrogne dans le désert, le luxurieux en prison, voilà les bienheureux. Avoir faim, soif et envie furieuses, chaque jour de nouveau et chaque jour en vain, de la vieille bouffe, de la vieille bibine, de la vieille fesse, c'est là que nous touchons de plus près à la félicité, là le nouveau Portique et le tout dernier Jardin. Je vous file le tuyau pour ce qu'il vaut. Mais d'où ce sentiment qu'un changement avait eu lieu autre qu'un simple changement de degré ? Et à quelle problématique réalité correspondait-il ? Et à quelles forces attribuer le mérite de sa suppression ? Voilà des questions dont, avec de la patience, on pourrait aisément extraire celles qui s'ensuivent et ainsi descendre, ou monter, échelon par échelon, toute la nuit, jusqu'à l'aube. Malheureusement j'ai des renseignements d'ordre pratique à transmettre, autrement dit une dette à payer, ou un compte à régler, avant de partir. De cette présence donc je ne dirai que ceci, sans chercher à savoir d'où elle est venue, où elle est partie, qu'à mon avis elle n'était pas illusion, tant qu'elle dura, cette présence dehors, cette présence dedans, cette présence entre, de ce qui n'existait pas. Ceci dit qu'on me les coupe si j'arrive à comprendre ce qu'elle pouvait bien être d'autre. Mais tout cela et le reste, ha ! le reste, vous en jugerez vous-même, votre heure venue, ou plutôt vous n'en jugerez rien, à en croire cette dégaine. Car ne vous faites pas d'illusions, loin de moi la suggestion que ce qui m'est arrivé à moi, ce qui m'arrive à moi, doive forcément vous arriver à vous, ou que ce qui vous arrive à vous, ce qui vous arrivera à vous, me soit forcément arrivé à moi, ou plutôt si ça vous arrive, si ça m'est arrivé, qu'il y ait la moindre chance de le voir admis. Car à vrai dire les mêmes choses nous arrivent à tous, surtout à des hommes dans notre situation, on se demande laquelle, si seulement nous daignions le savoir. Mais me voilà pire que Monsieur Ash, vague connaissance de naguère. Un soir je tombe sur lui sur Westminster Bridge. Rafales de vent. Rafales de neige. Signe de tête à l'avenant. En vain. M'empoignant d'une main il retira de l'autre, avec ses dents, deux vastes mitaines de peau, dénoua son épaisse écharpe de laine, défit vivement et écarta l'un après l'autre son pardessus, sa douillette, sa veste, ses deux gilets, sa chemise, sa flanelle et son tricot, attrapa un étui en chamois suspendu à son cou en compagnie du crucifix de rigueur, en fit glisser une demi-savonnette en acier inoxydable, fit jouer le couvercle, l'approcha de ses yeux (la nuit tombait), refit le tout en sens inverse, retrouva sa forme primitive, dit, Cinq heures dix-sept minutes exactement aussi vrai que Dieu me voit, hommages à Madame (je n'en ai jamais eu), lâcha mon bras, souleva son chapeau et fila. Un instant plus tard Big Ben (c'est bien le nom ?) sonna les six heures. C'est là à mon avis le type même de tout renseignement d'où qu'il vienne, qu'il soit volontaire ou qu'il soit sollicité. Si vous voulez une pierre demandez du pain. Si vous voulez du pain demandez du gâteau. Cet Ash était ce qu'avec révérence on appelait de mes jours sous-aide de sous-chef de bureau à la Marine et avec ça pétri de qualités, bref une vermine comme on en voit partout. Il est mort la semaine d'après d'épuisement précoce, oint et absous, laissant sa demi-savonnette à sa blanchisseuse. Personnellement bien sûr je déplore tout. Pas un mot, pas une joie, pas un acte, pas une voix, pas une pensée, pas un pleur, pas un doute, pas une peur, pas un oui, pas un non, pas un cul, pas un con, pas une soif, pas une peine, pas un rire, pas une haine, pas un nom, pas une face, nulle heure, nulle place, que je ne déplore amèrement. Une ordure de bout en bout. Et cependant quand j'ai passé mon Fellowship, assis du matin au soir, sans ce clou à la selle... Le reste, une ordure. Les trognes du mardi, les rognes du mercredi, les rages du jeudi, les grognes du vendredi, les cuites du samedi, les sommeils du dimanche, les réveils du lundi, les réveils du lundi. Les coups, les coups, de pied, de gueule, pan !

46

paf ! pitié ! aïe ! aïe ! pitié ! paf ! pan ! les coups, les coups, de grâce jamais. Et cette pauvre vieille pouilleuse de vieille terre, la mienne et celle de mon père et de ma mère et du père de mon père et de la mère de ma mère et de la mère de mon père et du père de ma mère et du père de la mère de mon père et de la mère du père de ma mère et de la mère de la mère de mon père et du père du père de ma mère et de la mère du père de mon père et du père de la mère de ma mère et du père du père de mon père et de la mère de la mère de ma mère et des pères et mères d'autres infortunés et des pères de leurs pères et des mères de leurs mères et des mères de leurs pères et des pères de leurs mères et des pères des mères de leurs pères et des mères des pères de leurs mères et des mères des mères de leurs pères et des pères des pères de leurs mères et des mères des pères de leurs pères et des pères des mères de leurs mères et des pères des pères de leurs pères et des mères des mères de leurs mères. Une immondice. Les crocus et le mélèze qui reverdit une semaine avant les autres et les pâturages rouges de succulents placentas de brebis et les longs jours d'été et le foin fauché de frais et le ramier le matin et le coucou l'après-midi et le râle des blés le soir et les guêpes dans la confiture et l'odeur des ajoncs et la vue des ajoncs et les pommes qui tombent et les enfants qui marchent dans les feuilles mortes et le mélèze qui rejaunit une semaine avant les autres et les châtaignes qui tombent et le hurlement du vent et la mer qui se brise par-dessus la jetée et les premiers feux et les sabots sur la route et le facteur poitrinaire qui siffle *Roses de Picardie* et la lampe à pétrole en haut de son lampadaire et naturellement la neige et bien sûr la grêle et vous pensez bien la gadoue et tous les quatre ans la débâcle de février et les crocus et puis tout le foutu trafic qui repart de plus belle. Un étron. Et si je pouvais tout recommencer, sachant ce que je sais maintenant, le résultat serait le même. Et si je pouvais

47

recommencer une seconde fois, sachant ce que je saurais alors, le résultat serait le même. Et si je pouvais recommencer cent fois, sachant chaque fois un peu plus que la fois d'avant, le résultat serait toujours le même, et la centième vie comme la première, et les cent vies comme une seule. Une chiasse. Mais à ce train-là on perd ici la nuit entière.

> On perd ici la nuit entière,
> La nuit entière on perd ici,
> Ici la nuit entière on perd,
> Entière ici on perd la nuit.
> On est silence, souffle, ombre,
> La nuit et l'ici que voici,
> Le répit au bout de la fuite,
> En pleine fuite le répit.

Ha ! Vous avez entendu ? Dans le mille. Ha ! Merde ! Raté ! Ha ! Voilà. Ha ! Ha ! Ha ! Mon rire, Monsieur — ? Plaît-il ? Comme la machine à vapeur ? Ha ! Mon rire, Monsieur Watt, prénom perdu en route. Oui. De tous les rires qui à proprement parler n'en sont pas, mais relèvent plutôt de l'ululement, trois seuls à mon avis méritent qu'on s'y arrête, à savoir l'amer, le jaune et le sans joie. Ils correspondent à des — comment dire ? — à une excoriation progressive de l'entendement et le passage de l'un à l'autre est le passage du moindre au plus, de l'inférieur au supérieur, de l'extérieur à l'intérieur, du grossier au subtil, de la matière à la forme. Le rire aujourd'hui sans joie était jaune naguère, le rire jaune aujourd'hui était naguère amer. Et le rire aujourd'hui amer ? Aux larmes, Monsieur Watt, aux chaudes larmes, ne perdons pas de temps avec ça, ne perdons plus de temps avec ça. Non vraiment. Où en étais-je ? L'amer,

48

le jaune et le — ha ! — sans joie. Le rire amer rit de ce qui n'est pas bon, c'est le rire éthique. Le rire jaune rit de ce qui n'est pas vrai, c'est le rire judiciaire. Pas bon ! Pas vrai ! Enfin ! Mais le rire sans joie est le rire noétique, par le groin — ha ! — comme ça, c'est le rire des rires, le risus purus (1), le rire qui rit du rire, hommage ébahi à la plaisanterie suprême, bref le rire qui rit — silence s'il vous plaît — de ce qui est malheureux. Personnellement bien sûr je déplore tout. Tout, tout et tout. Pas un mot, pas une — mais ça je l'ai déjà fait, non ? Vous êtes sûr ? Bon. Dans ce cas parlons plutôt de mon sentiment actuel, qui ressemble à s'y méprendre au sentiment de tristesse, au point que je les confonds volontiers. Oui. Quand je pense que cette heure est ma dernière sur terre chez Monsieur Knott, où j'ai passé tant d'heures, tant d'heures heureuses, tant d'heures malheureuses et — ce qui est le pire — tant d'heures ni heureuses ni malheureuses, et que d'ici le chant du coq, ou au plus tard un peu plus tard, mes petites jambes lasses doivent m'emporter loin d'ici, tant bien que mal, loin d'ici mon tronc encore plus las qu'elles et ma tête encore plus lasse que lui, loin loin de cet état ou lieu où depuis si longtemps je mettais mes espoirs, de leur pas le meilleur, pas las à pas las, le gros petit cul et le ventre itou lourds et las loin d'ici, et le torse rabougri et la pauvre petite tête lourde et chauve qui ne semble tenir qu'à un fil, toujours plus vite par l'air gris et à chaque pas plus loin d'ici, dans n'importe laquelle des trois cent soixante directions offertes à l'homme désespéré d'agilité moyenne, et souvent je me retourne aveuglé par les larmes — ha ! — sans pour autant ralentir ma carrière — tout un programme ! — et n'ayant peut-être qu'un seul désir, celui d'être transformé en statue de pierre, ou en pierre levée au milieu

---

(1) Locution latine signifiant à peu près rire (*risus*) pur (*purus*).

d'un champ, ou au flanc de la montagne, assez belle pour que viennent l'admirer les générations à venir et que viennent s'y gratter les herbivores à venir, vaches, chevaux, moutons et chèvres, et que veuillent bien pisser contre hommes et chiens, et que viennent spéculer les savants dessus, et que viennent embellir de slogans partisans et de graffiti obscènes les cœurs ulcérés à venir, et qu'immortalisent de leurs noms inscrits dans un cœur, avec la date, les amoureux à venir, et que vienne de temps en temps s'appuyer contre, et s'endormir, un homme solitaire, assis au soleil, en cas de soleil. C'est pourquoi j'ai un sentiment qui à tous égards à s'y méprendre ressemble au sentiment de tristesse, tristesse de ce qui fut, est et sera, dans la mesure bien sûr où cela me touche personnellement, car avec les soucis et ennuis d'autrui pas question pour le moment que je me casse la tête qui semble déjà ne plus tenir qu'à un fil, sensation que pour un type intellectuel — ha ! — comme moi j'ose sans crainte de démenti qualifier de gênante entre toutes, de même que pour une nature lascive par exemple se sentir les parties ne plus tenir qu'à un fil aurait à coup sûr de quoi l'inquiéter tout particulièrement, et ainsi de suite selon le tempérament de chacun. Oui, ces instants ensemble nous ont changés, vos instants et mes instants, si bien que non seulement nous ne sommes plus les mêmes à présent que lorsqu'ils se mirent — tic!tac!tic!tac! — à galoper, mais nous nous savons plus les mêmes, et non seulement nous nous savons plus les mêmes mais nous savons en quoi nous ne sommes plus les mêmes, vous plus sage mais pas plus triste, moi plus triste mais pas plus sage, car de sagesse j'avais mon compte, tandis qu'à la tristesse on peut toujours ajouter jusqu'à ce que mort s'ensuive, n'est-ce pas, comme à une collection de timbres-poste, ou d'œufs d'oiseau, sans s'en ressentir particulièrement, n'est-ce pas ? Or lorsque quelqu'un prend la place de quelqu'un d'autre, alors il y a peut-être intérêt pour celui qui prend la place à avoir quelques renseignements sur celui dont la place est prise, quoique bien sûr en même temps d'un autre côté l'inverse ne soit pas forcément vrai, je veux dire que celui dont la place est prise n'est guère blâmable s'il n'éprouve pas beaucoup d'intérêt pour celui qui prend la place. Souvent, j'ai le regret de le dire, cet intéressant rapport s'établit par procuration. Prenons par exemple le cas de deux bonnes à tout faire (je dis bonnes à toute faire, mais vous voyez ce que je veux dire), l'une ayant vidé avec fracas les lieux vers lesquels l'autre se traîne et cela avec une avance suffisante pour exclure toute possibilité d'intersection aussi bien devant la maison que sur le chemin que fatalement elles doivent suivre, l'une pour se rapprocher, l'autre pour s'éloigner, de l'arrêt soit du tram soit de l'autobus, ou de la gare, ou de la station soit de taxis soit de fiacres, ou du fond d'une taverne, ou des bords du canal. Appelons maintenant la première Mary et Ann la seconde ou, encore mieux, Ann la première et la seconde Mary, et supposons une tierce personne, maîtresse ou maître, car sans une quelconque existence supérieure de cette nature l'existence de la bonne à tout faire, qu'elle se rapproche du tout à faire, ou qu'elle s'éloigne du tout à faire, ou qu'au cœur du tout à faire elle se tienne immobile, est difficilement concevable. Alors cette tierce personne, de l'existence de laquelle dépendent les existences d'Ann et de Mary et dont l'existence aussi en un sens si l'on veut dépend des existences de Mary et d'Ann, dit à Mary, non, dit à Ann, car Mary est d'ores et déjà loin, dans le tram, l'autobus, le train, le taxi, le fiacre, la taverne ou le canal, dit donc à Ann, Jane, le matin quand Mary avait fini de faire ceci, si tant est que Mary eût jamais fini de rien faire, elle se mettait à faire cela, c'est-à-dire qu'elle se campait solidement dans une pose confortable et quasiment verticale devant la tâche à accomplir et demeurait ainsi à mâchonner paisiblement oignons de Galles et pastilles de menthe à tour de rôle, je veux dire d'abord un oignon,

51

puis une pastille, puis un autre oignon, puis une autre pastille, puis un autre oignon, puis une autre pastille, puis un autre oignon, puis une autre pastille, puis un autre oignon, puis une autre pastille, puis un autre oignon, puis une autre pastille, puis un autre oignon, puis une autre pastille, puis un autre oignon, puis une autre pastille, puis un autre oignon, puis une autre pastille, et ainsi de suite, pendant que peu à peu s'effaçait de son esprit, comme avec le jour les chimères de l'id, la raison de sa présence à cet endroit, et que le chiffon à poussière, dont jusque-là elle avait si vaillamment supporté le fardeau, tombait de ses doigts, dans la poussière, où ayant aussitôt revêtu la couleur (gris) du milieu il disparaissait jusqu'au printemps suivant. Il se perdait de la sorte une moyenne menstruelle de vingt-six ou vingt-sept superbes chiffons à poussière pure laine par la faute de notre Mary pendant sa dernière année de service dans cette infortunée maison. Or quelles ont bien pu être, c'est la question qu'on se pose, les fantaisies qui à ce point ravissaient Mary à la conscience de sa situation ? Rêves d'un travail moindre et de gages plus élevés ? Démangeaisons érotiques ? Souvenirs d'enfance ? Malaise ménopausal ? Deuil d'un être cher ou parti pour une destination inconnue ? Relecture par l'œil de l'esprit de la page hippique du jour ? Prières pour une âme ? Elle n'était pas femme à se confier Elle était même, qu je me trompe fort, opposée par principe à toute forme de conversation en tant que telle. Des journées voire des semaines entières s'écoulaient sans que jamais Mary l'ouvre sinon pour y introduire ses cinq doigts solidement agrippés à un fragment de nourriture, car aux classiques véhicules de l'ingestion, tels le couteau, la cuiller et même la fourchette, elle n'avait jamais pu s'habituer, malgré ses excellentes références. Son appétit, en revanche, était tout à fait exceptionnel. Non que la nourriture absorbée par Mary, pour un temps déterminé, dépassât en volume ou en vitamines la ration normale pour la même période d'une personne saine, non. Mais son appétit était exceptionnel en ceci, qu'il ne connaissait pas de trêve. L'être normal mange, puis se repose un certain temps, puis mange de nouveau, puis se repose de nouveau, puis mange de nouveau, puis se repose de nouveau, puis mange de nouveau, puis se repose de nouveau, puis mange de nouveau, puis se repose de nouveau, puis mange de nouveau, puis se repose de nouveau, et de cette façon, tantôt mangeant et tantôt s'en reposant, résout le difficile problème de la faim, et j'ose ajouter de la soif, au mieux de ses moyens et selon l'état de sa fortune. Qu'il soit petit mangeur, moyen mangeur, gros mangeur, végétarien, naturiste, cannibale ou coprophage, qu'il halète vers le repas à faire ou l'ayant fait s'en repente ou les deux, qu'il élimine bien ou qu'il élimine mal, qu'il éructe, vomisse, pète ou de toute autre manière ne puisse ou ne daigne se contenir à la suite d'un régime mal adapté, d'une affliction congénitale ou de mauvais plis pris dès l'âge tendre, qu'il soit, Jane, dis-je, un de ceux-là, ou plusieurs, ou tous réunis, ou encore plus, ou qu'au contraire il n'en soit aucun, mais tout autre chose, comme ça serait le cas si par exemple il faisait la grève de la faim ou se trouvait frappé de stupeur catatonique ou obligé pour des raisons connues seules de ses conseillers médicaux de se tourner pour sa sustentation vers le clystère, il n'en reste pas moins vrai, et indiscutable, qu'il procède par ce que nous appelons repas, qu'ils soient pris volontairement ou involontairement, avec plaisir ou avec douleur, avec succès ou sans succès, par la bouche, par le nez, par les pores, par voie de sonde ou par derrière de bas en haut à l'aide d'une seringue peu importe, et qu'entre ces actes de nutrition sans lesquels la vie telle que généralement on l'entend serait en peine de se prolonger il intervient des périodes de repos ou de relâche exemptes de toute nourriture, si ce n'est à l'occasion éventuellement de temps en temps un petit verre, casse-croûte ou morceau sur le pouce qui sans être indispensables n'en sont pas moins les bienvenus à la suite d'une accélération imprévue des échanges métaboliques due à des circonstances imprévisibles telles le tiercé malheureux, la naissance d'un enfant, le remboursement d'une dette, la récupération d'un emprunt, la voix de la conscience ou tout autre choc au grand sympathique ayant pour effet de déclencher une ruée subite de chyme, ou de chyle, ou des deux, vers le bol à demi digéré alors qu'avec une sage lenteur il s'apprête à forcer le passage vers le sol avec sa lourde charge de vin de Xérès, soupe, bière, poisson, stout, viande, bière, légumes, dessert, fruits, fromages, stout, anchois sur toast, bière, café et bénédictine par exemple, avalés voilà quelques heures à peine d'un cœur léger aux probables accords d'un piano et d'un violoncelle. Alors que Mary mangeait à longueur de journée, c'est-à-dire depuis le petit jour ou du moins depuis son réveil lequel, à en juger par l'heure de son lever, ou plutôt de sa première apparition dans les profondeurs de cette malheureuse demeure, n'était point prématuré, jusqu'à tard dans la nuit, car elle se mettait au lit avec une grande exactitude tous les soirs à huit heures, laissant la vaisselle sale sur la table, et sombrait aussitôt dans un sommeil de plomb pour peu que ces ronflements, dont on m'a souvent entendu affirmer n'en avoir jamais entendu de semblables, ne fussent pas feints, ce que pour ma part je me refuse à croire vu qu'ils se prolongeaient sans aucune baisse de sonorité toute la nuit, d'où j'ai tout lieu de croire que Mary, comme tant de femmes, dormait à plat sur le dos, détestable et dangereuse pratique à mon avis, quoiqu'il y ait des moments bien sûr où il est difficile pour ne pas dire impossible de faire autrement. Hem ! Maintenant en disant que Mary mangeait toute la journée, depuis le moment où elle ouvrait les yeux le matin jusqu'à celui où le sommeil les lui fermait le soir, j'entends qu'à aucun instant pendant cette période la bouche de Mary n'était plus qu'à moitié vide ou,

54

si vous préférez, moins qu'à moitié pleine, car à l'habitude généralement reçue d'en finir avec une bouchée avant d'entamer la suivante Mary, en dépit de ses remarquables références, n'avait jamais pu se faire. Maintenant en disant qu'à aucun instant pendant les heures de veille de Mary la bouche de Mary n'était plus qu'à moitié vide ou moins qu'à moitié pleine je n'entends pas qu'elle était toujours l'un ou l'autre, car une inspection approfondie et même superficielle l'aurait révélée, neuf fois sur dix, pleine à déborder, ce qui éclaire d'un nouveau jour l'indifférence de Mary aux joies de la conversation. Maintenant lorsque à propos de la bouche de Mary je me sers de l'expression pleine à déborder je n'entends pas seulement qu'elle était si pleine, les neuf dixièmes du temps, qu'elle menaçait de déborder, non, mais dans ma pensée je vais plus loin et j'affirme, sans crainte de démenti, qu'elle était si pleine les neuf dixièmes du temps qu'elle débordait bel et bien, un peu partout dans cet intérieur de malheur. Et des traces de cette exubérance, sous la forme de fragments mal mâchés de viande, fruits, pain, légumes, noix et pâtisserie, j'en ai souvent trouvé dans des endroits aussi éloignés dans l'espace et d'affectation aussi diverse que le réduit à charbon, le jardin d'hiver, le bar américain, l'oratoire, la cave, le grenier, la laiterie et, révérence parler, les water des domestiques où Mary passait plus de temps qu'un état satisfaisant ou même tolérable de l'appareil digestif ne semblait justifier, à moins qu'il ne faille supposer qu'elle s'enfermait dans cet endroit à la recherche d'un peu d'air pur, de repos et de tranquillité, car femme plus vouée au repos et à la tranquillité, je le dis en pesant mes mots, je n'en ai jamais connu, ni personnellement ni par ouï-dire. Mais pour en revenir là où nous l'avons laissée, je la revois comme si c'était hier, affalée dans une sorte de stupeur contre un des murs dont abonde ce lamentable édifice, les longs cheveux gris et gras encadrant dans leur capuce de mèches scrofuleuses une face où pâleur, langueur, faim, acné, crasse récente, chagrin immémorial et poils superflus semblent se disputer la palme. Des lambeaux de dentelle durcie s'accrochent à une oreille. Sous le tablier pisseux, copieusement encroûté de bave séchée, deux dépressions en entonnoir marquent la place des seins et une bosse conique celle de l'abdomen. Entre d'une part une grande poche ou sacoche, contenant les provisions de la matinée, habilement dissimulée dans la jupe loqueteuse, et de l'autre la bouche de Mary, les mains de Mary courent avec une régularité que je n'hésite pas à comparer à celle des bielles. A l'instant même où une main enfonce, paume ouverte, entre les mâchoires inlassables la patate, l'oignon, le sandwich ou la tarte, l'autre plonge dans la poche et là agrippe, infailliblement selon l'ordre reçu, la tarte, le sandwich, l'oignon ou la patate. Et l'une, descendant pour se remplir, croise l'autre qui remonte pour se vider, à un point équidistant de leurs points de départ, ou d'arrivée. Et à part les bras qui volent, les mâchoires qui broyent, la gorge qui engloutit, pas un muscle de Mary ne bouge, et tout là-haut la face comme perdue dans un rêve, ce qui peut vous paraître étrange, à vous, Jane, mais, Jane, croyez-m'en, je n'invente rien. Maintenant pour ce qui est des membres inférieurs, hem, de Mary, dont à ma connaissance il n'a pas encore été question, eh bien, croyez-moi si vous voulez, hiver et été... Hiver et été. Et ainsi de suite. Eté ! Quand je serai mourant, Monsieur Watt, derrière le paravent rouge, vous savez, c'est peut-être ce mot qui se fera entendre, été, et les mots pour les choses d'été. Non qu'elles m'aient été spécialement chères. Mais d'aucuns appellent le prêtre et d'autres les longs jours où le soleil était un fardeau. C'était l'été quand j'ai échoué ici. Et maintenant je vais finir et vous n'entendrez plus ma voix, à moins que nous nous retrouvions ailleurs, ce qui vu l'état probable de notre santé est peu probable. Oui, je vais me lever, non, je ne suis pas assis, je vais m'en aller, tel que

56

vous me voyez, dans les vêtements où me voici debout
devant vous, si on peut appeler ça debout, sans seulement
une brosse à dents dans ma poche pour me brosser la dent,
matin et soir, ni un sou dans ma poche pour me payer une
brioche contre le soleil de midi, sans espoir, ni ami, ni projet,
ni perspective, ni chapeau sur ma tête à enlever devant ces
messieurs-dames au grand cœur, et suivre l'allée tant bien
que mal jusqu'au portail, pour la dernière fois, dans la
grisaille de l'aube, et déboucher — adieu ! — sur le dur
chemin et de là — hop ! — sur le dur trottoir, et ainsi m'en
aller, de mon pas le moins mauvais un deux du moins mal
que je pourrai, frôlant de ma joue la haie poussiéreuse de
troènes mal taillés, toujours plus loin, plus brûlant, plus
faible, jusqu'à ce que quelqu'un prenne pitié de moi, ou
que Dieu ait compassion de moi, ou encore mieux les deux,
ou à défaut que je tombe en pleine course et ne puisse me
relever et sois appréhendé noir de mouches par un bleu
gardien de l'ordre, vous laissant ici à ma place avec devant
vous tout ce que j'ai derrière moi et tout ce que j'ai devant
moi — ha ! — tout ce que j'ai devant moi. C'était l'été.
Il y avait trois hommes dans la maison : le maître que nous
appelons Monsieur Knott, comme vous le savez ; un serviteur ancien nommé Vincent, je crois bien ; et un serviteur
moins ancien, entendre seulement d'acquisition plus récente,
nommé Walter si je ne me trompe. Le premier est ici, dans
son lit, ou tout au moins dans sa chambre. Mais le second,
je veux dire Vincent, n'est plus ici, et la raison de cela est
ceci, que lorsque moi je suis venu il est parti. Mais le troisième, je veux dire Walter, n'est plus ici non plus, et la
raison de cela est ceci, que lorsque Erskine est venu il est
parti, tout comme Vincent est parti quand moi je suis venu.
Et moi, je veux dire Arsene, je ne suis plus ici non plus,
et la raison de cela est ceci, que lorsque vous êtes venu moi
je suis parti, tout comme lorsque moi je suis venu Vincent
est parti et que Walter est parti quand Erskine est venu.

Mais Erskine, je veux dire l'avant-dernier à venir et le prochain à partir, Erskine est toujours ici, endormi et loin de se douter de ce que le nouveau jour lui réserve, je veux dire sa montée en grade et un visage nouveau et la fin en vue. Mais un autre soir va venir et le ciel se vider de sa lumière et la terre de ses couleurs et la porte s'ouvrir sur le vent ou la pluie ou le grésil ou la grêle ou la neige ou la boue ou la tempête ou les tièdes senteurs du calme été ou le calme de la glace ou la terre qui se réveille ou la moisson sans un souffle ou la chute des feuilles dans le noir chacune de sa hauteur à elle vers la terre où elle touche seule, jamais deux feuilles en même temps, puis la course à ras la terre, brève débandade dans le noir, les noires, les rousses, les jaunes, les grises, pour finir ensemble en tas, ici un tas et là un tas, n'ayant plus qu'à être foulées par les joyeuses bandes de garçons et filles revenant de l'école et déjà tout aux joies à venir de la Toussaint et des Trépassés et de la Noël et du Nouvel An — ha ! — joyeux garçons et filles tout aux joies du joyeux Nouvel An, et plus qu'à être chargées dans de vieilles brouettes pour au printemps suivant servir de fumier aux pauvres, et un homme venir, prompt à fermer la porte derrière lui, et Erskine partir. Et une autre nuit va tomber et un autre homme venir et Watt partir, Watt tout frais venu, car la venue est dans l'ombre du départ et le départ est dans l'ombre de la venue, voilà l'ennui. Mais il y a celui qui ne vient ni ne part, je parle bien sûr de mon ancien employeur, mais qui semble fixé à sa place, du moins jusqu'à nouvel ordre, comme le chêne, l'orme, le hêtre ou le frêne, et nous nichons un instant dans ses branches. Et cependant il a dû y avoir une époque où il est venu, comment serait-il là sinon, et je suppose que tôt ou tard il en viendra une autre où il devra partir, aussi invraisemblable que ça doive paraître à qui le voit aujourd'hui. Mais les apparences sont souvent trompeuses, comme disait ma pauvre vieille mère, en poussant un soupir, à mon pauvre vieux père (car je ne suis pas illégitime), et cela en ma présence (car ils ne se gênaient pas devant moi), sentiment auquel j'entends encore mon pauvre vieux père, avec un soupir, assentir en disant, Dieu merci, opinion à laquelle sur un ton qui me hante encore ma pauvre vieille mère acquiesçait en soupirant, Amen. Ou y a-t-il une venue qui ne vienne nulle part, un départ qui ne parte de nulle part, une ombre qui ne soit pas l'ombre du but à atteindre, ou non ? Car quelle est cette ombre du départ dans laquelle nous venons, cette ombre de la venue dans laquelle nous partons, cette ombre de la venue et du départ dans laquelle nous attendons, sinon l'ombre du but à atteindre, d'un but qui tout en bourgeonnant se fane et qui bourgeonne tout en se fanant et dont les fleurs ne sont que des bourgeons fanés ? Je cause bien, n'est-ce pas, pour un homme dans ma situation. Et quelle est cette venue qui ne fut pas notre venue et ce séjour qui n'est pas notre séjour et ce départ qui ne sera pas notre départ sinon une venue, un séjour et un départ sans l'ombre d'un but ? Et si maintenant je peux sembler partir sans but il n'en est pourtant rien, pas plus que je ne suis pas venu sans but alors, car je pars maintenant avec mon but comme avec lui alors je suis venu à ceci près qu'alors il était vivant et que maintenant il est mort, ce qu'on pourrait appeler n'est-ce pas ce que sauf erreur les Français appellent bonnet blanc et blanc bonnet. Ou est-ce que je les confonds avec les Belges ? Mais pour en revenir à Vincent et à Walter, ils étaient à peu près comme vous, même hauteur, même largeur, même profondeur, c'est-à-dire des hommes grands et ossus, miteux et piteux, hagards et cagneux, aux dents pourries et au gros nez rouge, effet à les en croire de trop de solitude, tout comme moi je suis à peu près comme Erskine et Erskine à peu près comme moi, c'est-à-dire des hommes petits et gras, miteux et piteux, graisseux et bancals, au gros petit ventre pointant en avant et au gros petit cul pointant en arrière à l'avenant. Car si l'on chuchote que

59

Monsieur Knott préférerait n'avoir rigoureusement personne autour de lui, pour s'occuper de lui, étant obligé cependant d'avoir rigoureusement quelqu'un autour de lui, pour s'occuper de lui, étant tout à fait incapable de s'occuper de lui-même, alors on laisse entendre que ce qu'il préfère c'est le nombre minimum d'hommes petits et gras, miteux et piteux, graisseux et bancals, au ventre et au derrière rebondis, autour de lui, pour s'occuper de lui, ou, à défaut, le moins possible d'hommes grands et ossus, miteux et piteux, hagards et cagneux, aux dents pourries et au gros nez rouge, autour de lui, pour prendre soin de lui, quoiqu'il n'en manque pas pour insinuer qu'à défaut des uns et des autres il se contenterait sans peine d'hommes d'un tout autre type, d'une tout autre allure, autour de lui, aussi différents physiquement de vous et de Vincent et de Walter que d'Erskine et de moi, si cela peut se concevoir, pour s'affairer autour de lui, à la seule condition qu'ils soient miteux et piteux et peu nombreux, car vers tout ce qui est miteux et piteux et peu nombreux il penche visiblement, dans la mesure où l'on peut le voir pencher vers quoi que ce soit, encore que j'aie entendu affirmer avec assurance que s'il ne pouvait avoir le miteux, le piteux et le peu nombreux il s'en passerait avec joie, autour de lui, pour veiller sur lui. Mais qu'à aucun moment il n'ait eu d'autres hommes que d'une part des hommes grands et ossus, miteux et piteux, hagards et cagneux, aux dents pourries et au gros nez rouge comme vous et d'autre part des hommes petits et gras, miteux et piteux, graisseux et bancals, au ventre et au derrière rebondis comme moi, autour de lui, pour s'inquiéter de lui, semble certain, à moins qu'il n'y ait de cela si longtemps que leur trace s'est perdue à jamais. Car Vincent et Walter n'étaient pas les premiers, hé non, mais avant eux il y avait Vincent et un autre dont j'oublie le nom, et avant eux il y avait cet autre dont j'oublie le nom et un autre dont j'oublie le nom aussi, et avant eux il y avait cet autre dont j'oublie le nom aussi et un autre dont je n'ai jamais su le nom, et avant eux il y avait cet autre dont je n'ai jamais su le nom et un autre dont Walter ne se rappelait pas le nom, et avant eux il y avait cet autre dont Walter ne se rappelait pas le nom et un autre dont Walter ne se rappelait pas le nom non plus, et avant eux il y avait cet autre dont Walter ne se rappelait pas le nom non plus et un autre dont Walter n'a jamais su le nom, et avant eux il y avait cet autre dont Walter n'a jamais su le nom et un autre dont même Vincent ne pouvait se remémorer le nom, et avant eux il y avait cet autre dont même Vincent ne pouvait se remémorer le nom et un autre dont même Vincent ne pouvait se remémorer le nom non plus, et avant eux il y avait cet autre dont même Vincent ne pouvait se remémorer le nom non plus et un autre dont même Vincent n'a jamais su le nom, et ainsi de suite, jusqu'à ce que toute trace se soit perdue, en raison de la brièveté de la mémoire humaine, l'un évinçant toujours l'autre, si l'on peut parler d'évincer, tout comme vous vous m'avez évincé moi, et Erskine Walter, et moi Vincent, et Walter cet autre dont j'oublie le nom, et Vincent cet autre dont j'oublie le nom aussi, et cet autre dont j'oublie le nom cet autre dont je n'ai jamais su le nom, et cet autre dont j'oublie le nom aussi cet autre dont Walter ne se rappelait pas le nom, et cet autre dont je n'ai jamais su le nom cet autre dont Walter ne se rappelait pas le nom non plus, et cet autre dont Walter ne se rappelait pas le nom cet autre dont Walter n'a jamais su le nom, et cet autre dont Walter ne se rappelait pas le nom non plus cet autre dont même Vincent ne pouvait se remémorer le nom, et cet autre dont Walter n'a jamais su le nom cet autre dont même Vincent ne pouvait se remémorer le nom non plus, et cet autre dont même Vincent ne pouvait se remémorer le nom cet autre dont même Vincent n'a jamais su le nom, et ainsi de suite, jusqu'à ce que toute trace se soit perdue, à cause de la vanité des espérances humaines. Mais que tous ceux dont toute

61

trace ne s'est pas perdue, même si leurs noms sont oubliés, aient été sinon grands et ossus, miteux et piteux, hagards et cagneux, aux dents pourries et au gros nez rouge, tout au moins petits et gras, miteux et piteux, graisseux et bancals, au ventre et au derrière rebondis, semble certain, pour peu qu'on puisse se fier à la tradition orale telle que de bouche en bouche elle passe d'une fugace génération à la suivante ou, comme c'est le cas le plus souvent, à la sursuivante. Ce qui, sans démontrer de façon incontestable que de tous ceux dont toute trace ne s'est pas perdue pas un seul n'était fait autrement que nous, tend néanmoins à étayer l'hypothèse si souvent émise que chez Monsieur Knott il y a quelque chose qui attire vers lui, pour être autour de lui, et prendre soin de lui, deux types d'homme et deux seuls, d'une part le type grand et ossu, miteux et piteux, hagard et cagneux, aux dents pourries et au gros nez rouge, et d'autre part le type petit et gras, miteux et piteux, graisseux et bancal, au gros petit cul et au gros petit ventre pointant en sens opposés, ou alternativement qu'il y a chez ces deux types d'hommes quelque chose qui les pousse vers Monsieur Knott, pour être autour de lui et veiller sur lui, encore que cela dit il ne soit pas exclu, s'il nous était donné de pouvoir examiner le squelette de l'un de ceux dont non seulement le nom mais toute trace s'est perdue, de celui par exemple dont même cet autre dont même Vincent (si c'était bien son nom) n'a jamais su le nom n'a jamais su le nom, que nous nous trouvions devant un tout autre type d'individu, ni grand ni petit, ni ossu ni gras, ni miteux ni piteux, ni hagard ni graisseux, ni cagneux ni bancal, ni aux dents pourries ni au gros petit ventre, ni au gros nez rouge ni au gros petit cul, tout à fait tout à fait possible sinon tout à fait tout à fait probable. Maintenant tout en ayant su depuis le départ que je n'aurais pas le temps de creuser ces questions aussi profond que je l'aurais voulu, ou qu'elles le méritent, il m'a semblé toutefois, peut-être à tort, qu'il allait de mon devoir de les évoquer, ne serait-ce que pour vous faire bien comprendre qu'autour de Monsieur Knott, attentifs à ses besoins, si en parlant de Monsieur Knott on peut parler de besoins, il s'est toujours trouvé deux hommes et pour autant que nous sachions jamais plus et jamais moins, et que de ces deux hommes il n'est pas toujours nécessaire, pour autant que nous puissions juger, que l'un soit ossu et ainsi de suite, et l'autre gras et ainsi de suite, comme c'est maintenant le cas avec vous et Arsène, pardon, avec vous et Erskine, mais que tous les deux peuvent être ossus et ainsi de suite, comme c'était le cas avec Vincent et Walter, et que tous les deux peuvent être gras et ainsi de suite, comme c'était le cas avec Erskine et moi, mais qu'il est nécessaire, pour autant que nous soyons renseignés, que de ces deux hommes qui inlassables d'assiduité autour de Monsieur Knott sans fin gravitent, l'un ou l'autre ou tous les deux soient ou bien ossus et la suite ou bien gras et la suite, encore que la possibilité ne soit pas exclue, s'il nous était donné de pouvoir remonter le cours du temps pur aussi facilement que celui du pur espace, que nous nous trouvions devant deux ou moins de deux ou même plus de deux hommes ou femmes ou hommes et femmes aussi peu ossus et ainsi de suite que gras et ainsi de suite qui autour de Monsieur Knott gravitent sans fin infatigables d'amour. Maintenant creuser cette question aussi à fond et aussi longuement et aussi exhaustivement que je le voudrais, ou qu'elle le mérite, est malheureusement hors de question. Non que l'espace fasse défaut, car l'espace ne fait pas défaut. Non que le temps fasse faute, car le temps ne fait pas faute. Mais j'entends un petit vent qui va et vient, va et vient, dehors, dans les buissons, et dans le poulailler le coq inquiet remue dans son sommeil. Et je pense en avoir assez dit pour allumer dans votre esprit cette chandelle qui jamais plus ne sera mouchée, ou seulement avec le plus grand mal, tout comme Vincent l'a fait pour moi, et Walter pour Erskine, et comme vous le ferez peut-être pour un autre, encore que ce ne soit pas certain, à en croire votre dégaine. Non que je vous aie dit tout ce que je sais, loin de là, étant maintenant un homme bienveillant, et qui plus est de bonne volonté, et indulgent envers les rêves de l'âge mûr, qui étaient mes rêves, tout comme Vincent ne m'a pas tout dit à moi, ni Walter à Erskine, ni les autres aux autres, car ici nous semblons tous finir en hommes bienveillants, et de bonne volonté, et indulgents envers les rêves de l'âge mûr, qui étaient nos rêves, quelles que soient les brèves paroles qui de temps en temps nous échappent voire expressions entières frappées au coin de l'amertume et même — j'en rougis — blasphématoires, et peut-être aussi parce que ce que nous savons relève en grande partie de l'inexprimable ou ineffable, si bien que toute tentative pour l'exprimer ou pour l'effer est vouée à l'échec, vouée vouée à l'échec. Moi-même, tout en flânant tout seul dans ce ravissant jardin, à la faveur d'un répit durement gagné, je me suis acharné à vouloir formuler cette délicieuse — ha ! — et j'ajoute tout inutile sagesse si chèrement acquise et dont je suis des pieds jusqu'à la tête pour ainsi dire imprégné, au point de ne plus pouvoir manger, ni boire, ni aspirer, ni expirer, ni faire mon caca, sinon plus sagacement qu'avant, comme Thésée baisant Ariane, ou Ariane Thésée, sur la bouche, vers la fin, sur le rivage, et m'y suis acharné en vain, malgré les beautés de la scène, tonnelle et gazon, charmille et clairière, soleil et ombre, et la joie d'être parmi eux, errant au gré de ma paresse, par ci par là, avec une sagacité nonpareille. Mais ce que j'ai pu dire, au moins en partie, je pense l'avoir dit, et aussi loin qu'il était en mon pouvoir de vous conduire, étant donné les circonstances, je pense vous avoir conduit, toutes choses considérées. Et maintenant pendant quelque temps, sur le chemin qui nous sépare, Erskine sera à vos côtés, pour vous servir de guide, après quoi vous cheminerez seul, ou sous la seule escorte d'ombres, et je pense que ce sera là, si votre expérience ressemble tant soit peu à la mienne, la meilleure partie du trajet, ou du moins la moins ennuyeuse, même si la lumière baisse vite et que le sol se fasse loin où les pieds trébuchent. Maintenant pour ce que j'ai dit bien et pour ce que j'ai dit mal et pour ce que je n'ai pas dit je vous demande pardon. Et pour ce que j'ai fait bien et pour ce que j'ai fait mal et pour ce que j'ai négligé de faire je vous demande aussi pardon. Et je vous demande de penser toujours à moi — putains de boutons ! — dans un esprit de pardon comme vous désireriez qu'on pense à vous, quoique pour ma part évidemment ça me soit tout à fait égal qu'on pense à moi dans un esprit de pardon, ou de rancœur, ou pas du tout. Bonne nuit.

Mais il était à peine parti qu'il réapparut, devant Watt. Il se tenait de biais sur le seuil de la cuisine, les yeux sur Watt, et Watt voyait derrière lui la porte de la maison ouverte et les buissons sombres et loin au-dessus quelque chose qui lui semblait être déjà le jour nouveau. Et comme Watt fixait son regard sur ce qui lui semblait être déjà le jour nouveau, l'homme de biais les yeux sur lui sur le seuil de la cuisine devint deux hommes de biais les yeux sur lui sur deux seuils de cuisine. Mais Watt attrapa son chapeau et le tint devant la lampe afin de mieux juger si ce qu'il voyait, par la porte de la maison, était réellement déjà le jour nouveau, ou si cela ne l'était pas. Mais comme il regardait cela s'effaça, pas brusquement, non, et pas doucement non plus, mais fut comme par une main ferme calmement oblitéré. Alors Watt ne sut plus que penser. Se tournant donc vers la lampe il l'attira à lui, et baissa la mèche, et souffla dans le verre, jusqu'à l'éteindre tout à fait. Mais cela non plus ne l'avança en rien. Car si c'était vraiment déjà le jour nouveau, en quelque bas et lointain quartier du ciel, ce n'était pas déjà le jour nouveau dans la cuisine. Mais cela viendrait, Watt savait que cela viendrait, avec de la patience cela viendrait, peu à peu, que cela lui plaise ou non, par-dessus le mur de la courette, et à travers la fenêtre, d'abord le gris, puis une à une les teintes plus vives, jusqu'à ce que vers neuf heures tout l'or et le blanc et le bleu inondent la cuisine, toute la pure lumière du jour nouveau, du jour nouveau enfin, du jour sans précédent enfin.

II

Monsieur Knott était un bon maître, en un sens.

Watt n'avait pas directement affaire à Monsieur Knott, à cette époque. Non que Watt dût jamais avoir directement affaire à Monsieur Knott, loin de là. Mais il pensait, à cette époque, que le temps viendrait où il aurait directement affaire à Monsieur Knott, au premier étage. Oui, il pensait que ce temps viendrait pour lui, comme il pensait qu'il venait de finir pour Arsène, et pour Erskine de commencer.

Pour le moment tout le travail de Watt était au rez-de-chaussée. Même les immondices du premier étage qu'il devait vider, c'est Erskine qui les descendait, chaque matin, dans un seau. Les immondices du premier étage auraient pu être vidées tout aussi commodément, sinon plus commodément, et le seau rincé, au premier étage, mais elles ne l'étaient jamais, pour des raisons inconnues. Il est vrai que Watt avait pour consigne de vider ces immondices, non pas comme il est normal de vider les immondices, non, mais dans le jardin, avant le lever du soleil, ou après son coucher, sur les violettes au temps des violettes, et sur les pensées au temps des pensées, et sur les roses à l'instant des roses, et sur le céleri au temps du céleri, et sur les choux-marins au temps des choux-marins, et dans la serre à tomates sur les tomates à l'aurore des tomates, et ainsi de suite, toujours dans le jardin, dans le jardin d'agrément, et dans le jardin potager, et dans le jardin verger, sur quelque tendre plantelette assoiffée au moment de son plus grand besoin, sauf évidemment par temps de gel, ou quand la neige recouvrait la terre, ou quand les eaux recouvraient la terre. Dans ces cas-là il avait pour consigne de vider les immondices sur le fumier.

Mais Watt n'était pas assez bête pour y voir la vraie raison pour laquelle les immondices de Monsieur Knott n'étaient pas vidées ni vu ni connu au premier étage comme si facilement elles l'auraient pu être. C'était là seulement la raison proposée à l'entendement.

Chose remarquable, il n'existait aucune consigne semblable touchant les immondices du deuxième étage, c'est-à-dire les immondices d'Erskine et les immondices de Watt lesquelles, une fois descendues, celles de Watt par Watt, celles d'Erskine par Erskine, étaient à la disposition de Watt pour en faire ce que bon lui semblait. On lui donnait néanmoins à entendre que leur mixion avec celles du premier étage, sinon formellement interdite, n'en était pas moins à déconseiller.

Ainsi Watt voyait peu Monsieur Knott. Car Monsieur Knott ne se voyait guère au rez-de-chaussée, où il ne faisait que prendre ses repas, dans la salle à manger, ou que passer, pour se rendre au jardin, ou pour en revenir. Et Watt ne se voyait guère au premier étage, qu'il ne faisait que traverser le matin, en descendant pour commencer sa journée, et puis de nouveau le soir, en remontant pour commencer sa nuit.

Même dans la salle à manger Watt ne voyait pas Monsieur Knott, tout en étant responsable de la salle à manger et du service des repas que Monsieur Knott y prenait. Les raisons de cela apparaîtront peut-être quand il faudra traiter de cette chose complexe et délicate, la nourriture de Monsieur Knott.

De là à conclure que Watt ne voyait jamais Monsieur Knott à cette époque, non, car il le voyait, cela va sans dire. Il le voyait de temps en temps, au rez-de-chaussée, quand il quittait ses quartiers du premier étage pour se rendre au jardin et similairement quand il quittait le jardin pour remonter à ses quartiers, et il le voyait également dans le jardin lui-même. Mais ces rares apparitions de Monsieur Knott, et l'étrange effet qu'elles avaient sur Watt, seront décrits plus amplement, s'il plaît à Dieu, en une autre occasion.

Rares étaient ceux qui passaient. Des commerçants, bien sûr, et des mendiants, et des camelots. Le facteur, homme charmant, de son vrai nom Severn, grand danseur devant l'Eternel et amateur de lévriers, ne passait que rarement. Mais il passait quelquefois, toujours le soir, de son pas vif et léger, son chien à ses côtés, porteur d'une facture, ou d'une supplique.

Le téléphone ne sonnait que rarement et toujours pour quelque affaire triviale ayant trait au sanitaire, ou à la toiture, ou au ravitaillement, qu'Erskine pouvait régler, et même Watt, sans déranger leur maître.

Monsieur Knott ne voyait personne, ne recevait de nouvelles de personne, pour autant que Watt pût en juger. Mais Watt n'était pas assez bête pour en tirer la moindre conclusion.

Mais ces fugitives confirmations de la maison de Monsieur Knott, comme des gouttelettes jaillies de l'écume extérieure, et faute desquelles elle aurait eu du mal à subsister, feront l'objet plus tard — espérons-le — d'une étude plus détaillée, et la façon dont certaines avaient de l'importance pour Watt, et d'autres aucune. En particulier l'apparition du jardinier, un Monsieur Graves, à la porte de derrière, deux et même trois fois par jour, appelle un examen approfondi ayant à vrai dire peu de chances de projeter la moindre lumière sur Monsieur Knott, ou sur Watt, ou sur Monsieur Graves.

Mais même là où il n'y avait aucune lumière pour Watt, où il n'y en a aucune pour son porte-parole, il peut y en avoir pour d'autres. Ou y avait-il peut-être de la lumière pour Watt, projetée sur Monsieur Knott, projetée sur Watt, par des rapports tels qu'il en avait avec Monsieur Graves, avec la poissonnière, lumière qu'il mettait sous boisseau ? Ce n'est pas exclu.

Monsieur Knott ne quittait jamais ses terres, pour autant que Watt pût en juger. Watt tenait pour peu probable que Monsieur Knott pût quitter ses terres sans qu'il en eût connaissance. Mais il ne rejetait pas la possibilité que Monsieur Knott pût quitter ses terres sans qu'il en fût averti. Mais l'invraisemblance d'une part que Monsieur Knott quittât ses terres, et d'autre part qu'il pût le faire sans ameuter la population, semblait à Watt très grande.

Une seule fois, pendant la période de service de Watt au rez-de-chaussée, il arriva que le seuil fut franchi par un étranger, ou plutôt par d'autres pieds que ceux de Monsieur Knott, ou d'Erskine, ou de Watt, car qui à la maison de Monsieur Knott pouvait ne pas être étranger, Watt se le demandait, hormis Monsieur Knott lui-même, et son personnel immédiat ?

Cette pénétration fugitive eut lieu peu après l'arrivée de Watt. Ayant ouvert la porte, selon son habitude chaque fois qu'il entendait frapper à la porte, il trouva debout sur le seuil, il le comprit plus tard, bras dessus bras dessous, un homme âgé et un homme pas âgé encore. Ce dernier dit :

Nous sommes les Gall, père et fils, et ce n'est pas tout, car nous sommes venus depuis la ville jusqu'ici, pour accorder le piano.

Ils étaient deux et ils se tenaient de cette façon, bras dessus bras dessous, parce que le père était aveugle, comme tant de ses confrères. Car si le père n'avait pas été aveugle, alors il n'aurait pas eu besoin de son fils pour lui tenir le bras, et le guider dans ses tournées, non, mais il aurait laissé son fils libre, afin qu'il puisse vaquer à ses propres affaires. Ainsi raisonnait Watt, quoique rien dans le visage

70

du père ne trahît son infirmité, ni dans son maintien non plus, sinon qu'il s'appuyait sur son fils comme quelqu'un ayant un grand besoin de soutien. Mais boiteux, ou tout simplement fatigué, à cause de son âge avancé, il eût pu en faire autant. Il n'y avait entre les deux aucun air de famille que Watt pût discerner et cependant il se savait en présence d'un père et fils, car ne venait-on pas de le lui dire ? Ou ne s'agissait-il que d'un beau-père et beau-fils ? Nous sommes les Gall, beau-père et beau-fils, voilà peut-être les mots qu'il aurait fallu prononcer. Mais préférer l'autre formule, quoi de plus naturel ? Non qu'ils n'eussent très bien pu être un vrai père et fils, loin de là, sans se ressembler le moins du monde.

Quel bonheur pour Monsieur Gall, dit Watt, d'avoir son fils à sa disposition, et quel fils, tout ruisselant de dévouement, et dont la seule présence, alors que de toute évidence il pouvait être en train d'en palper ailleurs, atteste une affliction caractéristique des meilleurs accordeurs et justifie des émoluments plus élevés qu'à l'ordinaire.

Les ayant conduits à la salle de musique, et laissés là, Watt se demanda s'il avait bien fait. Il sentait qu'il avait bien fait, mais n'en était pas sûr. N'aurait-il pas mieux fait peut-être de les envoyer promener ? Watt avait le sentiment que quiconque demandait, avec une si tranquille assurance, à être admis dans la maison de Monsieur Knott, et en l'absence de toute consigne formelle s'y opposant, méritait d'y être admis.

La salle de musique était une vaste pièce blanche et nue. Le piano se trouvait devant la fenêtre. La tête, et le cou, de Buxtehude, en plâtre très blanc, ornaient la cheminée. Au mur, à un clou, tel un pluvier, pendait un ravanastron.

Au bout d'un moment Watt retourna à la salle de musique, avec un plateau de rafraîchissements.

Ce n'était pas Gall le père, mais Gall le fils, qui accordait le piano, à la grande surprise de Watt. Gall le père se tenait debout tout seul au milieu de la pièce, occupé qui sait à écouter. Watt n'en conclut pas que Gall le fils était le véritable accordeur, et Gall le père tout simplement un pauvre vieil aveugle engagé pour la circonstance, non. Mais il en conclut plutôt que Gall le père, sentant sa fin proche et désirant passer le flambeau à son fils, se dépêchait de mettre les dernières touches à une initiation hâtive, avant qu'il soit trop tard.

Pendant que tout autour de lui Watt cherchait des yeux un endroit où poser son plateau, Gall le fils mit un terme à son travail. Il rassembla le coffre de l'instrument, rangea ses outils dans leur sac et se releva.

Les souris sont revenues, dit-il.

Le père ne dit rien. Watt se demanda s'il avait entendu.

Il reste neuf étouffoirs, dit le fils, et autant de marteaux.

Pas correspondants, j'espère, dit le père.

Une fois, dit le fils.

Le père garda le silence.

Les cordes sont en loques, dit le fils.

Le père gardait toujours le silence.

Le piano est foutu, dit le fils, à mon avis.

L'accordeur aussi, dit le père.

Le pianiste aussi, dit le fils.

Ce fut là peut-être l'incident le plus marquant des débuts de Watt chez Monsieur Knott.

En un sens il ressemblait à tous les incidents dignes de remarque proposés à Watt pendant son séjour chez Monsieur Knott et dont un certain nombre seront rapportés ici, tels quels, sans addition, ni soustraction, et en un sens non.

Il leur ressemblait en ce sens qu'il n'était pas fini, une fois révolu, mais continuait à dérouler, dans la tête de Watt, du début à la fin, sans cesse, les jeux complexes de ses lumières et ombres, le passage du silence à la rumeur et de la rumeur au silence, le calme avant le mouvement et

72

le calme après, les accélérés et ralentis, les approches et séparations, tous les détails changeants de sa marche et de son ordonnance, suivant l'irrévocable caprice qui en fit ce qu'il fut. Il leur ressemblait par sa promptitude à se faire un contenu purement plastique et à perdre peu à peu, dans le subtil processus de ses lumières, ses rumeurs, ses accents et ses rythmes, toute signification jusqu'à la plus littérale.

Ainsi la scène dans la salle de musique avec les deux Gall cessait très vite de signifier pour Watt un piano qu'on accorde, une obscure relation familiale et professionnelle, un échange de propos plus ou moins intelligibles, et ainsi de suite, à supposer qu'il en ait jamais été ainsi, pour devenir un simple exemple des dialogues corps-lumière, mouvement-calme, rumeur-silence, et de ces dialogues entre eux-mêmes.

Cette fragilité de la signification immédiate ne lui valait rien, à Watt, car elle l'obligeait à en chercher une autre, une signification quelconque à ce qui s'était passé, à partir d'une suite d'images.

La plus mince, la moins plausible, aurait contenté Watt, qui n'avait pas vu un symbole, ni opéré une interprétation, depuis l'âge de quatorze ou quinze ans, et qui avait vécu, misérablement certes, sa vie d'adulte tout entière au milieu d'apparences impénétrables, tout au moins pour lui. Qui voit la chair avant les os, et qui voit les os avant la chair, et qui ne voit jamais que la chair, et qui ne voit jamais que les os, jamais jamais que les os. Mais quoi que vît Watt, du premier coup d'œil, cela était suffisant pour Watt, avait toujours été suffisant pour Watt, plus que suffisant pour Watt. Et il n'avait littéralement rien vécu, depuis l'âge de quatorze ou quinze ans, dont rétrospectivement il ne se contentât de dire, Voilà ce qui s'est passé alors. Et il pouvait se rappeler, à vrai dire sans aucun plaisir, mais comme des occasions banales, le moment où son père mort lui apparut dans un bosquet, le pantalon retroussé au-dessus du genou et

73

tenant à la main ses chaussures et chaussettes ; ou le moment où cueilli à froid par une voix qui l'exhortait, en des termes particulièrement grossiers, à mettre fin à ses souffrances, il évita d'un cheveu d'être écrasé par un tombereau ; ou le moment où seul dans un canot à rames, loin du rivage, il reçut une bouffée de groseiller en fleur ; ou le moment où une vieille dame d'excellente famille et fort bien de sa personne, étant amputée bien au-dessus du genou, qu'à trois reprises au moins il avait poursuivi de ses assiduités, dévissa sa jambe de bois et écarta sa béquille. Aucune tendance ici, de la part du pantalon de son père par exemple, à tomber en poussière d'apparences, grises, molles et sans doute fistulaires, ou des jambes de son père à disparaître dans la farce de leurs accidents, non, mais les jambes et le pantalon de son père, tels vus dans le bosquet alors et par la suite remémorés, demeuraient des jambes et un pantalon, et non seulement des jambes et un pantalon, mais les jambes et le pantalon de son père, c'est-à-dire totalement différents de toutes les jambes et de tous les pantalons que Watt avait jamais vus, et il en avait vu un grand nombre, aussi bien de jambes que de pantalons, dans sa vie. Tandis que l'incident des Gall au contraire perdit si vite la piètre signification de deux hommes venus accorder un piano, et qui l'accordent, et échangent quelques paroles, comme font les hommes, et puis s'en vont, que cela semblait plutôt tiré d'un conte entendu jadis, un instant dans la vie d'un autre, mal raconté, mal écouté et plus qu'à moitié oublié.

Ainsi Watt ne savait pas ce qui s'était passé. Il se moquait, rendons-lui cette justice, de ce qui s'était passé. Mais il ressentait le besoin de penser qu'il s'était passé ceci ou cela, le besoin de pouvoir dire, quand la scène se remettait à dérouler ses séquences, Ah oui, je me souviens, voilà ce qui s'est passé alors.

Ce besoin ne devait plus quitter Watt, ce besoin pas toujours satisfait, pendant la plus grande partie de son séjour chez Monsieur Knott. Car l'incident des Gall père et fils fut suivi par d'autres semblables, c'est-à-dire des incidents brillants de clarté formelle et au contenu impénétrable.

Le séjour de Watt dans la maison de Monsieur Knott était pour cette raison moins agréable qu'il ne l'aurait été si de tels incidents avaient été inconnus, ou accusés par Watt avec moins d'anxiété, c'est-à-dire si la maison de Monsieur Knott avait été une autre maison, ou Watt un autre homme. Car hors la maison de Monsieur Knott, et bien sûr ses terres, de tels incidents étaient inconnus, du moins Watt le supposait. Et Watt ne pouvait les accepter pour ce qu'ils étaient peut-être, les simples jeux que le temps joue avec l'espace, tantôt avec ces jouets-ci et tantôt avec ceux-là, mais était obligé, en raison de son caractère un peu spécial, de rechercher ce qu'ils signifiaient, oh non pas ce qu'ils signifiaient réellement, son caractère n'était pas spécial à ce point-là, mais seulement ce qu'ils pouvaient être amenés à signifier avec un peu de patience, un peu d'ingéniosité.

Mais quelle était cette quête d'une signification, dans cette indifférence envers la signification ? Et que signifiait-elle ? Ce sont là des questions délicates. Car lorsque Watt parla enfin de cette époque elle était déjà depuis longtemps révolue et le souvenir qu'il en gardait était sans doute, dans un sens, moins net qu'il n'aurait voulu, tout en étant, dans un autre, trop vivace à son gré. Ajoutez la difficulté notoire qu'il y a à rattraper, à volonté, des modes de sentiment propres à une certaine époque, et à un certain endroit, et peut-être aussi à un certain état de santé, une fois l'époque révolue, et l'endroit évacué, et le corps aux prises avec de tout autres démons. Ajoutez l'obscurité des communications de Watt, la rapidité de son débit et ses excentricités de syntaxe, voir plus loin. Ajoutez les conditions matérielles dans lesquelles les communications furent faites. Ajoutez le peu d'aptitude à recevoir de celui à qui elles furent proposées. Ajoutez le peu d'aptitude à restituer de celui à qui elles furent confiées. Et on aura peut-être une faible idée des difficultés éprouvées à formuler, non seulement des questions comme celle qui vient d'être évoquée, mais le corps entier de l'expérience de Watt, depuis le moment de son arrivée chez Monsieur Knott jusqu'au moment de son départ.

Mais avant de passer des Gall père et fils à des questions moins litigieuses, ou moins ennuyeusement litigieuses, il semble souhaitable que soit dit le peu qu'on sait, à ce sujet. Car l'incident des Gall père et fils était le premier d'une série, pour ne pas dire l'original. Et du peu qu'on en sait on n'a pas encore tout dit. On en a dit beaucoup, mais pas encore tout.

Non qu'il reste beaucoup de choses à dire au sujet des Gall père et fils, loin de là. Car il ne reste plus que trois ou quatre choses à dire, à ce propos. Et c'est vraiment peu de chose, trois ou quatre choses, quand on songe à toutes les choses qui auraient pu être sues, à ce sujet, et dites, et qui maintenant ne le seront jamais.

Ce qui affligeait Watt dans cet incident des Gall père et fils, et dans des incidents du même ordre à venir, ce n'était pas tellement de ne pas savoir ce qui s'était passé, car il se moquait de ce qui s'était passé, que le fait que rien ne s'était passé, que la chose appelée rien s'était passée, avec la plus grande netteté formelle, et qu'elle continuait à se passer, dans son esprit apparemment, sans qu'il sût très bien ce que cela voulait dire, et malgré la sensation qu'il avait de phénomènes externes, devant lui, autour de lui, et inexorablement à se dérouler dans tous ses détails, sans en omettre un seul, depuis le coup frappé à la porte qui n'était pas un coup frappé à une porte jusqu'à la porte qui se referme qui n'était pas une porte qui se referme, et cela qu'il le veuille ou non et aux moments les plus imprévus et les plus mal choisis. Oui, Watt ne pouvait accepter, comme sans doute Erskine ne pouvait accepter, comme sans doute Arsene et Walter et Vincent et les autres n'avaient pu accepter, qu'il se fût passé rien avec toute la clarté et la solidité du réel, comme on dit, et qu'il en fût de telle sorte poursuivi qu'il devait s'y soumettre d'un bout à l'autre de nouveau, entendre les mêmes bruits, voir les mêmes lumières, sentir les mêmes surfaces, et ainsi de suite, que lors de sa première lutte avec leurs complexités inextricables. S'il avait pu l'accepter, alors il n'en aurait peut-être pas été poursuivi, d'où une grande économie de tourment, c'est le moins qu'on puisse dire. Mais il ne pouvait l'accepter, il ne pouvait le supporter. C'est à se demander quelquefois où Watt se croyait. Dans un centre culturel ?

Mais si Watt pouvait dire, quand venait le coup à la porte, le coup devenu un coup à la porte devenue une porte, dans son esprit, apparemment dans son esprit, sans qu'il sût ce que cela voulait dire, Ah oui, je me souviens, voilà ce qui s'est passé alors, il lui semblait qu'à ce moment-là il y couperait court et n'aurait plus à en souffrir, comme il n'avait pas à souffrir de l'apparition de son père, son pantalon retroussé au-dessus du genou et tenant à la main ses chaussures et chaussettes, parce qu'il pouvait dire, quand ça commençait, Ah oui, je me souviens, le jour où mon père m'est apparu dans le bosquet, en tenue d'échassier. Mais extraire quelque chose de rien demande une certaine adresse et Watt ne réussissait pas toujours, dans ses efforts pour ce faire. Non qu'il n'y réussît jamais, loin de là. Car s'il n'y avait jamais réussi, comment aurait-il pu parler des Gall père et fils, et du piano, et de comment ils étaient venus depuis la ville pour l'accorder, et l'avaient accordé, et tenu les propos qu'ils avaient tenus, entre eux, comme il le fit ? Non, il n'aurait jamais pu parler de toutes ces choses si elles s'étaient obstinées à ne rien vouloir dire, comme d'autres s'y obstinaient, c'est-à-dire jusqu'au bout.

Car le seul moyen de parler de rien est d'en parler comme de quelque chose, comme le seul moyen de parler de Dieu est d'en parler comme d'un homme, ce qu'il fut bien sûr, en un sens, pendant un bout de temps, et comme le seul moyen de parler de l'homme, même nos anthropologues l'ont compris, est d'en parler comme d'un termite. Mais si Watt tantôt ne réussissait pas, et tantôt réussissait, comme dans l'affaire des Gall père et fils, à coller une signification là où il n'en apparaissait aucune, il n'était question le plus souvent ni de ceci ni de cela. Car Watt estimait, à juste titre, réussir dans cette entreprise quand il parvenait à dégager, des fantômes méticuleux qui le harcelaient, une hypothèse de nature à les dissiper, aussi souvent que le besoin s'en faisait sentir. Il n'y avait rien, dans cette opération, qui jurât avec les habitudes mentales de Watt. Car expliquer, pour Watt, avait toujours été exorciser. Et il estimait ne pas y réussir quand il n'y parvenait pas. Et il estimait ni tout à fait réussir, ni tout à fait pas, quand l'hypothèse dégagée perdait sa vertu, au bout de deux ou trois applications, et devait être remplacée par une autre, qui à son tour devait être remplacée par une troisième, laquelle ne tardait pas à perdre toute efficacité, et ainsi de suite. Et c'est ce qui arrivait dans la plupart des cas. Or donner des exemples des échecs de Watt, et des réussites de Watt, et des demi-réussites de Watt, dans ce vaste domaine, est pour ainsi dire impossible. Car lorsqu'il parle, par exemple, de l'incident des Gall père et fils, en parle-t-il en termes de l'unique hypothèse requise pour en venir à bout, et le rendre inoffensif, ou en termes de la dernière, ou en termes d'une autre quelconque de la série ? Car lorsque Watt parlait d'un incident de cet ordre, ce n'était pas forcément en termes de l'unique hypothèse, ou de la dernière, encore qu'à première vue ça semble la seule alternative possible, et la raison pour laquelle il ne le faisait pas, pour laquelle ça ne l'est pas, est ceci, que lorsqu'une quelconque de la série d'hypothèses, à l'aide desquelles Watt s'évertuait à calmer les orages de son esprit, perdait sa vertu, et devait être écartée au profit d'une autre, alors il arrivait quelquefois que l'hypothèse en question, à la faveur d'un repos suffisant, recouvrait sa vertu et pouvait servir de nouveau, en cas de nécessité, à la place d'une autre dont l'utilité avait expiré, du moins temporairement. Et cela est si vrai qu'on est tenté quelquefois de se demander, à propos de deux et même trois incidents présentés par Watt comme n'ayant ni lien ni rapport, s'il ne s'agit pas en réalité d'un seul et même incident, diversement interprété. Quant à donner un exemple de l'autre cas, celui de l'échec, il n'en est évidemment pas question. Car là nous avons affaire à des événements ayant résisté à tous les efforts de Watt pour les affubler d'une signification, et d'une formule, si bien qu'il ne pouvait ni y penser, ni en parler, mais seulement les subir, chaque fois qu'ils revenaient, bien qu'il semble probable qu'ils ne revenaient plus, à l'époque de la révélation que Watt me fit, mais étaient comme s'ils n'avaient jamais été.

Enfin, pour en revenir à l'incident Gall père et fils tel que Watt le relata, avait-il pour Watt cette signification à l'origine, pour ensuite la perdre, avant de la retrouver ? Ou avait-il pour Watt une tout autre signification à l'origine, pour ensuite la perdre, avant de revêtir celle, seule ou entre autres, qu'il présentait dans la relation de Watt ? Ou enfin n'avait-il pour Watt aucune signification à l'origine, n'y avait-il alors ni Gall ni piano, mais seulement une suite inintelligible de changements d'où Watt finit par extraire les Gall et le piano, dans un réflexe d'auto-défense ? Ce sont là des questions fort délicates. Watt en parlait comme s'il comportait déjà, à l'origine, les Gall et le piano, mais il ne pouvait faire autrement, même si à l'origine il n'avait rien à voir avec les Gall et le piano. Car même si les Gall et le piano étaient de loin postérieurs aux phénomènes appelés à les devenir, Watt devait forcément y penser, et en parler, comme s'agissant dès l'origine de l'incident des Gall et du piano, ou bien l'ignorer, et le passer sous silence, ce qu'il aurait fait à coup sûr sans la nécessité absolue où il était de penser à de tels incidents, et d'en parler. Mais, règle générale, il semble probable que la signification attribuée à cet ordre d'incidents par Watt, dans ses relations, était tantôt la signification originale perdue et puis recouvrée, et tantôt une signification tout autre que la signification originale, et tantôt une signification dégagée, dans un délai plus ou moins long, et avec plus ou moins de mal, de l'originale absence de signification.

Un mot encore à ce sujet.

Watt apprit vers la fin de son séjour chez Monsieur Knott à accepter le fait que rien ne s'était passé, qu'un rien s'était passé, apprit à le supporter et même, timidement, à y prendre goût. Mais alors c'était trop tard.

Voilà donc en quoi l'incident des Gall père et fils ressemblait à d'autres incidents dont il n'était que le premier à survenir, à d'autres incidents notables. Mais dire, comme cela a été dit, que l'incident des Gall père et fils avait cet aspect en commun avec tous les incidents notables à survenir par la suite, est aller peut-être un peu loin. Car des incidents notables dont Watt par la suite dut venir à bout, pendant son séjour chez Monsieur Knott, tous ne présentaient pas cet aspect, non, il en était qu'il voyait signifier dès le début, et ne plus en démordre, avec toute la ténacité par exemple du groseiller sauvage dans le canot à rames ou de la capitulation de l'unijambiste Madame Watson.

Quant à ce en quoi l'incident des Gall père et fils différait des autres incidents de même catégorie à survenir par la suite, cela n'est plus clair et ne peut en conséquence être formulé avec profit. Mais on peut estimer la différence assez minime pour pouvoir être négligée sans inconvénient, dans un sommaire de cette sorte.

Watt pensait quelque fois à Arsène. Il se demandait ce qu'Arsène avait voulu dire, bien plus, il se demandait ce qu'Arsène avait dit, le soir de son départ. Car dans les oreilles de Watt sa déclaration n'avait pénétré que par bribes, et dans son entendement, comme tout ce qui dans les oreilles ne pénètre que par bribes, pour ainsi dire pas du tout. Il avait compris bien sûr qu'Arsène parlait, et en un sens pour lui, mais quelque chose l'avait empêché, peut-être la fatigue, de faire attention à ce qui se disait et d'en rechercher la signification. Maintenant Watt le regrettait presque, car il n'y avait rien à tirer d'Erskine, en fait de renseignements. Non que Watt désirât des renseignements, loin de là. Mais il désirait que des mots soient appliqués à sa situation, à Monsieur Knott, à la maison, aux terres, à ses devoirs, à l'escalier, à sa chambre, à la cuisine, bref à toutes les conditions d'être où il se trouvait. Car Watt se trouvait maintenant entouré de choses qui, si elles consentaient à être nommées, ne le faisaient pour ainsi dire qu'à leur corps défendant. Et l'état où Watt se trouvait résistait à toute formulation comme nul état ne l'avait jamais fait, de tous ceux où Watt s'était jamais trouvé, et Watt s'était trouvé dans un grand nombre d'états, dans sa vie. A la vue d'un pot, par exemple, ou en pensant à un pot, d'un des pots de Monsieur Knott, à un des pots de Monsieur Knott, c'était en vain que Watt disait, Pot, pot. Oh peut-être pas tout à fait en vain, mais presque. Car ce n'était pas un pot, plus il le voyait, plus il y pensait, plus il était sûr que ce n'était pas un pot, mais alors pas du tout. Ça ressemblait à un pot, c'était presque un pot, mais ce n'était pas un pot à en pouvoir dire, Pot, pot et en être réconforté. Il avait beau à la perfection répondre à toutes les fins, et remplir tous les offices, d'un pot, ce n'était pas un pot. Et c'est précisément cette infime déviation de la nature du vrai pot qui torturait Watt à ce point. Car si l'approximation avait été moins étroite, alors Watt aurait été moins angoissé. Car alors il n'aurait pas dit, C'est un pot, et ce n'est pas un pot, non, mais il aurait dit, C'est une chose dont j'ignore le nom. Et Watt préférait tout compte fait avoir affaire à des choses dont il ignorait le nom, quoiqu'il en souffrît aussi, qu'à des choses dont le nom connu, le nom reçu, n'était plus le nom, pour lui. Car il pouvait toujours espérer, d'une chose dont il n'avait jamais su le nom, pouvoir l'apprendre, un jour, et ainsi s'apaiser. Mais s'agissant d'une chose dont le vrai nom avait cessé, soudain, ou peu à peu, d'être le vrai nom pour lui, un tel espoir lui était interdit. Car le pot était toujours un pot, Watt en était persuadé, pour tout le monde sauf pour Watt. Pour Watt seul ce n'était plus un pot, mais alors plus du tout.

Ensuite, quand pour se rassurer il se tourna vers lui-même, qui n'était pas à Monsieur Knott dans le sens où le pot l'était, qui était venu du dehors et que le dehors réclamerait (1), il fit l'affligeante découverte qu'à ce sujet non plus il ne pouvait rien affirmer qui ne parût aussi faux que s'il l'avait affirmé d'une pierre. Non que Watt eût l'habitude de rien affirmer à son sujet, loin de là, mais ça l'aidait de pouvoir dire de temps en temps, avec quelque apparence de raison, Watt est un homme, tout de même, Watt est un homme, ou, Watt est dans la rue, avec des milliers de semblables à portée de voix, en cas de besoin. Et cela troublait Watt profondément, ce tout petit quelque

---

(1) Watt, à l'encontre d'Arsène, n'avait jamais supposé que la maison de Monsieur Knott serait son dernier refuge. Etait-elle son premier ? En un sens elle l'était, mais pas le genre de premier refuge à s'annoncer comme le dernier. Il lui vint à l'esprit bien sûr, vers la fin de son séjour, qu'il aurait pu être le dernier, ce refuge passager, qu'il aurait pu en faire le dernier, s'il avait été plus habile, ou moins affamé de repos. Mais Watt était très sujet à des lubies, vers la fin de son séjour sous le toit de Monsieur Knott. Et c'est sous une pression analogue, celle d'une vision de la onzième heure, qu'Arsène s'exprima comme il le fit, la nuit de son départ. Car il est à peine pensable qu'un homme de la trempe d'Arsène, avec son expérience, ait pu supposer à l'avance, d'une halte donnée, qu'elle pût être la dernière.

chose, comme rien peut-être ne l'avait jamais troublé, et Watt avait été souvent et gravement troublé, dans sa vie, cet imperceptible quelque chose, non, pas exactement imperceptible, puisqu'il le percevait, cet indéfinissable quelque chose qui l'empêchait de dire, avec conviction, et soulagement, de l'objet qui à s'y méprendre ressemblait à un pot, qu'il était un pot, et de la créature qui malgré tout présentait encore un certain nombre de traits spécifiquement humains, qu'elle était un homme. Et pour Watt le besoin de soulas sémantique était parfois si grand qu'il se mettait à essayer des noms aux choses, et à lui-même, un peu comme une élégante des bibis. Ainsi du pseudo-pot il lui arrivait de dire, réflexion faite, C'est une targe, ou, s'enhardissant, C'est un choucas, et ainsi de suite. Mais le pot avait aussi peu de succès comme targe, ou comme choucas, ou sous tout autre nom soumis à son innommable réité, que comme pot. Quant à lui-même, s'il ne pouvait plus s'appeler un homme, comme par le passé, avec l'intuition qu'il ne disait pas forcément une connerie, cependant il ne pouvait imaginer quel autre nom se donner, sinon celui d'un homme. Mais l'imagination de Watt n'avait jamais été des plus vives. Si bien que malgré tout, dans son idée, il demeurait un homme, comme sa maman le lui avait appris en lui disant, Voilà un brave petit bonhomme, ou, Voilà un mignon petit bonhomme, ou, Voilà un rusé petit bonhomme. Mais pour tout le soulagement que cela lui procurait, il aurait tout aussi bien pu être, dans son idée, une boîte, ou une urne.

C'est pour ces raisons surtout que Watt aurait été heureux d'entendre la voix d'Erskine enserrer dans des mots l'espace de la cuisine, l'extraordinaire lampe d'escalier, l'escalier toujours changeant et dont le nombre de marches semblait varier d'un jour à l'autre, et du soir au matin, et bien d'autres choses encore dans la maison et dans le jardin, certains arbustes surtout qui empêchaient si souvent Watt de prendre l'air, même quand il faisait un temps divin, qu'il en devenait pâle et constipé, et jusqu'à la lumière dans son flux et son reflux et les nuages qui grimpaient au zénith, tantôt lents, tantôt rapides, et le plus souvent d'ouest en est, ou glissaient vers la terre par l'autre versant, car les nuages vus de chez Monsieur Knott n'étaient pas exactement les nuages dont Watt avait l'habitude, et Watt avait une grande habitude des nuages et savait en distinguer les différentes sortes, les cirrus, les stratus, les cumulus et consorts, du premier coup d'œil. Non que le fait d'entendre Erskine nommer le pot, ou dire à Watt, Mon cher ami, ou, Mon bon monsieur, ou, Dieu vous maudisse, eût changé le pot en pot, ou Watt en homme, pour Watt, loin de là. Mais ç'aurait été la preuve que pour Erskine tout au moins le pot était un pot, et Watt un homme. Non que le fait pour le pot d'être un pot, ou Watt un homme, pour Erskine, eût fait du pot un pot, ou de Watt un homme, pour Watt, loin de là. Mais ç'aurait été comme un encouragement à l'espoir caressé par Watt de temps en temps, d'être en mauvais état de santé, à cause des efforts que faisait son corps pour s'adapter à un milieu étranger, et de les voir aboutir en fin de compte, et sa santé se rétablir, et les choses réapparaître, et lui-même réapparaître, sous les dehors d'antan, et consentir à être nommés, avec les noms consacrés, et à être oubliés. Non que Watt aspirât à chaque instant vers ce rétablissement des choses, de lui-même, dans leur relative innocuité, loin de là. Car il y avait des moments où il éprouvait un sentiment très proche du sentiment de la satisfaction à être abandonné de la sorte, des derniers rats. Car ceux-ci enfuis il n'y aurait plus de rats, plus le moindre rat, et il y avait des moments où Watt applaudissait presque à cette perspective, d'être délivré de ses derniers rats, enfin. Ce serait le désert, bien sûr, au début, et un grand silence, après tant de grignotements, de couinements, de galopades. Les choses et lui-même, ils lui faisaient escorte depuis si longtemps, par le mauvais temps et par le pire. Les choses telles quelles, et puis les vides entre elles, et la lumière tout en haut dans sa descente vers elles, et puis l'autre chose, oblongue, lourde, creuse, instable, articulée, qui piétinait l'herbe et faisait voler le sable, dans sa fuite en avant. Mais s'il y avait des moments où Watt envisageait cet abandon presque avec satisfaction, ils étaient rares, surtout dans les premiers temps de son séjour chez Monsieur Knott. Et le plus souvent il lui tardait d'entendre une voix, la voix d'Erskine, puisqu'il était seul avec Erskine, parler du petit monde de Monsieur Knott avec les vieux mots de créance. Il y avait bien sûr le jardinier, pour parler du jardin. Mais le jardinier pouvait-il parler du jardin, le jardinier qui le quittait tous les soirs, avant la tombée de la nuit, et ne le retrouvait le lendemain que le soleil déjà haut, dans le ciel ? Non, le témoignage du jardinier n'était pas recevable, à l'avis de Watt. Seul Erskine pouvait parler du jardin, comme seul Erskine pouvait parler de la maison, utilement, à Watt. Et Erskine n'en parlait jamais, ni de l'un ni de l'autre. Bien plus, Erskine n'ouvrait jamais la bouche, devant Watt, sinon pour manger, ou roter, ou tousser, ou vomir, ou rêver, ou soupirer, ou chanter, ou éternuer. Il est vrai que pendant la première semaine il ne se passa guère un jour sans qu'Erskine lui adressât la parole, à Watt, au sujet de ses devoirs. Mais la première semaine Watt ne sentait pas encore ses mots défaillir, ni son monde se faire indicible. Il est vrai aussi que de temps à autre Erskine dans tous ses états venait en courant trouver Watt avec une question tout à fait ridicule telle que, Avez-vous vu Monsieur Knott ? ou, Kate est-elle arrivée ? Mais ça c'était beaucoup plus tard. Peut-être qu'un jour, dit Watt, il demandera, Où est le pot ? ou, Qu'est-ce que vous avez fait de ce pot ? Ces questions en tout cas, si absurdes qu'elles fussent, semblaient confirmer néanmoins l'existence de Watt, ce dont Watt était le premier à se féliciter. Mais cette confirmation, il s'en serait félicité encore

davantage si elle était intervenue plus tôt, avant qu'il se
fût habitué à sa perte d'espèce.

La chanson qu'Erskine chantait, ou plutôt psalmodiait,
était toujours la même :

?

Peut-être que si Watt avait parlé à Erskine, Erskine aurait parlé à Watt, en guise de réponse. Mais Watt n'était
pas tombé aussi bas que ça.

Watt prêtait une attention extrême, au début, à tout ce
qui se passait autour de lui. Il ne pouvait se produire un
bruit, à portée de son oreille, sans qu'il le capte aussitôt
et au besoin l'interroge, et il ouvrait grands les yeux à tout
ce qui remuait, de près ou de loin, à tout ce qui s'approchait et s'éloignait et s'arrêtait et s'agitait sur place et à tout
ce qui se faisait plus clair et plus sombre et plus grand et
plus petit, et souvent il saisissait la nature de l'objet affecté
et même la cause immédiate à laquelle il devait de l'être. Aux
mille odeurs aussi, que le temps lâche sur son passage, Watt
accordait l'attention la plus vive. Et il se munit d'un cra-
choir portatif.

Cette tension incessante de ses facultés les plus nobles,
ou d'un certain nombre d'entre elles, fatiguait Watt profondément. Et les résultats, dans l'ensemble, étaient minces.
Mais il n'avait pas le choix, au début.

Une des premières choses que Watt apprenait ainsi était
que Monsieur Knott tantôt se levait tard et se couchait tôt,
et tantôt se levait très tard et se couchait très tôt, et tantôt
ne se levait point ni point ne se couchait, car qui peut se
coucher qui point ne se lève ? Ce qui intriguait Watt ici
était ceci, que plus Monsieur Knott se levait tôt plus il
se couchait tard et que plus il se levait tard plus il se couchait tôt. Mais entre l'heure de son lever et l'heure de son
coucher il ne semblait pas y avoir de rapport mathématique,

ou alors si secret qu'il n'existait pas, pour Watt. Ce fut là pendant longtemps pour Watt une source de grand étonnement, car il disait, Voilà quelqu'un qui d'une part semble peu pressé de changer d'état et d'autre part impatient de le faire. Car lundi, mardi et vendredi il s'est levé à onze heures et couché à sept, et mercredi et samedi il s'est levé à neuf heures et couché à huit, et dimanche il ne s'est pas levé du tout ni du tout couché. Jusqu'au moment où Watt comprit qu'entre Monsieur Knott levé et Monsieur Knott couché il n'y avait pour ainsi dire rien à choisir. Car pour Monsieur Knott se lever n'était pas quitter l'état de sommeil pour l'état de veille, ni se coucher quitter l'état de veille pour l'état de sommeil, non, mais pour lui se lever et se coucher étaient quitter un état qui n'était ni de sommeil ni de veille pour un état qui n'était ni de veille ni de sommeil, et inversement. Même de Monsieur Knott on pouvait difficilement attendre que jour et nuit il demeure dans la même position.

Les repas de Monsieur Knott ne posaient guère de problèmes.

Le samedi soir on préparait et faisait cuire une quantité suffisante de nourriture pour maintenir Monsieur Knott pendant une semaine.

Ce plat contenait des aliments tels que potages variés, poissons, œufs, gibier, volailles, viandes, fromages, fruits, tous variés, sans oublier bien sûr pain et beurre, et il contenait aussi les boissons les plus courantes telles qu'eau minérale, absinthe, thé, café, lait, stout, bière, whiskey, cognac et vin, et il contenait aussi une variété de choses nécessaires à la santé telles qu'insuline, calomel, iode, laudanum, mercure, charbon, fer, camomille et poudre vermifuge, et bien sûr sel et moutarde, poivre et sucre, et bien sûr une larme d'acide salicylique contre la fermentation.

Toutes ces choses et bien d'autres trop nombreuses à énumérer, on les mélangeait avec soin dans le célèbre pot, avant de les mettre à mijoter pendant quatre heures jusqu'à ce qu'elles soient réduites à consistance de purée, ou de bouillie, et que toutes les bonnes choses à manger, et toutes les bonnes choses à boire, et toutes les bonnes choses nécessaires à la santé soient confondues sans retour et transformées en une seule bonne chose ni nourriture, ni boisson, ni médecine, mais une bonne chose sui generis dont la moindre cuillerée ouvrait et refermait l'appétit, excitait et apaisait la soif, compromettait et stimulait les fonctions vitales et montait agréablement au cerveau.

C'est à Watt qu'il revenait de peser, de mesurer et de compter, avec la plus grande exactitude, les ingrédients qui composaient ce plat, et d'apprêter pour le pot ceux ayant besoin d'apprêt, et de les mélanger à fond sans perte aucune jusqu'à ne plus pouvoir les distinguer les uns des autres, et de les mettre à mijoter, et pendant qu'ils mijotaient d'en maintenir le mijotement, et une fois mijotés d'en arrêter le mijotement, et enfin de mettre le tout à refroidir, dans un endroit froid. Cette tâche mettait Watt à dure épreuve, tant mentale que corporelle, tellement elle était délicate et rude. Et quelquefois par temps chaud, pendant qu'il brassait, nu jusqu'à la ceinture, et activait des deux mains la lourde barre de fer, il tombait des larmes, de fatigue mentale, de son visage, dans le pot, et de sa poitrine, en même temps, et de dessous ses bras, de grosses gouttes provoquées par ses efforts, dans le pot également. Ses réserves nerveuses aussi en prenaient pour leur grade, tant était grand son sens des responsabilités. Car il savait, comme si on le lui avait dit, que la recette de ce plat n'avait jamais varié, depuis sa lointaine mise au point, et que le choix, le dosage et les quantités des éléments utilisés avaient été calculés, avec l'exactitude la plus minutieuse, afin de ménager à Monsieur Knott, pour une série de quatorze repas entiers, c'est-à-dire sept déjeuners entiers et sept dîners entiers, le maximum de jouissance compatible avec le maintien de sa santé.

On servait ce plat à Monsieur Knott, froid, dans une écuelle, à midi tapant et à sept heures précises du soir, d'un bout de l'année à l'autre.

C'est-à-dire qu'aux heures susdites Watt apportait l'écuelle, pleine, dans la salle à manger et la posait sur la table. Une heure plus tard il retournait l'emporter, dans l'état, quel qu'il fût, où Monsieur Knott l'avait laissée. S'il restait de la nourriture dans l'écuelle, alors Watt la transférait dans le plat du chien. Mais si elle était vide, alors Watt n'avait plus qu'à la laver, en vue du repas suivant.

Ainsi Watt ne voyait jamais Monsieur Knott, aux heures des repas. Car Monsieur Knott n'était jamais à l'heure, pour ses repas. Mais il était rare que son retard dépasse vingt minutes, ou une demi-heure. Et qu'il vide l'écuelle, ou qu'il ne la vide pas, il n'y mettait jamais plus de cinq minutes, ou de sept tout au plus. De sorte que Monsieur Knott n'était jamais dans la salle à manger, lorsque Watt apportait l'écuelle, et n'y était jamais non plus, lorsque Watt retournait enlever l'écuelle. Ainsi Watt ne voyait jamais Monsieur Knott, jamais jamais Monsieur Knott, aux heures des repas.

Monsieur Knott mangeait ce plat à l'aide d'une petite pelle plaquée argent, telle qu'en utilisent les confiseurs, les épiciers et les marchands de thé.

Ces dispositions représentaient une grande économie de labeur. Sans parler du charbon qu'elles permettaient d'épargner.

A qui, se demandait Watt, devait-on ces dispositions ? A Monsieur Knott lui-même ? Ou à un autre, à un ancien domestique de génie par exemple, ou à un diététicien de métier ? Et sinon à Monsieur Knott lui-même, mais à un autre, ou bien sûr à d'autres, Monsieur Knott savait-il que de telles dispositions existaient ou ne le savait-il pas ?

On n'entendait jamais Monsieur Knott se plaindre de sa nourriture, même s'il ne la mangeait pas toujours. Tantôt il vidait l'écuelle, en en raclant les parois et le fond avec sa petite pelle, à les faire briller, et tantôt il en laissait la moitié, ou tout autre fraction, et tantôt il en laissait la totalité.

Douze possibilités se présentèrent à Watt, à ce propos.

1. Monsieur Knott était responsable de ces dispositions, et savait qu'il était responsable de ces dispositions, et savait que de telles dispositions existaient, et était content.

2. Monsieur Knott n'était pas responsable de ces dispositions, mais savait qui était responsable de ces dispositions, et savait que de telles dispositions existaient, et était content.

3. Monsieur Knott était responsable de ces dispositions, et savait qu'il était responsable de ces dispositions, mais ne savait pas que de telles dispositions existaient, et était content.

4. Monsieur Knott n'était pas responsable de ces dispositions, mais savait qui était responsable de ces dispositions, mais ne savait pas que de telles dispositions existaient, et était content.

5. Monsieur Knott était responsable de ces dispositions. mais ne savait pas qui était responsable de ces dispositions, ni que de telles dispositions existaient, et était content.

6. Monsieur Knott n'était pas responsable de ces dispositions, ni ne savait qui était responsable de ces dispositions, ni que de telles dispositions existaient, et était content.

7. Monsieur Knott était responsable de ces dispositions, mais ne savait pas qui était responsable de ces dispositions, et savait que de telles dispositions existaient, et était content.

8. Monsieur Knott n'était pas responsable de ces dispositions, ni ne savait qui était responsable de ces dispositions, et savait que de telles dispositions existaient, et était content.

9. Monsieur Knott était responsable de ces dispositions, mais savait qui était responsable de ces dispositions, et savait que de telles dispositions existaient, et était content.

10. Monsieur Knott n'était pas responsable de ces dispositions, mais savait qu'il était responsable de ces dispositions, et savait que de telles dispositions existaient, et était content.

11. Monsieur Knott était responsable de ces dispositions, mais savait qui était responsable de ces dispositions, mais ne savait pas que de telles dispositions existaient, et était content.

12. Monsieur Knott n'était pas responsable de ces dispositions, mais savait qu'il était responsable de ces dispositions, mais ne savait pas que de telles dispositions existaient, et était content.

D'autres possibilités se présentèrent à Watt, à ce propos, mais il les écarta, et les bannit de son esprit, comme indignes d'être prises au sérieux, pour le moment. Le moment viendrait peut-être, où elles seraient dignes d'être prises au sérieux, et à ce moment-là, s'il le pouvait, il les rappellerait à son esprit et les prendrait au sérieux. Mais pour le moment elles semblaient indignes d'être prises au sérieux, si bien qu'il les bannit de son esprit, et les oublia.

Watt avait pour consigne de donner ce qui restait de ce plat, les jours où Monsieur Knott n'en mangeait pas la totalité, au chien.

Or il n'y avait pas de chien dans la maison, c'est-à-dire pas de chien de maison, auquel donner cette nourriture les jours où Monsieur Knott n'y faisait pas justice.

Watt, réfléchissant à cela, entendait une petite voix qui disait, Monsieur Knott, ayant connu jadis un homme qu'avait mordu un chien, à la jambe, et ayant connu jadis un autre homme qu'avait griffé un chat, au nez, et ayant connu jadis une belle et forte femme qu'avait chargée un bouc, dans les fesses, et ayant connu jadis un autre homme

91

qu'avait éventré un taureau, au ventre, et ayant fréquenté jadis un chanoine qu'avait saboté un cheval, à l'entrejambes, redoute à domicile les chiens et autres amis quadrupèdes de l'homme, et à peine moins ses autres frères et sœurs bipèdes à plumes devant Dieu, ayant connu jadis un missionnaire qu'avait piétiné à mort une autruche, à l'estomac, et ayant connu jadis un prêtre qu'une colombe, comme avec un soupir d'aise il quittait la chapelle où de ses propres mains il venait de servir la messe à plus de cent fidèles, avait conchié, d'en haut, à l'œil.

Watt ne sut jamais que penser de cette petite voix, si elle plaisantait, ou si elle était sérieuse.

Il fallait donc qu'un chien du dehors passe à la maison au moins une fois par jour pour le cas où l'on aurait à lui donner une partie, ou la totalité, du déjeuner de Monsieur Knott, ou de son dîner, ou des deux, à manger.

Or dans cette affaire on avait dû rencontrer de grosses difficultés, malgré le grand nombre de chiens affamés et même faméliques qui abondaient, et cela sans doute depuis toujours, dans les parages, à des kilomètres à la ronde, dans toutes les directions. Et la raison de cela était peut-être ceci, que le nombre de fois où le chien s'en allait plein était très inférieur au nombre de fois où il s'en allait à moitié plein et que le nombre de fois où il s'en allait à moitié plein était de loin inférieur au nombre de fois où il s'en allait aussi vide qu'il était venu. Car il arrivait plus souvent à Monsieur Knott de manger toute sa nourriture que de n'en manger qu'une partie et de n'en manger qu'une partie que de n'en rien manger du tout, beaucoup beaucoup plus souvent. Et s'il est vrai que très souvent Monsieur Knott se levait très tard et se couchait très tôt, néanmoins il lui arrivait couramment aussi de se lever juste à temps pour manger son déjeuner et de manger son dîner juste à temps pour se coucher. Les jours où il ne se levait ni ne se couchait, et par conséquent laissait intacts et son déjeuner et son dîner, étaient bien sûr des jours fastes, pour le chien. Mais ils étaient très rares.

Or le chien affamé ou famélique moyen, libre de ses mouvements, sera-t-il fidèle au rendez-vous, dans ces conditions ? Non, le chien affamé ou famélique moyen, laissé à lui-même, ne le sera pas, car il n'y trouvera pas son compte.

Ajoutez qu'il fallait la visite du chien, non pas à n'importe quelle heure du jour ou de la nuit où il lui prendrait fantaisie de passer, non, mais entre certaines heures limites bien définies, en l'occurrence huit heures du soir et dix heures du soir. Et la raison de cela était ceci, qu'à dix heures on fermait la maison pour la nuit et que jusqu'à huit heures on ne pouvait savoir si Monsieur Knott avait laissé, de sa nourriture du jour, la totalité, ou une partie, ou rien. Car si en général Monsieur Knott mangeait jusqu'à la dernière miette aussi bien de son déjeuner que de son dîner, auquel cas le chien n'obtenait rien, rien ne l'empêchait cependant de manger jusqu'à la dernière miette de son déjeuner et puis de refuser son dîner en entier ou en partie, auquel cas le chien obtenait le dîner refusé, ou la partie refusée, ou de refuser son déjeuner ou une partie de son déjeuner et puis de manger jusqu'à la dernière miette de son dîner, auquel cas le chien obtenait le déjeuner refusé, ou la partie refusée, ou de refuser une partie de son déjeuner et derechef une partie de son dîner, auquel cas le chien profitait des deux portions dédaignées, ou enfin de ne toucher ni à son déjeuner ni à son dîner, auquel cas le chien, à condition de ne passer ni trop tôt ni trop tard, s'en allait le ventre plein enfin.

Par quels moyens donc réunir le chien et la nourriture les jours où, Monsieur Knott ayant refusé la totalité ou une partie de sa nourriture du jour, cette partie ou cette totalité étaient disponibles pour le chien ? Car les instructions de

93

Monsieur Knott étaient formelles : les jours où il restait de la nourriture ce reste devait être donné au chien, sans perte de temps.

Voilà le problème qu'avait dû affronter Monsieur Knott, dans un passé lointain, au moment de son installation.

Voilà un des nombreux problèmes qu'avait dû affronter Monsieur Knott alors.

Ou sinon Monsieur Knott, alors un autre, dont toute trace est perdue. Ou sinon un autre, alors d'autres, dont nulle trace ne demeure.

De là Watt passa à la manière dont ce problème avait été résolu, sinon par Monsieur Knott, alors par cet autre, et si ni par Monsieur Knott, ni par cet autre, alors par ces autres, bref, à la manière dont ce problème avait été résolu, ce problème de comment réunir le chien et la nourriture, par Monsieur Knott, ou par lui, ou par eux, bref par celui ou par ceux qu'il avait confronté, ou confrontés, dans ce passé lointain, lors de l'installation de Monsieur Knott. Car qu'il ait pu être résolu par quelqu'un, ou par plusieurs, qu'il n'avait jamais confronté, ou confrontés, semblait à Watt improbable, au plus haut degré.

Mais avant de passer à cela il s'attarda à réfléchir à ceci, que le problème de comment réunir ainsi le chien et la nourriture avait pu être résolu par celui, ou par ceux, par qui avait été résolu, voilà si longtemps, le problème de comment préparer la nourriture de Monsieur Knott.

Et s'étant attardé à réfléchir à cela il s'attarda un peu plus, avant de passer à la solution qui semblait avoir prévalu, à considérer un certain nombre au moins d'entre celles qui semblaient ne pas avoir prévalu.

Mais avant de s'attarder un peu plus à faire cela, il s'empressa de remarquer que ces solutions qui ne semblaient pas avoir prévalu avaient pu être envisagées, puis écartées comme insuffisantes, par l'auteur, ou les auteurs, de la solution qui semblait avoir prévalu, comme elles avaient pu ne pas l'être.

1. Un chien affamé ou famélique hors série aurait pu être recherché qui pour des raisons de lui seul connues eût estimé y trouver son compte, à passer à la maison de la façon prescrite.

Mais il y avait toutes les chances qu'un tel chien n'existât pas.

Mais il y avait peu de chances, s'il existait, de pouvoir le trouver.

2. Un chien du cru sous-alimenté aurait pu être élu auquel avec l'autorisation de son maître aurait pu être livrée par un des hommes de Monsieur Knott la totalité ou une partie de sa nourriture, les jours où il en aurait laissé la totalité ou une partie.

Mais alors un des hommes de Monsieur Knott aurait dû mettre son manteau et son chapeau et prendre le large, par une nuit d'encre selon toute probabilité et à n'en pas douter sous les trombes d'eau, et tituber à tâtons dans le noir sous les seaux d'eau, le pot de nourriture à la main, apparition minable et ridicule, jusqu'à l'endroit où gitait le chien.

Mais existait-il la moindre garantie que le chien soit là, à l'arrivée de l'homme ? Le chien n'aurait-il pas pu sortir, pour la nuit ?

Mais y avait-il la moindre garantie, à supposer que le chien soit là, à l'arrivée de l'homme, que le chien ait suffisamment faim pour vider le pot de nourriture, à l'arrivée de l'homme avec le pot de nourriture ? Le chien n'aurait-il pas pu assouvir sa faim, au cours de la journée ? Ou y avait-il la moindre assurance, à supposer que le chien soit sorti, à l'arrivée de l'homme, que le chien ait suffisamment faim, à son retour, à l'aube, ou pendant la nuit, pour vider le pot de nourriture que l'homme avait livré ? N'aurait-il

95

pas pu assouvir sa faim, au cours de la nuit, et même n'avoir quitté son gîte que dans ce seul dessein ?

3. Un messager aurait pu être chargé, homme, garçon, femme ou fille, de passer à la maison tous les soirs, mettons à huit heures un quart du soir, et les soirs où il y aurait de la nourriture pour le chien d'apporter cette nourriture à un chien, à n'importe quel chien, et de ne pas le lâcher d'une semelle tant qu'il n'aurait pas liquidé la nourriture, et s'il ne pouvait ou ne voulait pas liquider la nourriture d'apporter ce qui en resterait à un autre chien, à n'importe quel autre chien, et de ne pas le quitter des yeux tant qu'il n'aurait pas liquidé ce qui restait de la nourriture, et s'il ne pouvait ou ne voulait pas liquider ce qui restait de la nourriture d'apporter ce qui en resterait encore à un autre chien, à n'importe quel autre chien, et ainsi de suite, jusqu'à ce que la nourriture soit liquidée et qu'il n'en reste plus une miette, et enfin de rapporter le pot vide.

(Cette personne aurait pu être chargée, en outre, de cirer les brodequins, et les chaussures, soit avant de quitter la maison avec le pot plein, et qui bien sûr n'était pas plein du tout, soit en revenant à la maison avec le pot vide, ou encore en apprenant qu'il n'y avait pas de nourriture pour le chien, ce jour-là. Ce qui aurait grandement soulagé le jardinier, Monsieur Graves, en lui permettant de consacrer au jardin le temps qu'il consacrait aux brodequins, et aux chaussures. Et n'est-il pas étrange très étrange qu'on dise d'une chose qu'elle est pleine, alors qu'elle n'est pas pleine du tout, mais jamais d'une chose qu'elle est vide, si elle n'est pas vide ? Et la raison de cela est peut-être ceci, que lorsqu'on remplit il est rare qu'on remplisse à ras bords, car cela ne serait pas pratique, tandis que lorsqu'on vide on vide complètement, en renversant le récipient et en le rinçant au besoin à grand renfort d'eau bouillante, dans une sorte de frénésie.)

Mais existait-il la moindre garantie que le messager donne effectivement la nourriture à un chien, ou à des chiens, conformément à ses instructions ? Qu'est-ce qui empêchait le messager de manger lui-même la nourriture, ou de la vendre en entier ou en partie à une tierce personne, ou d'en faire cadeau, ou de la vider dans le fossé le plus proche, ou dans le premier trou venu, pour économiser son temps, et sa peine ?

Mais que se passerait-il si le messager, par faiblesse, ou ivresse, ou mollesse, ou paresse, négligeait de passer à la maison un soir où il y aurait de la nourriture pour le chien ?

Mais même le messager le plus robuste, le plus sobre, le plus consciencieux, connaissant tous les chiens du cru, leurs habitudes et leurs domiciles, leurs formes et leurs couleurs, n'aurait-il pas pu se trouver à la tête d'un reste de nourriture, un petit rabiot, dans le vieux pot, de dix heures au coup, au vieux coucou, et comment ferait-il alors, le fidèle messager, pour rapporter le pot, s'il n'était pas vide à temps, le lendemain matin il serait trop tard, car les ustensiles de Monsieur Knott ne devaient pas passer la nuit dehors.

Mais un chien, est-ce la même chose que le chien ? Car il n'était pas question, dans les instructions de Watt, d'un chien, mais uniquement du chien, ce qui ne pouvait signifier qu'un seul chien, à savoir qu'il fallait non pas n'importe quel chien, mais un chien bien déterminé, c'est-à-dire non pas un chien aujourd'hui, et un deuxième demain, et peut-être un troisième après-demain, non, mais chaque jour le même, chaque jour le même pauvre vieux chien, aussi longtemps qu'il vivrait. Mais à plus forte raison des chiens, est-ce la même chose que le chien ?

4. Un homme possesseur d'un chien famélique aurait pu être recherché, un homme ayant l'habitude, dans l'exercice normal de ses fonctions, de passer avec son chien devant

la maison de Monsieur Knott tous les jours de l'année entre huit heures et dix heures du soir. Alors serait allumée, les soirs où il y aurait de la nourriture pour le chien, à la fenêtre de Monsieur Knott ou à quelque autre fenêtre bien en vue, une lumière rouge, ou peut-être mieux verte, et tous les autres soirs une lumière violette, ou peut-être mieux pas de lumière du tout, et alors l'homme (et sans doute bientôt le chien aussi) lèverait en passant les yeux vers la fenêtre et au vu de la lumière rouge, ou de la lumière verte, courrait jusqu'à la porte de la maison et là ne quitterait plus son chien des yeux tant qu'il n'aurait pas liquidé la nourriture laissée par Monsieur Knott, mais au vu de la lumière violette, ou de pas de lumière du tout, ne courrait pas jusqu'à la porte, avec son chien, mais poursuivrait son chemin, sur la route, avec son chien, comme si de rien n'était.

Mais était-il probable qu'un tel homme existât ?

Mais était-il probable, s'il existait, qu'on pût le trouver ?

Mais s'il existait, et qu'on pût le trouver, ne pourrait-il pas confondre, dans son esprit, en passant devant la maison, sur le chemin du retour, ou sur le chemin du départ, il ne peut pas y en avoir d'autre, pour qui chemine encore, ne pourrait-il pas confondre, dans son esprit, rouge avec violet, violet avec vert, vert avec noir, noir avec rouge, et quand rien dans le pot pour lui, courir frapper toc toc à l'huis, et quand pour lui le pot tout plein, passer tout pataud son chemin, suivi de son fidèle sac d'os ?

Mais Erskine, ou Watt, ou un autre Erskine, ou un autre Watt, ne pourraient-ils pas allumer la fausse lumière, ou omettre d'allumer, par mégarde, ou allumer la bonne lumière, ou éviter d'allumer, mais trop tard, par oubli, ou par nonchalance, et faire courir homme et chien, quand pour eux il n'y avait rien, et quand il y avait quelque chose, passer leur vieux chemin sans pause ?

98

Mais cela n'aurait-il pas pour effet d'aggraver les misères, les responsabilités et les fatigues déjà accablantes des serviteurs de Monsieur Knott ?

Ainsi Watt considéra, non seulement un certain nombre de solutions qui apparemment n'avaient pas prévalu, mais en même temps un certain nombre d'objections peut-être déterminantes à l'époque.

Solution	Nombre d'objections
1ʳᵉ	2
2ᵉ	3
3ᵉ	4
4ᵉ	5

Nombre de solutions	Nombre d'objections
4	14
3	9
2	5
1	2

Si l'on passe ensuite à la solution qui semblait avoir prévalu, elle consistait selon Watt grosso modo en ceci : que soit recherché un cynophile du cru comme il faut, c'est-à-dire un traîne-misère pourvu d'un chien affamé, et qu'il lui soit alloué la pension rondelette de cinquante livres par an exigible par mensualités, à charge pour lui de passer chez Monsieur Knott tous les soirs entre huit et dix accompagné de son chien convenablement affamé, et les soirs où il y aurait de la nourriture pour son chien de ne plus le quitter des yeux, son bâton à la main, devant témoins, tant qu'il n'aurait pas liquidé la nourriture jusqu'à la dernière miette, et ensuite de vider les lieux, lui et son chien, séance tenante ; et qu'un chien affamé plus jeune soit par cet homme aux frais de Monsieur Knott acquis et tenu en réserve pour le jour où le premier chien affamé viendrait à mourir, et qu'à ce moment-là un autre chien affamé soit dans les mêmes conditions procuré et tenu prêt pour l'heure inévitable où le deuxième chien affamé viendrait à payer sa dette à la nature ; et ainsi de suite indéfiniment de façon à disposer à tout instant de deux chiens affamés, l'un pour manger de la manière susdite et jusqu'à ce qu'il meure la nourriture laissée par Monsieur Knott et l'autre à son tour pour en faire autant aussi longtemps qu'il vivrait, et ainsi de suite indéfiniment ; et en outre que soit recherché un jeune cynophile du cru de situation semblable, mais dépourvu de chien, pour le jour où le premier viendrait à mourir, afin qu'il prenne en charge et exploite, de la même manière et dans les mêmes conditions, les deux chiens affamés restés ainsi sans maître, et sans foyer ; et qu'à ce moment-là soit de la même façon assuré un autre jeune cynophile du cru démuni de chien pour l'heure cruelle où viendrait à s'éteindre son prédécesseur ; et ainsi de suite indéfiniment, de façon à disposer à tout moment de deux chiens affamés et de deux traîne-misère du cru, le premier pour garder et exploiter de la façon susdite les deux chiens affamés aussi longtemps qu'il vivrait et l'autre à son tour aussi longtemps qu'il respirerait pour en faire autant, et ainsi de suite indéfiniment ; et pour le cas toujours à craindre où par malheur il arriverait à l'un des deux chiens affamés ou à tous les deux de ne pas survivre au maître et de le suivre incontinent dans la tombe, qu'il soit acquis et convenablement entretenu aux frais de Monsieur Knott dans un endroit propice et dans une condition affamée un troisième, un quatrième, un cinquième et même un sixième chien affamé ; ou mieux encore qu'il soit fondé aux frais de Monsieur Knott dans un site favorable un chenil ou une colonie de chiens affamés de manière à pouvoir y puiser à tout instant et mettre au travail de la façon susdite un

chien affamé de bonne race et bien dressé ; et pour le
cas peu probable où le jeune cynophile de secours irait
rejoindre ses ancêtres en même temps que son prédécesseur, ou même avant, et il arrive tous les jours des choses
autrement surprenantes, qu'il soit recherché et par de
belles paroles et d'éventuels dons d'argent frais et de
vêtements usagés rivés au service de Monsieur Knott de
la façon susdite un troisième, un quatrième, un cinquième
et même un sixième jeune homme ou à la rigueur jeune
femme du cru sans ressources et sans chien ; ou mieux
encore qu'il soit recherché une famille du cru nombreuse
et besogneuse composée autant que possible des deux
parents et de dix à quinze enfants et petits-enfants tous
passionnément attachés à la glèbe natale et moyennant un
premier acompte cash rondelet sans exagération et une géné-
reuse pension de cinquante livres par an exigible par mensualités et des dons occasionnels de menue monnaie et de
vêtements vastes et enfin des paroles affectueuses de
conseil et d'encouragement et de consolation prodiguées
sans compter aux moments critiques qu'ils soient enchaînés
tous, sans retour et en bloc, leurs enfants et les enfants
de leurs enfants, au service de Monsieur Knott, avec mission
de s'occuper de tout ce qui touchait de près ou de loin
à la question du chien requis pour manger la nourriture
laissée par Monsieur Knott et de rien d'autre ; et que soit
confié une fois pour toutes à leurs soins le chenil ou élevage
de chiens affamés fondé par Monsieur Knott pour que
jamais ne lui manque un chien affamé pour manger sa
nourriture les jours où il ne la mangerait pas lui-même,
car la question du chenil touchait à la question du chien.
C'est ainsi grosso modo selon Watt qu'on avait dû trouver
la solution du problème de comment donner la nourriture
de Monsieur Knott au chien. Et s'il est certain qu'au début
pendant quelque temps elle n'a pu être, dans le crâne de

quelqu'un, qu'un tissu de pensées tantôt se dilatant et tantôt se contractant, cependant elle n'a pas dû tarder à devenir bien davantage. Car d'immenses familles miséreuses abondaient à des kilomètres à la ronde, dans toutes les directions concevables, et cela sans doute de tout temps, de sorte qu'il n'a sûrement pas fallu attendre bien longtemps pour qu'au monde étonné il soit donné de voir passer chez Monsieur Knott, à la porte de derrière, soir après soir avec une exactitude de métronome, un vrai chien affamé moins en chair qu'en os grandeur nature qu'accompagnait à la remorque un échantillon irrécusable de la féconde indigence locale, et que la pension commence à être versée, et de loin en loin aux moments les plus inespérés dispensée la mitraille, depuis la demi-couronne jusqu'au demi-penny en passant par le florin, le shilling, la pièce de six pence, la pièce de trois pence et le penny, et que s'ouvrent les vannes des vêtements de rebut dont Monsieur Knott, grand rebuteur de vêtements, avait d'immenses réserves, tantôt une veste, tantôt un gilet, tantôt un manteau, tantôt un imperméable, tantôt un pantalon, tantôt un knickerbocker, tantôt une chemise, tantôt un tricot, tantôt un caleçon, tantôt une combinaison, tantôt une bretelle, tantôt une ceinture, tantôt un faux col, tantôt une vraie cravate, tantôt un cache-col, tantôt un cache-nez, tantôt un bas, tantôt une chaussette, tantôt un brodequin et enfin tantôt une chaussure, et que pleuvent les bonnes paroles de bon conseil et d'encouragement et de réconfort et les petites marques de bonté et d'amour juste aux moments où le besoin s'en faisait le plus sentir et que soit en plein essor sous la direction de qui de droit le chenil de chiens affamés, objet de l'admiration générale.

Le nom de cette bienheureuse famille était Lynch et au moment où Watt entra au service de Monsieur Knott elle se décomposait comme suit.

Il y avait Tom Lynch, veuf, âgé de quatre-vingt-cinq ans,

cloué au lit par d'incessantes douleurs inexpliquées au cæcum, et puis ses trois fils encore en vie Joe, âgé de soixante-cinq ans, perclus de rhumatismes, et Jim, âgé de soixante-quatre ans, bossu et ivrogne, et enfin Bill, veuf, âgé de soixante-trois ans, très gêné dans ses mouvements par la perte des deux jambes à la suite d'un faux-pas suivi d'une chute, et puis sa seule fille encore en vie May Sharpe, veuve, âgée de soixante-deux ans, en pleine possession de toutes ses facultés à l'exception de la vue. Ensuite il y avait la femme de Joe Flo née Doyly-Byrne, âgée de soixante-cinq ans, parkinsonienne mais sinon en parfaite condition, et puis la femme de Jim Kate née Sharpe, âgée de soixante-quatre ans, couverte de plaies suintantes de nature inexpliquée mais sinon en parfaite santé. Ensuite il y avait le fils de Joe Tom, âgé de quarante et un ans, sujet malheureusement à des accès tantôt d'exaltation, qui lui interdisaient le moindre effort, et tantôt de dépression, pendant lesquels il ne pouvait ériger le petit doigt, et puis le fils de Bill Sam, âgé de quarante ans, dont par une grâce providentielle la paralysie n'affectait que les zones comprises d'une part entre les genoux et les pieds et de l'autre entre la tête et la ceinture, et puis la fille de May Ann, vierge en principe, âgée de trente-neuf ans, gravement diminuée physiquement et moralement par une douloureuse affection de nature honteuse, et puis le garçon de Jim Jack, âgé de trente-huit ans, faible d'esprit, et ses frères les jumeaux inséparables Art et Con, âgés de trente-sept ans, qui sous la toise en chaussettes atteignaient un mètre dix et sur la balance nus comme des vers trente-quatre kilos tout en os et en muscle et entre qui la ressemblance était si frappante à tous égards que même à ceux qui les connaissaient et les aimaient (et ils étaient nombreux) il arrivait d'appeler Art Con quand ils voulaient dire Art et Con Art quand ils voulaient dire Con au moins aussi souvent, sinon plus souvent, que d'appeler Art Art quand ils voulaient dire Art et Con Con quand ils voulaient dire Con. Ensuite il y avait la jeune femme de Tom Mag née Sharpe, agée de quarante et un ans, très handicapée dans ses activités aussi bien à la maison qu'au dehors par des crises subépileptiques d'incidence mensuelle pendant lesquelles elle se roulait l'écume aux lèvres sur le sol de la cuisine, ou sur les pavés de la cour, ou sur le carré de légumes, ou sur les berges de la rivière, et ne laissait pas le plus souvent de se blesser d'une façon ou d'une autre au point de devoir gagner son lit et y rester, chaque mois, le temps de se remettre, et puis la femme de Sam Liz née Sharpe, âgée de trente-huit ans et pour son bonheur plus morte que vive du fait d'avoir donné à Sam en l'espace de vingt ans dix-neuf enfants dont quatre encore en vie et de nouveau grosse, et puis de l'infortuné Jack faible d'esprit ne l'oublions pas l'épouse Lil née Sharpe, âgée de trente-huit ans, faible de poitrine. Et ensuite pour passer à la génération suivante il y avait le fils de Tom Simon, âgé de vingt ans, qui entre autres anomalies hélas indescriptibles avait les

?

et sa jeune femme et cousine fille de l'oncle Sam, âgée de dix-neuf ans, dont la beauté et l'utilité se trouvaient cruellement diminuées par la faute de deux bras desséchés et d'une claudication d'origine tuberculeuse insoupçonnée, et puis les deux fils de Sam encore en vie Bill et Mat, âgés respectivement de dix-huit et de dix-sept ans, qui étant venus au monde respectivement aveugle et boiteux s'étaient vus affectueusement surnommer Bill l'Aveugle et Mat le Boiteux respectivement, et puis l'autre fille mariée de Sam Kate, âgée de vingt et un ans, beau brin de fille quoique hémophile (1), et puis son jeune mari et cousin

_____

(1) L'hémophilie est, à l'égal de la prostatite, une affection exclusivement masculine. Mais pas dans cet ouvrage.

Sean fils de l'oncle Jack, âgé de vingt et un ans, solide gaillard quoique hémophile également, et puis la fille de Frank (?) Bridie, âgée de quinze ans, pilier et soutien de la famille, ne dormant que le jour pour pouvoir recevoir la nuit, au tarif élastique de deux pence ou trois pence ou quatre pence ou même cinq pence ou une bouteille de bière l'étreinte, et cela dans la remise pour ne pas incommoder les siens, et puis l'autre fils de Jack Tom, âgé de quatorze ans, dont on disait diversement qu'il tenait de son père par la faiblesse de son esprit et de sa mère par la faiblesse de sa poitrine et de son grand-père paternel Jim par son goût des boissons fortes et de sa grand-mère paternelle Kate par la plaque grande comme une assiette d'eczéma humide qui lui déparait le sacrum et de son grand-père paternel Tom par les crampes qui lui tarabustaient l'estomac. Et enfin pour passer à la génération montante il y avait les deux fillettes de Sean Rose et Cerise, âgées de quatre et de cinq ans respectivement, et ces mignonnes petites innocentes étaient hémophiles à l'instar de papa et de maman, et ma foi c'était très moche de la part de Sean, sachant ce qu'il était et ce qu'était Kate, de faire à Kate ce qu'il lui fit, au point qu'elle conçut et mit au monde Rose, et ma foi c'était très moche de sa part à elle de le laisser faire, et ma foi c'était de nouveau très moche de la part de Sean, sachant ce qu'il était et ce qu'était Kate et maintenant ce qu'était Rose, de faire de nouveau à Kate ce que de nouveau il lui fit, au point qu'elle conçut de nouveau et mit au monde Cerise, et ma foi c'était de nouveau très moche de sa part à elle de le laisser faire de nouveau, et puis il y avait les deux petits garçons de Simon Pat et Larry, âgés de quatre et de trois ans respectivement, et le petit Pat était rachitique, avec des bras et des jambes comme des allumettes et une tête grosse comme un ballon et un ventre gros comme un autre, et le petit Larry ne l'était pas moins, et la seule différence entre le petit Pat et le petit Larry était ceci, compte tenu de la légère différence d'âge, et de nom, que les jambes du petit Larry ressemblaient encore davantage à des allumettes que celles du petit Pat, tandis que les bras du petit Pat ressemblaient encore davantage à des allumettes que ceux du petit Larry, et que le ventre du petit Larry ressemblait un peu moins à un ballon que celui du petit Pat, tandis que la tête du petit Pat ressemblait un peu moins à un ballon que celle du petit Larry.

Cinq générations, vingt-huit âmes, neuf cent quatre-vingts ans, tel était le glorieux bilan de la famille Lynch, à l'instant où Watt entra au service de Monsieur Knott. (1)

Puis un instant passa et tout fut changé. Non qu'il y eût mort, loin de là. Non qu'il y eût naissance, loin de là aussi. Mais les vingt-huit de respirer, ouf, ouf, d'aspirer, d'expirer, une fois de plus, et tout fut changé.

Comme par le soleil que voile et dévoile la nue, la mer, le lac, la glace, la plaine, le marais, le coteau, ou tout autre étendue naturelle analogue, qu'elle soit liquide ou qu'elle soit solide.

Jusqu'au chiffre glorieux, à force ainsi de changer, en l'espace de vingt divisé par vingt-huit égale cinq divisé par sept fois douze égale soixante divisé par sept égale huit mois et demi approximativement, si nul ne mourait, si nul ne naissait, jusqu'au chiffre glorieux de mille ans !

Si tous étaient épargnés, épargnés les vivants, épargnés les pas encore nés.

En l'espace de huit mois et demi, à dater de l'instant où Watt entra au service de Monsieur Knott.

Mais tous ne furent pas épargnés.

Car Watt n'avait pas vécu quatre mois chez Monsieur Knott que Liz femme de Sam se coucha et expulsa un enfant, son vingtième, avec la facilité qu'on devine, et ensuite pendant

_____

(1) Ces chiffres étant incorrects, les calculs en découlant sont doublement erronés.

106

quelques jours étonna agréablement tous ceux qui la connaissaient (et ils étaient nombreux) par un air de santé
inaccoutumé et un afflux de bonne humeur tout à fait étranger à sa nature, car voilà bien des années qu'elle passait à
juste titre pour plus morte que vive, et ensuite allaita son
enfant avec beaucoup de plaisir et de satisfaction apparemment, le débit de lait étant étonnamment exubérant pour
une femme de son âge et de sa complexion qui était exsan-
gue, et enfin au bout de cinq ou six ou même peut-être sept
jours de ce fla-fla s'affaiblit brusquement et au grand étonnement de son mari Sam, de ses fils Bill l'Aveugle et Matt
le Boiteux, de ses filles mariées Kate et Ann et de leurs
maris Sean et Simon, de sa nièce Bridie et de son neveu
Tom, de ses sœurs Mag et Lil, de ses beaux-frères Tom et
Jack, de ses cousins Ann, Art et Con, de ses belles-tantes
May et Mag, de sa tante Kate, de ses beaux-oncles Joe et
Jim, de son beau-père Bill et de son beau-grand-père Tom,
qui s'attendaient à tout sauf à cela, s'affaiblit de plus en plus
jusqu'à ce qu'elle mourût.
    Cette perte fut une perte cruelle pour la famille Lynch,
cette perte d'une femme nantie de quarante ans bon teint.
    Car non seulement fut l'épouse, la mère, la belle-mère,
la tante, la sœur, la belle-sœur, la cousine, la belle-nièce,
la nièce, la belle-fille, la belle petite-fille et bien entendu la
grand-mère, arrachée au beau-grand-père, au beau-père, aux
beaux-oncles, à la tante, aux belles-tantes, aux cousins, aux
beaux-frères, aux sœurs, à la nièce, au neveu, aux beaux-fils,
aux filles, aux fils, au mari et bien entendu aux quatre
petits petits-enfants (qui toutefois ne trahirent d'autre signe
d'émotion qu'une certaine curiosité, étant trop jeunes sans
doute pour se rendre compte du terrible deuil qui venait de
les frapper, puisque aussi bien leur âge total ne dépassait
pas seize ans), sans espoir de retour, mais les mille ans des
Lynch se trouvaient retardés d'à peu près un an et demi,
à supposer bien sûr que tous soient épargnés entre-temps, et

de ce fait ne pouvaient sonner qu'au bout de deux ans environ à dater de la défection de Liz et non plus dans un délai de cinq mois seulement comme cela eût été le cas si Liz avec tout le reste de la famille avait été épargnée et même cinq ou six jours plus tôt si l'enfant avait été épargné aussi, comme d'ailleurs il le fut bien sûr, mais aux dépens de sa mère, si bien que le but vers lequel ahanait toute la famille reculait de non moins que de dix-neuf mois bon poids, sinon plus, à supposer bien sûr que tous soient épargnés entre-temps.

Mais tous ne furent pas épargnés entre-temps.

Car il ne s'était pas écoulé deux mois depuis la mort de Liz qu'à l'étonnement de la famille tout entière Ann se retira dans le secret de sa chambre et donna le jour, d'abord à un beau petit bébé mâle tout frétillant, ensuite à un beau petit bébé femelle à peine moins frétillant, et s'ils ne devaient pas rester beaux bien longtemps ni bien longtemps continuer à frétiller il n'en reste pas moins qu'à leur naissance ils étaient indéniablement beaux et d'une vivacité peu commune à cet âge.

Voilà donc porté à trente le total d'âmes du ménage Lynch et rapproché d'environ vingt-quatre jours le jour faste objet de tous les espoirs, à supposer bien sûr que tous soient épargnés entre-temps.

Maintenant la question que de toutes parts on commençait ouvertement à agiter était celle-ci, Qui avait bien pu faire, ou par Ann être induit à faire, cette chose à Ann ? Car Ann n'avait rien d'une femme séduisante et la pénible affection dont elle était la victime n'était un secret pour personne, non seulement dans le cercle de la famille, mais à des kilomètres à la ronde dans toutes les directions. Plusieurs noms furent librement évoqués à ce propos.

Les uns disaient que c'était son cousin Sam, dont les dispositions amoureuses étaient notoires, non seulement dans l'enceinte de la famille, mais d'un bout à l'autre de la contrée avoisinante, et qui ne se cachait point d'avoir pratiqué l'adultère localement sur une grande échelle, se propulsant d'un rendez-vous au suivant dans son fauteuil d'invalide à traction autonome, avec des femmes veuves, des femmes mariées et des femmes non mariées, dont les unes jeunes et séduisantes, et d'autres jeunes sans être séduisantes, et d'autres séduisantes sans être jeunes, et d'autres ni jeunes ni séduisantes, et dont un certain nombre à la faveur de son intervention conçurent et mirent au monde qui un fils, qui une fille, qui deux fils, qui deux filles, qui un fils et une fille, car Sam n'avait jamais décroché de triplés, et c'était là chez Sam un point sensible, qu'il n'eût jamais décroché de triplés, et dont d'autres conçurent mais ne mirent pas au monde, et dont d'autres ne conçurent pas du tout, encore que ce fût là l'exception de ne pas concevoir du tout, quand Sam intervenait. Et aux reproches qu'on lui faisait de cette conduite Sam de riposter du tac au tac que paralysé comme il l'était, de la taille jusqu'au sommet et des genoux jusqu'à la base, il n'avait dans la vie d'autre but, d'autre intérêt ni d'autre joie que de lever l'ancre dans son fauteuil roulant au sortir d'une bonne ventrée de viande et de légumes et de rester dehors à exercer l'adultère jusqu'au moment où il fallait rentrer souper, après quoi il était à la disposition de sa conjointe. Mais jusque-là, pour autant qu'on pût le savoir, il n'avait jamais trahi Liz sous son propre toit ou, plus exactement, avec aucune de celles qu'abritait ce dernier, même s'il se trouvait de mauvaises langues pour insinuer qu'il était le père de ses cousins Art et Con.

D'autres disaient que c'était son cousin Tom qui dans un accès d'exaltation, ou dans un accès de dépression, avait fait cette chose à Ann. Et ceux qui objectaient que Tom était incapable du moindre effort lors de ses accès d'exaltation, et que lors de ces accès de dépression il ne pouvait ériger ne fût-ce que le petit doigt, se voyaient vertement répliquer que l'effort et l'érection ici en jeu n'étaient pas l'effort et l'érection qu'interdisaient à Tom ses accès, mais un tout autre effort et une tout autre érection, étant sous-entendu que l'empêchement en question n'était pas physique, mais moral, ou esthétique, et que l'impossibilité endémique où se trouvait Tom d'une part de remplir certaines tâches n'entraînant aucune déperdition de ses réserves corporelles, comme d'avoir l'œil à la bouilloire, par exemple, ou à la casserole, et d'autre part de bouger de l'endroit qu'il occupait, couché, assis ou debout, ou d'avancer la main ou le pied pour attraper un outil tel un marteau ou un ciseau, ou un ustensile de cuisine de l'ordre d'une pelle, ou d'un seau, n'était ni dans le premier cas ni dans le second une impossibilité absolue, non, mais relative à la nature de la tâche à remplir, ou de l'acte à accomplir. Et on ajoutait avec cynisme, à l'appui de cette thèse, que si Tom avait reçu mission d'avoir l'œil, non pas sur la bouilloire ou sur la casserole, mais sur sa nièce Bridie faisant sa toilette de nuit, aucun degré de dépression ne l'en aurait empêché, et qu'il fallait voir la vitesse à laquelle tombait son exaltation dans le voisinage d'un tire-bouchon et d'une bouteille de stout. Car Ann, quoique d'aspect peu engageant et pourrie par son mal, avait ses partisans, à la maison et au dehors. Et ceux qui objectaient que ni les appas d'Ann, ni ses dons de persuasion, ne se pouvaient comparer à ceux de Bridie, ou d'une bouteille de stout, se voyaient sèchement rétorquer que si Tom n'avait pas fait cette chose dans un accès de dépression, ou dans un accès d'exaltation, alors il l'avait faite entre un accès de dépression et un accès d'exaltation, ou entre un accès d'exaltation et un accès de dépression, ou entre un accès de dépression et un autre accès de dépression, ou entre un accès d'exaltation et un autre accès d'exaltation, car chez Tom, quoi qu'on ait pu dire, dépression et exaltation n'étaient pas d'alternance régulière, non, mais souvent il ne sortait d'un accès de dépression que pour être saisi d'un autre peu après, et fréquemment il ne se dégageait d'un accès d'exaltation que pour tomber presque aussitôt dans le suivant, et pendant ses brefs répits il arrivait à Tom de se comporter très bizarrement, presque comme quelqu'un qui ne sait plus ce qu'il fait.

D'autres disaient que c'était son oncle Jack, faible d'esprit ne l'oublions pas. Et ceux qui n'étaient pas de cet avis se voyaient aimablement prier par ceux qui en étaient de bien vouloir considérer ceci, que Jack était non seulement faible d'esprit, mais mari d'une femme faible de poitrine. Or on pouvait dire tout ce qu'on voulait des autres parties d'Ann, mais jamais de sa poitrine qu'elle était faible, car il était de notoriété publique qu'Ann avait une poitrine splendide, blanche et grasse et élastique, et dans l'esprit d'un homme comme Jack, faible d'esprit ne l'oublions pas et enchaîné à une femme faible de poitrine, comment s'étonner si de cette splendide partie d'Ann, si blanche, si grasse et si élastique, l'image allait toujours se dilatant, toujours plus blanche, plus grasse et plus élastique, jusqu'à ce que des autres parties d'Ann (et elles étaient nombreuses) où ne se trouvait trace ni de blancheur ni de gras ni d'élasticité, mais où tout était gris, et même vert, et décharné, et flasque, toute pensée fût bannie.

D'autres noms cités à ce propos étaient ceux des oncles d'Ann, Joe, Bill et Jim, et de ses neveux, Bill l'Aveugle et Mat le Boiteux, Sean et Simon.

Qu'Ann eût pu être la victime, non pas d'un des siens, mais d'un étranger du dehors, beaucoup l'estimaient probable, et on évoquait librement à ce propos le nom de plus d'un étranger du dehors.

Puis environ quatre mois plus tard, alors qu'on sortait enfin du long hiver et que certains croyaient odorer le printemps déjà, les frères Joe, Bill et Jim, soit le total impressionnant de cent quatre-vingt-treize ans, dans le bref espace d'une semaine furent emportés, Joe l'aîné un lundi, et Bill son cadet d'un an le mercredi suivant, et Jim leur cadet d'un an et de deux ans respectivement le vendredi suivant, ce qui avait pour conséquence de laisser le vieux Tom sans fils, et Flo et Kate sans maris, et May Sharpe sans frères, et Tom et Jack et Art et Con et Sam sans pères, et Mag et Liz sans beaux-pères, et Ann sans oncles, et Simon et Ann et Bridie et Tom et Sean et Kate et Bill et Mat et le vingtième enfant de Sam par la regrettée Liz sans grands-pères, et Rose et Cerise et Pat et Larry sans arrière-grands-pères.

Voilà donc reculé le jour convoité, objet toujours de leurs vœux languissants, d'à peu près dix-sept ans au moins, c'est-à-dire loin au-delà des horizons de l'espérance et même de l'espoir. Car le vieux Tom, par exemple, baissait à vue d'œil et un jour se laissa surprendre en train de s'exclamer, Me faucher mes trois gars d'un seul coup merde et me laisser là avec mes putains de douleurs, sous-entendant par là qu'à son avis on aurait mieux fait de le faucher lui avec ses douleurs et de laisser là ses gars avec les leurs dont les pires réunies n'arrivaient pas au coude du vautour qui sans répit lui dévorait le cæcum. Et baissaient aussi à vue d'œil bien d'autres membres de la famille, au point d'enlever tout espoir de voir se prolonger leurs souffrances.

Alors il leur en cuisait de ce qu'ils avaient dit, à ceux qui avaient dit que c'était l'oncle Joe, et à ceux qui avaient dit que c'était l'oncle Bill, et à ceux qui avaient dit que c'était l'oncle Jim, qui avait fait cette chose à Ann, car ils avaient confessé leurs péchés tous les trois, au prêtre, avant d'être emportés, et le prêtre était un vieil intime de la famille. Et des cadavres des frères la nuée des voix s'éleva et flotta un moment avant de se poser sur les vivants à élire, à réélire, telle voix sur tel vivant, telle autre sur tel autre, jusqu'à ce que chaque vivant ou presque eût sa voix, chaque voix son repos. Et beaucoup étaient maintenant

en désaccord qui avaient été d'accord, et d'accord maintenant qui avaient été en désaccord, et d'autres d'accord toujours qui l'avaient été déjà, et d'autres toujours en désaccord qui l'avaient déjà été. Et ainsi se formaient de nouvelles amitiés, et de nouvelles inimitiés, et se maintenaient
de vieilles amitiés, et de vieilles inimitiés. Et tout n'était
qu'accord et désaccord, amitié et inimitié, comme par le
passé, mais suivant une autre répartition. Et pas une seule
voix qui ne fût soit pour soit contre, non, pas une. Et
tout n'était qu'objection et réplique, réplique et objection,
comme par le passé, mais dans d'autres bouches. Non qu'il
ne s'en trouvât beaucoup pour continuer à dire ce qu'ils
avaient toujours dit, loin de là. Mais il s'en trouvait encore
plus pour ne plus le dire. Et la raison de cela était peut-être
ceci, que non seulement tous ceux qui avaient dit ce qu'ils
avaient dit sur Jim, sur Bill et sur Joe se trouvaient par la
mort de Joe, de Bill et de Jim mis dans l'impossibilité de continuer et dans l'obligation de trouver autre
chose, car Bill, Joe et Jim avaient beau être bêtes, ils ne
l'étaient pas au point de se laisser emporter sans se mettre
à sainte table rapport à ce qu'ils avaient fait à Ann, s'ils
l'avaient fait, mais aussi parmi ceux qui n'avaient jamais
rien dit sur Jim, sur Joe et sur Bill, à ce propos, sinon qu'ils
n'avaient pas fait cette chose à Ann, et par conséquent ne
se trouvaient nullement par la mort de Joe, de Jim et de
Bill mis dans l'impossibilité de continuer à dire ce qu'ils
avaient toujours dit, à ce propos, beaucoup préféraient néanmoins, en entendant parler maintenant avec eux certains
parmi ceux qui avaient toujours parlé contre eux et contre qui
ils avaient toujours parlé, de ne plus dire ce qu'ils avaient
toujours dit, à ce propos, et de commencer à dire tout autre
chose, afin de pouvoir continuer à entendre parler contre
eux et eux à parler contre le plus grand nombre possible de
ceux qui, avant les morts de Bill, de Joe et de Jim, avaient
toujours parlé contre eux et contre qui ils avaient toujours

parlé. Car, chose étrange mais vraie apparemment, ceux qui parlent parlent plutôt pour le plaisir de parler contre que pour le plaisir de parler avec. Et la raison de cela est peut-être ceci, qu'il est difficile dans l'accord de crier tout à fait aussi fort que dans le désaccord.

Cette petite affaire de la nourriture du chien, Watt la reconstitua à partir des indiscrétions qui échappaient, de temps en temps, le soir, aux nains jumeaux Art et Con. Car c'était eux qui conduisaient le chien affamé, tous les soirs, jusqu'à la porte de Monsieur Knott. Ce qu'ils faisaient depuis l'âge de douze ans, soit depuis un quart de siècle, et devaient continuer à faire pendant tout le temps que Watt resterait chez Monsieur Knott, ou plutôt pendant tout le temps qu'il resterait au rez-de-chaussée. Car lorsque Watt fut muté au premier étage, alors Watt perdit tout contact avec le rez-de-chaussée et ne devait plus revoir ni le chien ni ceux qui le conduisaient. Mais c'était sûrement Art et Con toujours qui conduisaient le chien, tous les soirs à neuf heures, jusqu'à la porte de derrière de Monsieur Knott, même lorsque Watt n'était plus là pour le constater. Car c'était deux petits gars solides et tout entiers à leur travail.

Le chien de service, au moment où Watt entra au service de Monsieur Knott, était le sixième chien, en vingt-cinq ans, à être exploité ainsi par Art et Con.

Les chiens employés à manger les restes occasionnels de Monsieur Knott ne vivaient pas vieux, en général. Ce qui était tout naturel. Car en dehors de ce que le chien recevait à manger de temps en temps, chez Monsieur Knott, sur le pas de la porte de derrière, il ne recevait pour ainsi dire rien à manger. Car si on lui avait donné de la nourriture en sus de la nourriture que lui donnait Monsieur Knott, de temps en temps, alors son appétit eût pu être gâté, pour la nourriture que lui donnait Monsieur Knott. Car Art et Con ne pouvaient jamais être sûrs, le matin, de ne pas trouver le soir, chez Monsieur Knott, sur le pas de la porte de derrière, à l'intention de leur chien, un pot de nourriture si nourrissante et si copieuse que seul un chien parfaitement affamé pouvait en venir à bout. Et c'est à cette éventualité qu'il leur incombait de se tenir toujours prêts.

Ajoutez à cela que la nourriture de Monsieur Knott était plutôt riche et échauffante, pour un chien.

Ajoutez à cela que le chien quittait rarement sa chaîne et de ce fait se voyait interdire tout exercice digne de ce nom. C'était forcé. Car si le chien avait été laissé en liberté, pour courir un peu partout selon sa fantaisie, alors il aurait mangé le crottin de cheval sur la route, et toutes les autres choses immondes qui abondent à la surface de la terre, et ainsi ruiné son appétit peut-être à tout jamais ou, encore plus grave, pris le large pour ne jamais revenir.

Le nom de ce chien, pour ne pas dire chienne, au moment où Watt entra au service de Monsieur Knott, était Kate. Kate n'avait rien d'un beau chien. Même Watt, que prévenait contre les chiens sa tendresse pour les rats, n'avait jamais vu un chien qui fût moins à son goût que Kate. Ce n'était pas un gros chien, et cependant on ne pouvait pas dire que c'était un petit chien. C'était un chien moyen, d'aspect repoussant. On l'avait prénommé Kate non pas, comme on pouvait le supposer, en mémoire de la Kate de Jim, si près de se trouver veuve, mais d'une tout autre Kate, d'une certaine Katie Byrne, espèce de cousine de la femme de Joe May, si près de se trouver veuve elle aussi, et cette Katie Byrne était en grande faveur auprès d'Art et Con à qui elle apportait toujours un rouleau de tabac à chiquer quand elle venait en visite, et Art et Con étaient de grands chiqueurs de rouleaux et n'en avaient jamais assez, jamais jamais assez de rouleaux à chiquer, à leur gré.

Kate mourut pendant que Watt était encore au rez-de-chaussée et se fit remplacer par un chien prénommé Cis. Watt ignorait en mémoire de qui on avait prénommé le chien ainsi. S'il s'était renseigné, s'il avait quitté sa réserve et demandé franchement, Art, ou Con, je sais qu'on a prénommé Kate ainsi en mémoire de votre parente Katie Byrne, mais en mémoire de qui a-t-on prénommé Cis ainsi ?, alors il aurait appris peut-être ce qu'il désirait tant savoir. Mais il y avait des limites à ce que Watt était disposé à faire, dans sa chasse à l'information. Il y avait des moments où il n'était pas éloigné de croire, en observant l'effet que ce prénom produisait sur Art et Con, notamment en conjonction avec certaines injonctions, que c'était le prénom d'une amie à eux, d'une amie aimée entre toutes, et que c'était en l'honneur de cette amie aimée entre toutes qu'ils avaient donné au chien le prénom de Cis, de préférence à tout autre prénom. Mais c'était là pure conjecture. Et à d'autres moments Watt était plus porté à croire que si le chien se prénommait Cis, ce n'était pas parce qu'il se trouvait parmi les vivants quelque personne se prénommant ainsi, non, mais tout bêtement parce qu'il fallait que le chien eût un prénom quelconque, dans son propre intérêt et dans celui des autres, pour le distinguer de tous les autres chiens, et que Cis était un prénom pas plus mauvais qu'un autre et même supérieur à beaucoup.

Cis vivait toujours au moment où Watt quitta le rez-de-chaussée pour le premier étage. Quant à ce qu'il en advint par la suite, ainsi que des nains, Watt n'en avait pas la moindre idée. Car sitôt au premier étage Watt perdit, non seulement le rez-de-chaussée de vue, mais tout intérêt pour le rez-de-chaussée. Ce fut là en vérité une coïncidence providentielle, n'est-ce pas, qu'au moment de perdre de vue le rez-de-chaussée Watt perdît aussi tout intérêt pour lui.

Il entrait dans les fonctions de Watt d'accueillir Art et Con quand ils passaient le soir avec le chien et, quand il y avait de la nourriture pour le chien, d'assister à son absorption par le chien, jusqu'à la dernière miette. Mais pas-

116

sées les premières semaines Watt cessa brusquement, de son propre chef, de remplir cet office. Et désormais, quand il y avait de la nourriture pour le chien, il la déposait devant la porte, sur le pas de la porte, dans le plat du chien, et il mettait une lumière à la fenêtre du couloir afin que le pas de la porte ne soit pas dans le noir, même par la nuit la plus noire, et il mit au point pour le plat du chien un petit couvercle pouvant se fermer au moyen de crampons qui se cramponnaient solidement aux bords du plat. Et Art et Con finirent par comprendre, les soirs où le plat du chien ne les attendait pas sur le pas de la porte, que ces soirs-là il n'y avait pas de nourriture pour Kate (ou pour Cis). Ils n'avaient pas besoin de frapper et de demander, non, le pas de la porte vide parlait de lui-même. Et ils finirent même par comprendre, les soirs où il n'y avait pas de lumière à la fenêtre du couloir, que ces soirs-là il n'y avait pas de nourriture pour le chien. Et ils apprirent aussi à ne jamais pousser plus loin le soir que jusqu'à l'endroit d'où ils pouvaient voir la fenêtre du couloir, et ensuite à ne jamais pousser plus loin que s'il y avait de la lumière à la fenêtre, et à toujours s'en aller sans pousser plus loin s'il n'y en avait pas. Cela ne leur servait malheureusement pas à grand' chose au point de vue pratique du fait qu'on débouchait brusquement, au détour des buissons, sur la porte de derrière et par conséquent ne voyait la fenêtre du couloir, à côté de la porte, que déjà de si près qu'on aurait pu toucher celle-ci, avec son bâton, si l'on avait voulu. Mais Art et Con apprirent peu à peu à distinguer, d'aussi loin que de dix ou quinze pas, s'il y avait de la lumière à la porte du couloir ou non. Car la lumière, quoique masquée par l'angle, dardait ses rayons par la fenêtre du couloir et créait une lueur, dans l'air, lueur qu'on pouvait distinguer, avec de l'entraînement, surtout quand la nuit était noire, d'aussi loin que de dix ou quinze pas. Par conséquent tout ce qu'ils avaient à faire, Art et Con, surtout quand la nuit était propice, c'était d'avancer un peu le long de l'allée jusqu'à l'endroit d'où la lumière, si elle brûlait, devait être visible sous forme d'une lueur, d'une faible lueur, dans l'air, et de là de pousser plus loin, vers la porte de derrière, ou bien de rebrousser chemin, vers la grille, selon le cas. Au fort de l'été, bien sûr, seul le pas de la porte vide, ou garni du plat du chien, pouvait apprendre à Art et à Con et à Kate (ou à Cis), s'il y avait de la nourriture pour le chien ou non. Car au fort de l'été Watt ne mettait pas de lumière à la fenêtre de la cuisine quand il y avait de la nourriture pour le chien, non, car au fort de l'été le pas de la porte n'était pas dans le noir avant dix heures et demie ou onze heures du soir, mais face à l'ouest il brûlait de toute l'ardeur mourante des feux de l'été. Et mettre une lumière à la fenêtre du couloir dans ces conditions, ç'aurait été brûler du pétrole pour rien. Mais pendant plus des trois quarts de l'année la tâche d'Art et Con se trouvait grandement facilitée à la suite du refus de Watt d'assister au repas du chien et des mesures qu'il dut prendre en conséquence. Alors Watt, s'il avait sorti le plat un peu avant huit heures, le rentrait un peu avant dix heures et le lavait, soucieux du lendemain, avant de tirer les verrous pour la nuit et de monter se coucher en tenant haut la lampe au-dessus de sa tête pour éclairer ses pas dans les escaliers, les escaliers qui ne semblaient jamais les mêmes, d'un soir à l'autre, et qui tantôt étaient raides, et tantôt doux, et tantôt longs, et tantôt courts, et tantôt larges, et tantôt étroits, et tantôt périlleux, et tantôt sûrs, et qu'il grimpait tous les soirs, parmi les ombres mouvantes, un peu après dix heures.

De ce refus de la part de Knott, pardon, de Watt, d'assister à l'absorption par le chien des restes de Monsieur Knott, on aurait pu craindre les plus graves conséquences, aussi bien pour Watt que pour la maison de Monsieur Knott.

Watt s'attendait à quelque chose de ce genre. Et cependant il n'aurait pu faire autrement qu'il fit. Il avait beau ne pas aimer les chiens, leur préférant de beaucoup les rats, il n'aurait pu faire autrement, le croira qui voudra, qu'il fit. Il ne se passa rien, en l'occurrence, mais tout continua comme avant, apparemment. Il ne s'abattit sur Watt nulle punition, nulle foudre. Et la maison de Monsieur Knott continua à voguer de l'avant, par les jours et nuits tranquilles, avec toute son habituelle sérénité. Et c'était là pour Watt une source de grand étonnement, d'avoir pu enfreindre impunément une aussi vénérable tradition, ou institution. Mais il n'était pas bête au point d'en tirer une règle de conduite, ou d'y voir un encouragement à l'insoumission, oh non, car Watt n'était que trop heureux de faire ce qu'on lui demandait, à tout moment et comme le voulait la coutume. Et quand par nécessité il faillait, comme ici en refusant d'assister au repas du chien, il avait soin de faillir de telle façon et en usant de tant de précautions et de raffinements qu'il avait presque l'air de ne pas faillir du tout. Et cela lui valait peut-être une certaine indulgence. Et dans son esprit plein d'étonnement et de trouble il ramenait le calme en réfléchissant que s'il restait impuni pour le moment, il ne le resterait peut-être pas toujours, et que si le coup porté à la maison de Monsieur Knott n'apparaissait pas aussitôt, il apparaîtrait peut-être un jour, meurtrissure modeste d'abord, puis plus large, toujours plus large, jusqu'à ce que, à force de s'étendre, il finisse par noircir le corps tout entier.

Pendant un certain temps, pour des raisons demeurées obscures, Watt a dû être fort intrigué, voire fasciné, par cette affaire du chien venu au monde, et à grands frais au monde maintenu, uniquement pour manger la nourriture de Monsieur Knott les jours où Monsieur Knott ne daignait pas la manger lui-même, et y attacher une importance et même une signification qu'il semble difficile de justifier. Car sinon pourquoi cette insistance ? Et pourquoi cette insistance sur la famille Lynch si en pensée il n'avait été obligé de passer du chien à la famille Lynch comme à l'un des termes de la relation que le chien tissait chaque nuit, l'autre étant naturellement les restes de Monsieur Knott. Mais bien plus que les Lynch, ou les restes de Monsieur Knott, c'est le chien qui donna à Watt ce tracas, tant qu'il dura. Mais il ne dura pas longtemps, ce tracas de Watt, pas très longtemps, comparé avec d'autres analogues. Et cependant ce fut un tracas majeur, à cette époque, tant qu'il dura. Mais une fois que Watt eut saisi, dans sa complexité, le mécanisme du système, comment la nourriture en venait à être disponible pour le chien, et le chien à être disponible pour la nourriture, et les deux à être réunis, alors il cessa de s'y intéresser et put jouir, à cet égard, d'une relative tranquillité d'esprit. Non qu'il s'imaginât un instant avoir pénétré les forces en présence, dans ce cas particulier, ou même perçu les formes qu'elles soulevaient, ou jeté la moindre lumière sur lui-même, ou sur Monsieur Knott, loin de là. Mais il avait changé, peu à peu, un désordre en mots, il s'était fait un oreiller de vieux mots, pour sa tête. Peu à peu, et non sans peine. Kate en train de manger dans son plat, par exemple, sous la surveillance des nains, comme il avait peiné pour savoir ce que c'était, pour savoir quelle était la chose faite, la chose subie, par qui, par quoi, et quelles ces formes qui n'étaient pas ancrées au sol, comme la véronique, mais s'évanouissaient dans la nuit, au bout d'un moment.

Erskine passait son temps dans les escaliers, à monter, à descendre, en courant. Tout le contraire de Watt, qui se contentait de descendre une fois par jour, quand il se levait, pour commencer sa journée, et une fois par jour se contentait de monter, quand il se couchait, pour commencer sa nuit. Sauf lorsque, dans sa chambre, le matin, ou dans la cuisine, le soir, il oubliait quelque chose, dont il ne pouvait se passer. Alors naturellement il remontait, ou redescendait, prendre cette chose, quelle qu'elle fût. Mais c'était très rare. Car que pouvait oublier Watt, dont Watt ne pût se passer, l'espace d'un jour, l'espace d'une nuit ? Son mouchoir peut-être ? Mais Watt n'avait jamais recours au mouchoir. Son sac à ordures ? Non, il ne serait pas redescendu exprès, jusqu'en bas, à l'appel de son sac à ordures. Non, il n'y avait pour ainsi dire rien que Watt pût oublier, dont il ne pût se passer, pendant les quatorze ou quinze heures que durait sa journée, pendant les neuf ou dix heures que durait sa nuit. N'empêche que cela lui arrivait, de temps en temps, d'oublier quelque chose, un petit quelque chose de rien du tout, qu'il lui fallait retourner prendre, sans quoi il n'aurait pas pu tenir, jusqu'au bout de sa journée, jusqu'au bout de sa nuit. Mais c'était très rare. Et le plus souvent il restait tranquillement là où il était, au second étage dans sa chambrette la nuit, et le jour au rez-de-chaussée dans la cuisine surtout, ou partout ailleurs où ses fonctions pouvaient l'appeler, ou au jardin d'agrément à faire les cent pas, ou dans un arbre, ou assis par terre contre un arbre, ou contre un buisson, ou sur un siège rustique. Car au premier étage ses fonctions ne l'appelaient jamais, à cette période, ni au second, une fois qu'il avait fait son lit, et balayé sa chambrette, ce qu'il faisait à peine levé, avant de descendre, l'estomac vide. Tandis qu'au rez-de-chaussée Erskine n'en fichait pas une rame, ses fonctions s'exerçant uniquement au premier étage. Or Watt ignorait, et répugnait à demander, en quoi exactement ces fonctions consistaient. Mais alors que les fonctions de Watt au rez-de-chaussée le retenaient tranquillement au rez-de-chaussée, les fonctions d'Erskine au premier étage ne retenaient pas tranquillement Erskine au premier étage, non, mais il passait son temps dans les escaliers, à monter, à descendre, en courant, du premier étage au second étage et puis incontinent du second étage au premier étage et du premier étage au rez-de-chaussée et puis incontinent du rez-de-chaussée au premier étage, dans une agitation qui semblait à Watt sans rime ni raison, ce dont il ne faut pas s'étonner, puisque aussi bien Watt ignorait, et répugnait à demander, en quoi exactement consistaient les fonctions d'Erskine au premier étage. De là à conclure qu'Erskine ne restait jamais tranquillement au premier étage, non, car il y passait une bonne partie de son temps, mais seulement que le temps qu'il passait dans les escaliers, dans l'espace d'une seule journée, à se précipiter tantôt en bas, tantôt en haut, semblait à Watt extraordinaire. Et extraordinaires lui semblaient aussi le peu de temps qu'Erskine restait en haut, quand il se précipitait en haut, avant de se reprécipiter en bas, et le peu de temps qu'il restait en bas, quand il se précipitait en bas, avant de se reprécipiter en haut, et enfin bien sûr la force de sa précipitation, comme s'il n'avait qu'une hâte, retourner là d'où il venait. Et si l'on demandait comment Watt, jamais au second étage du matin au soir, pouvait savoir combien de temps Erskine passait au second étage, quand il s'y précipitait de la sorte, on pourrait sans doute répondre ceci, que Watt, de là où il était assis au fond de la maison, pouvait entendre Erskine grimper l'escalier quatre à quatre jusqu'au comble de la maison et puis le dévaler de même jusqu'au mitan de la maison, pour ainsi dire d'une traite. Et la raison de cela était peut-être ceci, que le bruit descendait par la cheminée de la cuisine.

Watt répugnait à s'informer à mots ouverts du sens de tout cela, car il disait, Tout cela sera révélé à Watt, le moment venu, entendant bien sûr le moment où Erskine s'en irait, et où un autre viendrait. Mais il n'avait pas de cesse qu'il n'eût dit, en brèves phrases ou bribes de phrases éparses et largement espacées dans le temps, Peut-être que Monsieur Knott le dépêche ainsi, tantôt en haut, tantôt en bas, à telle et telle fin bien définie, tout en lui disant, Mais reviens-moi vite, Erskine, ne traîne pas, reviens-moi vite. Mais quel genre de fin ? Peut-être pour lui rapporter un objet quelconque abandonné quelque part et dont il éprouve soudain le besoin, tel un bon livre ou un bout de coton hydrophile ou de papier de soie. Ou pour s'assurer, en inspectant les alentours d'une fenêtre supérieure, que personne ne vient. Ou pour s'assurer, en inspectant rapidement le rez-de-chaussée, qu'aucun danger ne menace les fondations. Mais n'y suis-je pas, moi, au rez-de-chaussée, quelque part, aux aguets ? Mais il se peut que Monsieur Knott ait plus confiance en Erskine, qui est ici depuis plus longtemps que moi, qu'en moi, qui suis ici depuis moins longtemps qu'Erskine. Et pourtant cela ne ressemble pas à Monsieur Knott, de vouloir sans cesse ceci et cela et d'envoyer Erskine courir s'en occuper. Mais que sais-je de Monsieur Knott ? Rien. Et ce qui peut me paraître lui ressembler le moins, et ce qui peut me paraître lui ressembler le plus, peut très bien en réalité lui ressembler le plus, lui ressembler le moins, rien ne me prouve le contraire. Ou peut-être que Monsieur Knott envoie Erskine courir ainsi, tantôt en haut, tantôt en bas, tout simplement pour en être débarrassé, ne fût-ce que pour quelques instants. Ou peut-être qu'Erskine, éprouvé par le premier étage, est obligé de se précipiter en haut de temps en temps, pour prendre l'air du second étage, et de temps en temps de se précipiter en bas, pour prendre celui du rez-de-chaussée, voire du jardin, tout comme dans certaines eaux certains poissons, pour pouvoir supporter les profondeurs moyennes, sont contraints de remonter et de redescendre, tantôt à la surface des vagues, tantôt au lit de l'océan. Mais de tels poissons existent-ils ? Oui, de tels poissons existent, dorénavant. Mais éprouvé en quel sens ? Peut-être que Monsieur Knott (qui sait ?) propage comme des ondes, de dépression, ou d'oppression, ou tour à tour les deux, d'une manière impossible à saisir. Mais cela ne s'accorde pas du tout avec ma conception de Monsieur Knott. Mais quelle conception ai-je de Monsieur Knott ? Aucune.

Watt se demandait si Arsene, Walter, Vincent et les

autres avaient traversé la phase qu'Erskine traversait alors, et il se demandait si lui Watt la traverserait aussi, quand son heure viendrait. Watt avait du mal à imaginer Arsène, sans parler de lui-même, en train de se comporter de la sorte. Mais les choses étaient nombreuses que Watt avait du mal à imaginer.

Parfois dans la nuit Monsieur Knott appuyait sur une sonnette qui sonnait dans la chambre d'Erskine. Alors Erskine se levait et descendait. Cela Watt le savait, car du lit où il gisait tout près il entendait la sonnerie drin ! et Erskine se lever et descendre. Il entendait la sonnerie parce qu'il ne dormait pas, ou ne dormait qu'à moitié, ou ne dormait que d'un œil. Car il est rare qu'une sonnerie tout près ne soit pas entendue de qui ne dort qu'à moitié, ou ne dort que d'un œil. Ou il entendait, non pas la sonnerie, mais Erskine se lever et descendre, ce qui revenait au même. Car Erskine, sans la sonnerie, se serait-il levé et serait-il descendu ? Non. Il aurait pu se lever, sans la sonnerie, pour faire sa grosse commission, ou sa petite commission, dans son bon gros pot de chambre. Mais se lever et descendre, sans la sonnerie, non. D'autres fois, quand Watt était plongé dans le sommeil, ou dans la méditation, ou autrement absorbé, alors bien sûr ça pouvait sonner et sonner et Erskine se lever et se lever et descendre et descendre et Watt ne se douter de rien. Mais cela ne changeait rien. Car Watt avait entendu la sonnerie drin !, et Erskine se lever et descendre, assez souvent pour savoir que parfois dans la nuit Monsieur Knott appuyait sur une sonnette et qu'alors Erskine, obéissant sans doute à l'appel, se levait et descendait. Car y avait-il d'autres doigts dans la maison, d'autres pouces, que ceux de Monsieur Knott et d'Erskine et de Watt, susceptibles d'avoir appuyé sur la sonnette ? Car avec quoi, sur la sonnette, sinon avec un doigt, ou avec un pouce, aurait-on pu appuyer ? Avec un nez ? Un orteil ? Un talon ? Une dent saillante ? Un genou ? Un coude ? Ou quelque autre proéminence d'os ou de chair ? Sans doute. Mais à qui, sinon à Monsieur Knott ? Watt n'avait pas appuyé, aucune partie de Watt n'avait appuyé, sur une sonnette, il en avait la certitude morale, car il n'y avait pas de sonnette dans sa chambre. Et s'il avait pu se lever, et descendre jusqu'à l'endroit où se trouvait la sonnette, et il ne savait pas où se trouvait la sonnette, et là appuyer dessus, aurait-il pu regagner sa chambre, et son lit, et même à l'occasion s'assoupir, à temps pour entendre, de là où il gisait, dans son lit, la sonnerie ? Le fait est que Watt n'avait jamais vu de sonnette nulle part, dans la maison de Monsieur Knott, ni entendu sonner en d'autres circonstances que celles qui le tracassaient tant. Au rez-de-chaussée, Watt en avait la certitude, il n'y avait aucune sonnette d'aucune sorte, ou alors si habilement dissimulée qu'aucune trace n'en paraissait, ni aux murs, ni aux montants des portes. Il y avait le téléphone certes, dans un couloir. Mais ce qui sonnait la nuit, dans la chambre d'Erskine, n'était pas un téléphone, Watt en avait la conviction, mais une sonnette, une simple petite sonnette électrique probablement blanche, de celles sur lesquelles on appuie jusqu'à ce qu'elles fassent drin ! et qu'on laisse ensuite revenir à la position du silence. De même Erskine, s'il avait appuyé sur la sonnette, n'aurait pu le faire ailleurs que dans sa chambre, voire de là où il gisait, dans son lit, comme il ressortait clairement du bruit que faisait Erskine en se levant de son lit, à peine la sonnerie tue. Mais comment admettre qu'il y eût une sonnette dans la chambre d'Erskine et qui plus est placée de façon à lui permettre d'appuyer dessus sans quitter son lit, alors que nulle part dans la chambre de Watt il n'y avait de sonnette d'aucune sorte ? Et même en l'admettant, quel intérêt Erskine pouvait-il avoir à appuyer dessus, puisqu'il savait pertinemment qu'au bruit de la sonnerie il devrait quitter son lit mollet et descendre, en tenue légère. Si Erskine tenait absolument à quitter son lit douillet et à descendre, à moitié nu, n'aurait-il pas pu le faire sans au préalable appuyer sur une sonnette ? Ou Erskine avait-il perdu la raison ? Et lui-même Watt ne serait-il pas légèrement dérangé ? Et Monsieur Knott lui-même avait-il toute sa tête ? Ne seraient-ils pas tous les trois un peu toqués ?

Cette question de savoir qui appuyait sur la sonnette qui sonnait dans la nuit, dans la chambre d'Erskine, fut pour Watt, pendant un certain temps, une source de grave inquiétude et d'anxieuse insomnie. Si Erskine avait été ronfleur, et que le bruit de la sonnerie eût coïncidé avec celui du ronflement, alors le mystère se serait dissipé, Watt avait cette impression, comme brume au soleil. Mais voilà, Erskine n'était pas ronfleur. Et cependant à le voir, ou à l'entendre pousser sa chanson, on l'aurait pris pour un ronfleur, pour un grand ronfleur. Et cependant il n'était pas ronfleur. Si bien que la sonnerie éclatait toujours dans le silence, de la nuit. Mais il apparut bientôt à Watt, toute réflexion faite, que la coïncidence de sonnerie et ronflement, loin de dissiper le mystère, l'aurait laissé entier. Car qu'est-ce qui empêchait Erskine de simuler un ronflement, à l'instant même d'allonger le bras et d'appuyer sur la sonnette, ou de simuler tout un chapelet de ronflements culminant dans le ronflement qu'il simulait à l'instant d'appuyer sur la sonnette, dans le seul but de duper Watt et de lui faire accroire que si quelqu'un avait appuyé sur une sonnette, ce n'était pas lui Erskine, mais Monsieur Knott quelque part ailleurs dans la maison. Ainsi Watt finit par croire, du fait qu'Erskine ne ronflait pas et que la sonnerie éclatait toujours dans le silence, de la nuit, non pas que ça pouvait être Erskine qui appuyait sur la sonnette, comme d'abord il l'avait cru, non, mais que ça ne pouvait être que Monsieur Knott. Car si Erskine appuyait sur la sonnette et ne voulait pas qu'on le sache, alors il aurait poussé un ronflement, ou usé d'un autre stratagème quelconque, à l'instant même d'appuyer

126

sur la sonnette, afin de faire accroire à Watt que si quelqu'un avait appuyé sur une sonnette, ce n'était pas lui Erskine, mais Monsieur Knott. Jusqu'au moment où il apparut à Watt qu'Erskine pouvait très bien appuyer sur la sonnette, en se foutant éperdument qu'on le sache ou non, et qu'en ce cas il ne se donnerait pas la peine de pousser un ronflement, ou d'user d'un autre stratagème quelconque, à l'instant d'appuyer sur la sonnette, non, mais il laisserait la sonnerie éclater dans le silence, de la nuit, et à Watt de se démerder avec ça.

Watt décida finalement qu'un examen de la chambre d'Erskine était de rigueur, s'il voulait que cette affaire cesse de le tourmenter. Ensuite il pourrait la laisser tomber, et l'oublier, comme on laisse tomber et oublie une peau d'orange, ou de banane.

Watt aurait pu s'adresser à Erskine, il aurait pu lui demander, Erskine, dites-moi, y a-t-il une sonnette dans votre chambre, ou n'y en a-t-il pas ? Mais cela aurait mis Erskine sur ses gardes, ce que Watt ne souhaitait pas. Ou Erskine aurait pu répondre, Oui ! quand la vraie réponse était, Non ! ou, Non ! quand la vraie réponse était, Oui !, ou il aurait pu répondre la vérité, Oui ! ou, Non ! sans que Watt puisse y ajouter foi. Et alors Watt n'aurait pas été plus avancé, mais plutôt moins, car il aurait mis Erskine sur ses gardes.

Or la chambre d'Erskine était toujours fermée à clef, et la clef toujours dans la poche d'Erskine. Ou plutôt la chambre d'Erskine n'était jamais ouverte, ni la clef hors de la poche d'Erskine, plus de deux ou trois secondes de suite, soit le temps que mettait Erskine à glisser la clef hors de sa poche, à ouvrir sa porte de l'extérieur, à se couler dans sa chambre, à refermer la porte à clef de l'intérieur et à reglisser la clef dans sa poche, ou alternativement à glisser la clef hors de sa poche, à ouvrir sa porte de l'intérieur, à se couler hors de sa chambre, à refermer sa porte à clef de l'extérieur et à reglisser la clef dans sa poche. Car si la chambre d'Erskine avait été toujours fermée à clef, et la clef toujours dans la poche d'Erskine, alors Erskine lui-même, malgré toute son agilité, aurait eu du mal à se couler dans sa chambre, et hors de sa chambre, comme il le faisait, à moins de se couler par la fenêtre, ou par la cheminée. Mais ni dans sa chambre, ni hors de sa chambre, par la fenêtre il n'aurait pu se couler, sans se rompre le cou, ni par la cheminée, sans s'écraser à mort. Et Watt était logé à la même enseigne.

La serrure était de celles que Watt ne pouvait crocheter. Watt pouvait crocheter les serrures simples, mais il ne pouvait crocheter les serrures complexes.

La clef était de celles que Watt ne pouvait contrefaire. Watt pouvait contrefaire les clefs simples, dans un atelier, dans un étau, avec une lime et de la soudure, à partir d'autres clefs simples aussi, mais à leur manière à elles, retranchant ici, rajoutant là, jusqu'à obtenir des simplicités identiques. Mais Watt ne pouvait contrefaire les clefs complexes.

Une autre raison pour laquelle Watt ne pouvait contrefaire la clef d'Erskine était peut-être ceci, qu'il ne pouvait s'en emparer, ne fût-ce qu'un instant.

Alors comment Watt pouvait-il savoir que la clef d'Erskine manquait de simplicité ? Mais pour avoir trifouillé dans le trou avec son petit crochet.

Alors Watt dit, A serrure simplette clef complexe parfois, mais jamais clef simplette à complexe serrure. Mais à peine dits ces mots, Watt les regretta. Mais trop tard, ils étaient dits et ne pouvaient jamais être oubliés, jamais dédits. Mais un peu plus tard il les regretta moins. Et un peu plus tard il ne les regretta plus du tout. Et un peu plus tard il les goûta de nouveau, comme s'il les entendait pour la première fois, si suaves, si câlins, dans son crâne. Et un peu plus tard il les regretta de nouveau, amèrement.

Et ainsi de suite. Tant et si bien qu'il finit par parcourir, à l'égard de ces mots, toute la gamme, ou peu s'en faut, du remords et de l'euphorie, mais surtout du remords. Et il n'est sans doute pas sans intérêt de constater ce comportement, dans la mesure où Watt en était coutumier, dans ses rapports avec les mots. Et si quelquefois il suffisait d'un moment de réflexion pour fixer son attitude, une fois pour toutes, envers les mots qu'il lui arrivait d'entendre, dans son crâne, de sorte qu'il les aimait, ou ne les aimait pas, plus ou moins, d'un amour inaltérable, ou d'une inaltérable aversion, cependant le cas n'était pas fréquent, non, mais à force de penser tantôt une chose, tantôt une autre, il finissait le plus souvent par ne plus savoir que penser des mots entendus, dans son crâne, et fussent-ils aussi clairs et modestes que ceux précités, d'une signification aussi évidente et d'une forme aussi inoffensive, ça n'y faisait rien, il ne savait plus qu'en penser, d'un bout de l'année à l'autre, s'il fallait en penser du mal, ou du bien, ou rien du tout.

Et si Watt n'avait pas su que la clef d'Erskine n'était pas une clef simple, alors moi non plus je ne l'aurais pas su, ni le monde. Car tout ce que je sais au sujet de Monsieur Knott, et de tout ce qui touchait à Monsieur Knott, et au sujet de Watt, et de tout ce qui touchait à Watt, c'est de Watt que je le tiens, et de Watt seul. Et si je n'ai pas l'air d'en savoir long au sujet de Monsieur Knott, et de Watt, et de tout ce qui touchait à eux, c'est parce que Watt n'en savait pas long, sur ces sujets, ou qu'il préférait ne pas le dire. Mais il m'assura à l'époque, quand il commença à dévider son histoire, qu'il me dirait tout, et puis plus tard, quelques années plus tard, quand il eut fini de la dévider, qu'il m'avait tout dit. Et l'ayant cru à l'époque, et puis plus tard, je n'avais qu'à continuer, l'histoire depuis longtemps dévidée, et Watt disparu. Non qu'il y eût la moindre preuve permettant d'assurer que Watt avait dit en effet tout ce qu'il savait, sur ces sujets, ou même qu'il s'était proposé de le faire, et cela pour la bonne raison que moi je ne savais rien, sur ces sujets, en dehors de ce que Watt voulait bien me dire. Car Erskine, Arsene, Walter, Vincent et les autres avaient tous disparu, bien avant mon entrée en scène. Non que Vincent, Walter, Arsene et Erskine eussent pu dire quoi que ce soit au sujet de Watt, sauf peut-être Arsene un peu, et Erskine un peu plus, loin de là. Mais ils auraient pu dire quelque chose au sujet de Monsieur Knott. Alors nous aurions eu le Monsieur Knott d'Erskine, et le Monsieur Knott d'Arsene, et le Monsieur Knott de Walter, et le Monsieur Knott de Vincent, à mettre en regard avec le Monsieur Knott de Watt. Ce qui aurait été un exercice plein d'intérêt. Mais ils avaient tous disparu, bien avant ma parution.

Cela ne veut pas dire que Watt n'ait pu omettre certaines choses qui étaient arrivées, ou qui avaient existé, ou en rajouter d'autres qui n'étaient jamais arrivées, ou qui n'avaient jamais existé. Il a déjà été fait état du mal qu'éprouvait Watt à distinguer entre ce qui arrivait et ce qui n'arrivait pas, entre ce qui existait et ce qui n'existait pas, dans la maison de Monsieur Knott. Et Watt ne faisait aucun mystère, dans ses conversations avec moi, de ce que maintes choses présentées comme étant arrivées, dans la maison de Monsieur Knott, et naturellement sur ses terres, n'étaient peut-être jamais arrivées du tout, ou étaient peut-être arrivées tout autrement, et que maintes choses présentées comme ayant existé, ou plutôt comme n'ayant jamais existé, car celles-ci étaient les plus marquantes, n'avaient peut-être jamais existé du tout, ou plutôt avaient existé tout le temps. Mais cela mis à part, il est difficile à quelqu'un comme Watt de raconter une longue histoire comme celle de Watt sans omettre certaines choses, et sans en rajouter d'autres. Et cela ne veut pas dire non plus que moi je n'aie pu omettre certaines choses que Watt m'avait dites, ou en rajouter d'autres que Watt ne m'avait jamais dites, malgré tout le soin que je prenais de tout noter sur-le-champ, dans mon petit calepin. Il est si difficile, s'agissant d'une longue histoire comme l'histoire de Watt, malgré tout le soin qu'on prend à tout noter sur-le-champ, dans son petit calepin, de ne pas omettre certaines choses qui furent dites, et de ne pas en rajouter d'autres qui ne furent jamais dites, jamais jamais dites du tout.

La clef n'était pas davantage de celles dont l'empreinte pouvait être prise, en cire, en plâtre, en mastic ou en beurre, et la raison de cela était ceci, qu'il n'était pas possible de s'emparer de la clef, ne fût-ce qu'un instant.

Car la poche où Erskine gardait cette clef n'était pas de celles que Watt pouvait lui faire. Car ce n'était pas une poche ordinaire, non, mais une poche dérobée, cousue sur le devant du caleçon d'Erskine. Si la poche où Erskine gardait cette clef avait été une poche ordinaire, telle une poche de veste, ou une poche de pantalon, ou même une poche de gilet, alors Watt n'aurait eu qu'à attendre qu'Erskine ait le dos tourné pour la lui faire et ainsi s'emparer de la clef le temps d'en fixer l'empreinte, en cire, en plâtre, en mastic ou en beurre. Puis, l'empreinte une fois fixée, il n'aurait plus eu qu'à remettre la clef dans la poche où il l'aurait prise, ayant pris soin au préalable de l'essuyer avec un chiffon humide. Mais faire à quelqu'un une poche cousue sur le devant de son caleçon, et quand même il aurait eu le dos tourné, sans lui mettre la puce à l'oreille, Watt le savait au-dessus de ses forces.

Maintenant si Erskine avait été une dame... Mais voilà, Erskine n'était pas une dame.

Et si l'on demandait comment on peut savoir que la poche où Erskine gardait cette clef était cousue sur le devant de son caleçon, on pourrait peut-être répondre ceci, qu'un jour où Erskine faisait sa petite commission contre un buisson, au moment même où Watt, comme le voulait Lachésis, faisait la sienne contre le même, mais de l'autre côté,

Watt entrevit à travers le buisson, par bonheur à feuilles caduques, la clef qui luisait parmi les boutons de la patte.

Ainsi toujours, quand l'impossibilité où je me trouve, où Watt se trouvait, moi de savoir ce que je sais, Watt de savoir ce qu'il savait, semble absolue, et insurmontable, et indéniable, et incoercible, on pourrait démontrer par A plus B que moi je le sais parce que Watt me l'a dit, et que Watt le savait parce que quelqu'un le lui avait dit, ou parce qu'il l'avait trouvé tout seul. Car moi je ne sais rien, à ce propos, sauf ce que Watt m'a dit. Et Watt ne savait rien, à ce sujet, sauf ce qu'on lui avait dit, ou qu'il avait trouvé tout seul, d'une façon ou d'une autre.

Watt aurait pu enfoncer la porte, avec une hache, ou une petite charge d'explosifs, ou la forcer avec un monseigneur, mais à l'oreille d'Erskine cela aurait mis la puce, et Watt ne tenait pas à cela.

Si bien que, les choses étant ce qu'elles étaient, et Watt étant ce qu'il était, ne tenant pas à ceci, ne souhaitant pas cela, il semblait acquis que Watt, tel qu'il était alors, ne pourrait jamais entrer dans la chambre d'Erskine, telle qu'elle était alors, et pour que Watt puisse entrer dans la chambre d'Erskine, tels qu'ils étaient alors, il aurait fallu que Watt soit un autre homme, ou la chambre d'Erskine une autre chambre, ou les deux.

Et pourtant, sans que Watt cessât d'être ce qu'il était, ni la chambre d'être ce qu'elle était, ni les deux, Watt entra bel et bien dans la chambre d'Erskine et y apprit ce qu'il voulait savoir.

Ruse une à grâce, dit-il, et tout en disant, Ruse une à grâce, il rougit, jusqu'à faire paraître normale la couleur de son nez, et baissa la tête, et tordit et détordit ses grandes pattes rouges.

Il y avait une sonnette dans la chambre d'Erskine, mais elle était cassée.

Le seul autre objet digne de remarque dans la chambre d'Erskine était un tableau, accroché au mur, à un clou. Un cercle, visiblement tracé au compas, et troué à son point le plus bas, occupait le centre du premier plan, de ce tableau. S'éloignait-il ? Watt en avait l'impression. A l'arrière-plan à l'est apparaissait un point, ou tache. La circonférence était noire. Le point était bleu, mais bleu ! Le reste était blanc. Par quel artifice l'effet de perspective était obtenu, Watt l'ignorait, mais il était obtenu. Par quel procédé l'illusion de mouvement dans l'espace, et presque comme qui dirait dans le temps, était donnée, Watt n'aurait pas su le dire. Mais elle était donnée. Watt se demandait combien de temps ils mettraient, ce point et ce cercle, à atteindre de concert le même plan. Ou n'était-ce pas déjà chose faite, ou presque ? Et n'était-ce pas plutôt le cercle à l'arrière-plan, et le point au premier plan ? Watt se demandait s'ils s'étaient repérés l'un l'autre, ou si c'était aveuglément qu'ils volaient ainsi, talonnés par quelque force d'attraction mutuelle purement mécanique, ou jouets du hasard. Il se demandait s'ils allaient un jour se mettre en panne et échanger des signaux, peut-être même s'unir, ou tranquillement poursuivre leurs routes respectives, comme des bateaux dans la nuit avant l'invention de la télégraphie sans fil. Ils pourraient même, qui sait, entrer en collision. Et il se demandait ce que l'artiste avait voulu représenter (Watt ne comprenait rien à la peinture), un cercle et son centre en quête l'un de l'autre, ou un cercle et son centre en quête d'un centre et d'un cercle respectivement, ou un cercle et son centre en quête de son centre et d'un cercle respectivement, ou un cercle et son centre en quête d'un centre et de son cercle respectivement, ou un cercle et un centre pas le sien en quête de son centre et de son cercle respectivement, ou un cercle et un centre pas le sien en quête d'un centre et d'un cercle respectivement, ou un cercle et un centre pas le sien en quête de son centre et d'un cercle respectivement, ou un cercle et un centre pas le sien en quête d'un centre et de son cercle respectivement, dans l'espace infini, dans le temps éternel (Watt ne comprenait rien à la physique), et à la pensée que c'était peut-être cela, un cercle et un centre pas le sien en quête d'un centre et de son cercle respectivement, dans l'espace infini, dans le temps éternel, alors les yeux de Watt s'emplirent de larmes irrépressibles et elles ruisselèrent sans retenue le long de ses joues ravinées, en un flot régulier on ne peut plus rafraîchissant.

Watt se demandait l'effet que ferait ce tableau la tête en bas, le point à l'ouest et le trou au nord, ou sur le côté droit, le point au sud et le trou à l'ouest, ou sur le côté gauche, le point au nord et le trou à l'est.

Il le décrocha donc et le tint devant ses yeux, à bout de bras, la tête en bas, sur le côté droit et sur le côté gauche.

Mais dans ces positions le tableau plaisait moins à Watt qu'il ne lui avait plu au mur, et la raison de cela était peut-être ceci, que le trou n'était plus en bas. Et la pensée du point s'y glissant enfin de bas en haut, quand il rentrerait enfin au bercail, ou dans un nouveau bercail, et la pensée du trou ouvert en bas peut-être à tout jamais en vain, ces pensées-là, pour plaire à Watt comme elles lui plaisaient, exigeaient que le trou soit en bas, et nulle part ailleurs. C'est par le nadir que nous venons, disait Watt, et c'est par le nadir que nous partons, comprenne qui pourra. Et l'artiste avait dû ressentir quelque chose de semblable, car le cercle ne tournait pas comme font les cercles, non, mais il voguait serein dans son blanc firmament, son trou patient en bas à jamais. Watt raccrocha donc le tableau dans la position où il l'avait trouvé.

Il va sans dire que Watt ne se posa pas toutes ces questions au moment même, mais seulement les unes au moment même, et les autres par la suite. Mais celles qu'il se posa au moment même, il se les reposa par la suite, en même temps que celles qu'il ne se posa pas au moment même, infatigablement. Et bien d'autres questions aussi, à ce même sujet toujours, dont les unes au moment même, et les autres par la suite, Watt se les posa et reposa par la suite, inlassablement.

L'une de ces dernières portait sur l'appartenance. Le tableau appartenait-il à Erskine, ou à un autre domestique qui l'aurait apporté, dans ses bagages, et laissé là à son départ, ou enfin faisait-il partie intégrante de la maison de Monsieur Knott ?

Des méditations longues et laborieuses imposèrent à Watt la conclusion que le tableau faisait partie intégrante de la maison de Monsieur Knott.

La question à cette réponse était la suivante, d'une importance capitale aux yeux de Watt. Le tableau était-il un élément fixe et stable de l'édifice, au même titre que le lit de Monsieur Knott par exemple, ou seulement une manière de paradigme éphémère, un terme dans une série analogue à la série des chiens de Monsieur Knott, ou des hommes de Monsieur Knott, ou des siècles qui tombent, l'un après l'autre, de la gousse de l'éternité ?

Un moment de réflexion imposa à Watt la conviction que le tableau n'était pas depuis longtemps dans la maison, et qu'il ne resterait pas longtemps dans la maison, et qu'il faisait partie d'une série.

Il y avait des moments où Watt avait le raisonnement vif, presque aussi vif que Monsieur Nackybal, et d'autres où sa pensée se mouvait avec une si extrême lenteur qu'elle semblait ne pas se mouvoir du tout, mais être à l'arrêt. Et cependant elle se mouvait, comme le berceau de Galilée. Watt s'affligeait beaucoup de cette disparité. Et il y avait là en effet de quoi s'affliger.

Watt avait de plus en plus l'impression, à mesure que le temps passait, qu'à la maison de Monsieur Knott rien ne pouvait être ajouté, rien soustrait, mais que telle elle était alors, telle elle avait été au commencement, et telle elle resterait jusqu'à la fin, sous tous les rapports essentiels, et cela parce qu'ici à chaque instant toute présence significative, et ici toute présence était significative, même si l'on ne pouvait dire de quoi, impliquait cette même présence à tout instant, ou une présence équivalente, et que seuls donc les dehors pouvaient varier, et variaient peut-être en effet sans cesse, comme sans cesse variaient lentement les dehors de Monsieur Knott.

Cette hypothèse, en ce qui concernait le tableau, ne tarda pas à être confirmée avec éclat. Et des innombrables hypothèses échafaudées par Watt pendant son séjour chez Monsieur Knott, ce fut bien la seule à être confirmée, pour ne pas dire infirmée, par les événements (si l'on peut parler ici d'événements), ou plutôt le seul élément à être confirmé, le seul élément de la longue hypothèse languissante vécue par Watt dans la maison de Monsieur Knott, et bien sûr sur ses terres, à être confirmé.

Oui, rien ne changeait, dans la maison de Monsieur Knott, parce que rien n'y restait, et rien ne venait ni ne s'en allait, parce que tout n'y était qu'allée et venue.

Watt semblait enchanté de cet aphorisme de dixième ordre. Il est vrai que dans sa bouche, débité à l'envers, il avait une certaine gueule.

Mais ce qui travaillait Watt le plus, vers la fin de son séjour au rez-de-chaussée, était la question de savoir combien de temps il resterait au rez-de-chaussée, et dans la chambre à coucher y afférente, avant d'être muté au premier étage, et à la chambre à coucher d'Erskine, et ensuite combien de temps il resterait au premier étage, et dans la chambre à coucher d'Erskine, avant de vider les lieux sans retour.

Watt ne douta pas un seul instant du jumelage du rez-de-chaussée avec sa chambre à lui, et du premier étage avec la chambre d'Erskine. Et cependant quoi de plus problématique qu'une telle correspondance ? Comme il ne semblait y avoir aucune commune mesure entre ce que Watt pouvait et ne pouvait comprendre, de même il ne semblait y en avoir aucune entre ce qu'il tenait pour certain et ce qu'il tenait pour douteux.

Watt avait le sentiment qu'il passerait, au service de Monsieur Knott, un an au rez-de-chaussée, ensuite un an au premier étage.

A l'appui de cette rocambolesque présomption il réunit les considérations suivantes.

Si la période de service, d'abord au rez-de-chaussée, ensuite au premier étage, n'était pas d'un an, alors elle était de moins d'un an, ou de plus d'un an. Mais moins d'un an signifiait carence, une page en moins du discours de la terre, puisqu'il passerait des saisons, ou une saison, ou un mois, ou une semaine, ou un jour, en entier ou en partie, sans que le service de Monsieur Knott y épande ses clartés et ténèbres. Car en l'espace d'un an tout est dit, dans une région déterminée. Mais plus d'un an signifiait excès, une page du galimatias relue, puisqu'il passerait des saisons, ou une saison, ou un mois, ou une semaine, ou un jour, en entier ou en partie, ayant du service de Monsieur Knott reçu par deux fois la lumière et l'ombre. Car le nouvel an ne dit rien de neuf, à l'homme fixé dans l'espace. Donc un an au rez-de-chaussée, un autre au premier étage, car la lumière du jour du rez-de-chaussée n'était pas celle du premier étage (malgré leur proximité), pas plus que n'étaient les mêmes les lumières de leurs nuits.

Mais même Watt ne pouvait longtemps se cacher l'absurdité de ces constructions, qui posaient comme postulat que la période de service était la même pour chaque serviteur, et invariablement partagée en deux phases de durée égale. Et il lui semblait que la période de service et sa répartition devaient nécessairement dépendre du serviteur, de ses capacités et de ses besoins ; qu'il y avait des stayers

et des non-stayers, des étagicoles et des rez-de-chaussards ;
qu'une chose que tel pourrait épuiser en deux mois, ou inversement, pourrait demander dix ans à tel autre pour le même
résultat ; que pour beaucoup en bas la proximité de Monsieur
Knott devait être un long supplice, et un long supplice son
éloignement pour beaucoup en haut. Mais il n'avait pas plus
tôt ressenti l'absurdité de tout cela, d'une part, et la nécessité
de tout ceci, de l'autre (car il est rare qu'un sentiment d'absurdité ne soit pas suivi d'un sentiment de nécessité), qu'il
ressentit l'absurdité de ce dont il venait de ressentir la
nécessité (car il est rare qu'un sentiment de nécessité ne
soit pas suivi d'un sentiment d'absurdité). Car le service
à considérer n'était pas le service d'un serviteur, mais
de deux serviteurs, et même de trois serviteurs, et même
d'une infinité de serviteurs, dont le premier ne pouvait
partir qu'une fois le second monté, ni le second monter
qu'une fois le troisième arrivé, ni le troisième arriver qu'une
fois le premier parti, ni le premier partir qu'une fois le
troisième arrivé, ni le troisième arriver qu'une fois le second
monté, ni le second monter qu'une fois le premier parti,
chaque arrivée, chaque séjour, chaque départ dépendant
d'un séjour et d'une arrivée, d'une arrivée et d'un départ,
d'un départ et d'un séjour, ou plutôt de tous les séjours et
de toutes les arrivées, de toutes les arrivées et de tous les
départs, de tous les départs et de tous les séjours, de tous
les serviteurs de Monsieur Knott, passés, présents et à venir.
Et dans cette longue chaîne d'interdépendances, allant de
ceux depuis longtemps morts jusqu'à ceux pas de sitôt à
naître, il ne pouvait y avoir d'arbitraire que préétabli. Car
prenons trois ou quatre serviteurs quelconques, Tom, Dick,
Harry et un autre, si Tom sert deux ans au premier étage,
alors Dick sert deux ans au rez-de-chaussée, et puis Harry
arrive, et si Dick sert dix ans au premier étage, alors Harry
sert dix ans au rez-de-chaussée, et puis l'autre arrive, et ainsi
de suite à perte de serviteurs, la période de service au rez-

de-chaussée d'un serviteur donné coïncidant toujours avec la période de service au premier étage de son prédécesseur, et se terminant toujours à l'arrivée sur les lieux de son successeur. Mais les deux ans de Tom au premier étage n'ont pas pour *cause* les deux ans de Dick au rez-de-chaussée, ou l'arrivée sur les lieux de Harry, et les deux ans de Dick au rez-de-chaussée n'ont pas pour *cause* les deux ans de Tom au premier étage, ou l'arrivée sur les lieux de Harry, et l'arrivée sur les lieux de Harry n'a pas pour *cause* les deux ans de Tom au premier étage, ou les deux ans de Dick au rez-de-chaussée, et les dix ans de Dick au premier étage n'ont pas pour *cause* les dix ans de Harry au rez-de-chaussée, ou l'arrivée sur les lieux de l'autre, et les dix ans de Harry au rez-de-chaussée n'ont pas pour *cause* les dix ans de Dick au premier étage, ou l'arrivée sur les lieux de l'autre, et l'arrivée sur les lieux de l'autre n'a pas pour *cause* (marre de souligner ce foutu vocable) les dix ans de Dick au premier étage, ou les dix ans de Harry au rez-de-chaussée, non, ça serait trop horrible à contempler, mais les deux ans de Tom au premier étage, et les deux ans de Dick au rez-de-chaussée, et l'arrivée sur les lieux de Harry, et les dix ans de Dick au premier étage, et les dix ans de Harry au rez-de-chaussée, et l'arrivée sur les lieux de l'autre, ont pour cause le fait que Tom est Tom, et Dick Dick, et Harry Harry, et cet autre cet autre, de cela le malheureux Watt ne pouvait douter. Car sinon dans la maison de Monsieur Knott, et à la porte de Monsieur Knott, et sur le chemin qui y conduisait, et sur le chemin qui en éloignait, il y aurait langueur, il y aurait fièvre, langueur de qui poursuit sa tâche accomplie, fièvre de qui abandonne sa tâche inachevée, langueur et fièvre de qui arrive et part trop tard, langueur et fièvre de qui part et arrive trop tôt. Mais Monsieur Knott était celui à qui l'on venait, chez qui l'on restait, de qui l'on se séparait, sans langueur ni fièvre, sa maison le port et le havre que l'on gagnait calmement, où l'on relâchait libre-

ment, que l'on quittait gaîment. Drossés, bloqués, chassés,
par les tempêtes du dehors, les tempêtes du dedans ? Les
tempêtes du dehors ! Les tempêtes du dedans ! Des hommes
comme Vincent et Walter et Arsene et Erskine et Watt !
Ha ! Non. Mais sous la poussée, la menace, le charme des
tempêtes, dans le besoin, la possession, la perte du refuge,
des cœurs calmes et libres et gais. Non que Watt eût l'impression d'être calme et libre et gai, ou de l'avoir jamais été,
loin de là. Mais il disait qu'il l'était peut-être, calme et
libre et gai, ou sinon calme et libre et gai, tout au moins
calme et libre, ou libre et gai, ou gai et calme, ou sinon
calme et libre, ni libre et gai, ni gai et calme, tout au moins
calme, ou libre, ou gai, à son insu. Mais pourquoi Tom Tom ?
Et Dick Dick ? Et Harry Harry ? Parce que Dick Dick
et Harry Harry ? Parce que Harry Harry et Tom Tom ?
Parce que Tom Tom et Dick Dick ? Watt n'y voyait pas
d'inconvénient. Mais c'était une conception dont pour le
moment il n'avait pas besoin, et les conceptions dont pour
le moment Watt n'avait pas besoin, il avait coutume de ne
pas les développer pour le moment, mais de les laisser tranquilles, de même qu'on ne développe pas sans motif son
parapluie, non, mais on le laisse tranquille, dans le porte-
parapluies, en attendant qu'il pleuve. Et la raison pour
laquelle Watt n'avait pas besoin pour le moment de cette
conception était peut-être ceci, que lorsqu'on a les bras
pleins de lis virginaux on ne s'attarde pas à cueillir, ou à
humer, ou à tapoter, ou à gratifier d'une autre marque d'affection quelconque, une pâquerette, ou une primevère, ou
un coucou, ou un bouton d'or, ou une violette, ou un pissenlit, ou une pâquerette, ou une primevère, ou n'importe quelle
autre fleur des champs, ou n'importe quelle autre mauvaise herbe, non, mais on marche dessus, et une fois la
masse éloignée, et la tête aveugle plongée dans la blancheur mielleuse, alors peu à peu sous le poids de leurs
pétales les tiges froissées se redressent, c'est-à-dire celles

ayant eu la fortune de ne pas se rompre. Car ce qui préoccupait Watt, pour le moment, ce n'était pas tant la Toméité de Tom, la Dickéité de Dick, la Harryéité de Harry (remarquables certes en elles-mêmes) que leur Toméité, leur Dickéité, leur Harryéité à l'époque, leur chronotoméité, chronodickéité, chronoharryéité ; non pas tant la détermination d'un être à venir par un être passé, d'un être passé par un être à venir (étude certes fascinante en elle-même), comme dans une composition musicale de la mesure cent mettons par la mesure mettons dix et de la mesure mettons dix par la mesure cent mettons, que l'intervalle entre les deux, les quatre-vingt-dix mesures, le temps mis par le vrai à avoir été vrai, le temps mis par le vrai à s'avérer vrai, comprenne qui pourra. Ou bien sûr faux, comprenne qui voudra.

Ainsi au début, esprit et corps, Watt besognait à sa vieille besogne.

Et ainsi Watt, ayant ouvert avec son chalumeau cette boîte en fer blanc, vit qu'elle était vide.

Dans le fait Watt ne saurait jamais combien de temps il avait passé dans la maison de Monsieur Knott, combien au rez-de-chaussée, combien au premier étage, combien au total. Tout ce qu'il pouvait dire, c'est que ça lui avait paru long.

Songeant alors, en quête de repos, aux rapports possibles entre de telles séries, la série des chiens, la série des hommes, la série des tableaux, pour s'en tenir à ces séries-là, Watt se rappela une nuit lointaine dans un non moins lointain pays, et Watt dans l'éclat de sa jeunesse allongé tout seul dans un fossé, sans avoir bu, se demandant s'il ne la tenait pas déjà, l'impossible conjonction du lieu, de l'heure et du bien-aimé, et les trois grenouilles qui croassaient Krak !, Krek ! et Krik !, sur un, neuf, dix-sept, vingt-cinq, etc., et sur un, six, onze, seize, etc., et sur un, quatre, sept, dix, etc., respectivement, et comme il entendit

141

Krak ! — — — — —
Krek ! — — — Krek ! —
Krik ! — — Krik ! — Krik ! —
Krak ! — — — — —
— — Krek ! — — — Krek !
— Krik ! — Krik ! — Krik !
Krak ! — — — — —
— — — Krek ! — —
— Krik ! — Krik ! — —
Krak ! — — — — —
— Krek ! — — Krek ! —
Krik ! — Krik ! — Krik ! —
Krak ! — — — — —
— — Krek ! — — —
— Krik ! — Krik ! — Krik !
Krak ! — — — — —
Krek ! — — Krek ! — —
— — Krik ! — Krik ! —
Krak ! — — — — —
— Krek ! — — — Krek !
Krik ! — Krik ! — Krik ! —
Krak ! — — — — —
— — Krek ! — — —
— Krik ! — Krik ! — Krik !
Krak ! — — — — —
— Krek ! — — Krek ! —
— — Krik ! — Krik ! —
Krak ! — — — — —
— — Krek ! — — —
Krik ! — Krik ! — Krik ! —

Krak ! —   —   —   —   —   —
Krek ! —   —   —   —   Krek ! —   —
   —   Krik ! —   —   Krik ! —   —   Krik !
Krak ! —   —   —   —   —   —   —
   —   Krek ! —   —   —   —   Krek !
   —   Krik ! —   —   Krik ! —   —
Krak ! —   —   —   —   —   —   —
   —   —   —   Krek ! —   —   —
Krik ! —   —   Krik ! —   —   Krik ! —   —
Krak ! —   —   —   —   —   —   —
   —   Krek ! —   —   —   —   Krek !
   —   Krik ! —   —   Krik ! —   —   Krik !
Krak ! —   —   —   —   —   —   —
   —   —   —   Krek ! —   —   —
   —   —   Krik ! —   —   Krik ! —   —
Krak !
Krek !
Krik !

La poissonnière plaisait beaucoup à Watt. Watt n'était pas un homme à femmes, mais la poissonnière lui plaisait beaucoup. D'autres femmes lui plairaient peut-être davantage, plus tard. Mais de toutes les femmes qui lui avaient jamais plu jusqu'alors, aucune ne pouvait se comparer aux yeux de Watt, même de loin, avec cette poissonnière. Et Watt plaisait à la poissonnière. C'était là une coïncidence providentielle, qu'ils se fussent plu l'un à l'autre. Car si la poissonnière avait plu à Watt sans que Watt eût plu à la poissonnière, ou si Watt avait plu à la poissonnière sans que la poissonnière eût plu à Watt, alors qu'en serait-il advenu, de Watt, ou de la poissonnière ? Non que la poissonnière fût une femme à hommes, loin de là, étant d'un âge avancé et privée au surplus par la nature des propriétés qui attirent les hommes vers les femmes, hormis peut-être les restes d'une démarche distinguée due à l'habitude de porter son panier à poisson sur la tête, sur de longues distances. Non qu'un homme, sans posséder une seule des propriétés qui attirent les femmes vers les hommes, ne puisse être un homme à femmes, ni qu'une femme, sans posséder une seule des propriétés qui attirent les hommes vers les femmes, ne puisse être une femme à hommes, loin de là. A telle enseigne que Madame Gorman avait eu plusieurs admirateurs, aussi bien avant qu'après Monsieur Gorman, et même pendant Monsieur Gorman, et Watt au moins deux affaires de cœur caractérisées au cours de son célibat. Watt n'était pas un homme à hommes non plus, dénué qu'il était de toutes les propriétés qui attirent les hommes vers les hommes, tout en ayant eu bien sûr des amis masculins (qui peut y couper ?) en plus d'une occasion. Non que Watt n'eût pu être un homme à hommes, sans posséder une seule des propriétés qui attirent les hommes vers les hommes, loin de là. Mais il se trouvait qu'il ne l'était pas. Quant à savoir si Madame Gorman était une femme à femmes, ou non, c'est là une des choses que l'on ignore. D'un côté elle l'était peut-être, de l'autre elle ne l'était peut-être pas. Mais il semble probable qu'elle ne l'était pas. Non qu'il soit le moins du monde impossible qu'un homme soit à la fois un homme à femmes et un homme à hommes, ni qu'une femme soit à la fois une femme à hommes et une femme à femmes, pour ainsi dire d'un seul et même mouvement. Car chez les hommes et les femmes, chez les hommes à femmes et les hommes à hommes, chez les femmes à hommes et les femmes à femmes, chez les hommes à femmes et à hommes, chez les femmes à hommes et à femmes, tout est possible, jusqu'à preuve du contraire, dans ce domaine.

144

Madame Gorman passait tous les jeudis, sauf indisposition. En ce cas elle restait chez elle, au lit, ou dans un fauteuil moelleux, au coin du feu s'il faisait froid, devant la fenêtre ouverte s'il faisait chaud, et s'il ne faisait ni froid ni chaud devant la fenêtre fermée, ou l'âtre vide. Aussi le jeudi était le jour que Watt préférait à tous les autres jours. Dans ce domaine les hommes sont très divers. Qui préfère le dimanche, qui le lundi, qui le mardi, qui le mercredi, qui le jeudi, qui le vendredi, qui enfin le samedi. Mais Watt préférait le jeudi, parce que Madame Gorman passait le jeudi. Alors il l'introduisait dans la cuisine, et lui débouchait une bouteille de stout, et l'asseyait sur son genou, et de son bras droit lui ceignait la taille, et appuyait sa tête contre son sein gauche (le droit lui ayant été malheureusement retiré dans l'enthousiasme d'une intervention chirurgicale), et demeurait ainsi sans bouger, ou en bougeant le moins possible, oublieux de ses malheurs, pendant dix bonnes minutes, ou un quart d'heure. Et Madame Gorman aussi, tout en lui taquinant de la main gauche les touffes gris-roux et en portant de la droite à des intervalles étudiés la bouteille à ses lèvres, était à sa modeste façon elle aussi en paix, pour un temps.

Redressant de temps en temps sa tête molle, de la taille au cou sa molle étreinte transférant, Watt baisait Madame Gorman sur la bouche ou environs, à la désespérée, avant de se replier dans sa pose post-crucifiée. Et ces baisers, sitôt qu'en venait à faiblir la première fièvre, c'est-à-dire peu de temps après leur application, Madame Gorman ne laissait pas de les rattraper, pour ainsi dire, sur ses propres lèvres, et de les retourner avec une paisible urbanité, comme on ramasse un journal ou un gant dans un lieu public pour le rendre en souriant, sinon en s'inclinant, à son légitime propriétaire. Si bien que, tout compte fait, chaque baiser était deux baisers, d'abord le baiser de

Watt, timide et velléitaire, puis celui de Madame Gorman, onctueux et civil.

Mais Madame Gorman n'était pas toujours assise sur Watt, car quelquefois Watt était assis sur Madame Gorman. Certains jours Madame Gorman était sur Watt tout le temps, d'autres Watt sur Madame Gorman. Et il ne manquait pas de jours où Madame Gorman commençait par être assise sur Watt et finissait par voir Watt assis sur elle, et où Watt commençait par être assis sur Madame Gorman et finissait par voir Madame Gorman assise sur lui. Car Watt avait tendance à se lasser, avant que vienne pour Madame Gorman le moment du départ, de sentir Madame Gorman assise sur lui ou de se sentir assis sur Madame Gorman. Alors, si c'était Madame Gorman sur Watt et non pas Watt sur Madame Gorman, alors il la délogeait doucement de son giron jusqu'à ce qu'elle soit debout, sur les carreaux, et aussitôt se levait à son tour, si bien que tous les deux ce tantôt assis, elle sur lui, lui sur la chaise, étaient maintenant debout, côte à côte, sur les carreaux, de la cuisine. Puis de concert ils retrouvaient le repos, Watt et Madame Gorman, celui-là sur celle-ci, celle-ci sur la chaise. Mais si ce n'était pas Madame Gorman sur Watt, mais Watt sur Madame Gorman, alors il redescendait de ses genoux, et d'une main douce l'aidait à se relever, et prenait sa place (en ployant les genoux) sur la chaise, et l'asseyait (en déployant les cuisses) parmi son giron. Et Watt supportait si mal, certains jours, d'une part la poussée de Madame Gorman d'en dessus, d'autre part la poussée de Madame Gorman d'en dessous, qu'il ne fallait pas moins de deux, ou trois, ou quatre, ou cinq, ou six, ou sept, ou huit, ou neuf, ou dix, ou onze, ou même douze, ou même treize changements de position, avant que vienne pour Madame Gorman le moment du départ. Ce qui donne, en comptant une minute pour l'interversion, une séance moyenne de quinze secondes seulement et, sur la base

146

modeste d'un baiser d'une minute toutes les minutes et demie, un total pour la journée d'un seul baiser, d'un seul double baiser, amorcé pendant la première séance et consommé au cours de la dernière, car pas question de baisers pendant l'interversion, tant celle-ci les tenait en haleine.

Plus loin que cela hélas ils n'allaient jamais, quoique plus d'une fois tentés de le faire. Pour quelle raison ? Etait-ce dans leurs cœurs, dans le cœur de Watt, dans le cœur de Madame Gorman, le lointain écho d'une passion révolue, d'un naufrage ancien, leur murmurant de ne pas souiller, de ne pas traîner, dans le cloaque de la délectation clonique, une fleur si belle, si rare, si suave, si frêle ? Rien n'oblige à le supposer. Car Watt n'avait pas la force, Madame Gorman n'avait pas le temps, indispensables à même la plus fugitive des coalescences. Ironie de la vie ! Paradoxe de l'amour ! Qu'à celui qui a le temps soit déniée la force ! Qu'à celle qui a la force soit dénié le temps ! Que l'obstruction insignifiante et sans doute réductible de quelque Bandusie endocrinale, qu'une simple question de quarante-cinq ou cinquante minutes à l'horloge, aient le pouvoir aussi sûrement que la mort elle-même, ou que l'Hellespont, de séparer les amants ! Car si Watt avait eu un peu plus de vigueur, Madame Gorman aurait eu juste le temps, et si Madame Gorman avait eu un peu plus de temps, Watt aurait pu sans doute, en conduisant avec art ses ondes languides, soulever une vague à la hauteur de l'occasion. Mais les choses étant ce qu'elles étaient on voit difficilement comment ils auraient pu faire mieux que ce qu'ils faisaient, assis l'un sur l'autre à tour de rôle en passant du baiser au repos, du repos au baiser, jusqu'à ce que vienne pour Madame Gorman le moment de reprendre sa tournée.

Qu'avait donc Madame Gorman, Watt qu'avait-il donc, pour tant séduire Watt, tant attendrir Madame Gorman ? Entre quels abysses l'appel, le contre-appel ? Entre Watt pas un homme à hommes et Madame Gorman pas une femme à femmes ? Entre Watt pas un homme à femmes et Madame Gorman pas une femme à hommes ? Entre Watt pas un homme à hommes et Madame Gorman pas une femme à hommes ? Entre Watt pas un homme à femmes et Madame Gorman pas une femme à femmes ? Entre Watt homme ni à hommes ni à femmes et Madame Gorman femme ni à femmes ni à hommes ? Nucléaires au profond de lui il les sentait accouplés, les hommes ni à hommes ni à femmes qu'il était. Et Madame Gorman était sans doute le théâtre d'une conglutination semblable. Mais cela ne signifiait rien. Et n'étaient-ils pas plutôt attirés, Madame Gorman vers Watt, Watt vers Madame Gorman, elle par la bouteille de stout, lui par l'odeur du poisson ? C'est pour cette hypothèse, bien des années plus tard, quand Madame Gorman n'était plus qu'un pâle souvenir, qu'un parfum éventé, que penchait Watt.

Monsieur Graves se présentait à la porte de derrière quatre fois par jour. Le matin, dès son arrivée, pour prendre la clef de sa remise, et à midi pour prendre sa théière pleine, et l'après-midi pour rapporter la théière vide et prendre sa bouteille de stout et le soir pour rapporter la clef et la bouteille vide. Monsieur Graves avait beaucoup à dire sur Monsieur Knott, sur Erskine, Arsene, Walter, Vincent et les autres dont il avait oublié, ou n'avait jamais su, les noms. Mais rien d'intéressant. Il alléguait aussi bien l'expérience de ses ancêtres que la sienne. Car son père avait travaillé pour Monsieur Knott, et le père de son père, et ainsi de suite. Voici donc une autre série. Sa famille, dit-il, avait fait du jardin ce qu'il était. Il n'avait que du bien à dire de Monsieur Knott et de ses jeunes messieurs. C'était la première fois que Watt se voyait assimiler à la classe des jeunes messieurs. Pour Monsieur Graves, à l'entendre, ceux-ci étaient dans l'ordre des choses au même titre que ses compagnons de taverne.

Mais le thème favori de Monsieur Graves était ses ennuis

domestiques. Il ne s'entendait pas bien, à ce qu'il paraissait, avec sa femme, et cela depuis quelque temps déjà. Même qu'il ne s'entendait pas du tout avec sa femme. Monsieur Graves semblait avoir atteint l'âge où l'impossibilité de s'entendre avec sa femme est une source plus souvent de satisfaction que de regret. Mais Monsieur Graves s'en trouvait profondément affecté. Tout au long de sa vie conjugale il s'était entendu avec sa femme, comme l'ormeau avec la vigne, et voilà que depuis quelque temps il n'y arrivait plus. Pour Madame Graves aussi c'était très pénible, que son mari n'arrive plus à s'entendre avec elle, car Madame Graves n'aimait rien tant que de se faire bien entendre avec.

Watt n'était pas le premier devant qui Monsieur Graves se fût déboutonné, à ce sujet. Car il s'était déjà déboutonné devant Arsene, voilà bien des années, alors que ses ennuis étaient encore verts, et Arsene lui avait prodigué des conseils que Monsieur Graves avait suivis à la lettre. Mais il n'en était jamais rien sorti.

Erskine aussi avait été admis, par Monsieur Graves, dans sa confidence, et Erskine s'était confondu en conseils. Ce n'étaient pas les mêmes conseils que ceux d'Arsene, et Monsieur Graves s'y était conformé de son mieux. Mais il n'en était rien sorti.

A Watt cependant Monsieur Graves ne demanda pas, tout de go et sans ambages, Dites-moi comment faire, Monsieur Watt, pour que je puisse m'entendre avec ma femme, comme jadis. Et ça valait sans doute mieux. Car Watt n'aurait pas su répondre, à une telle question. Et son silence aurait pu être mal compris, par Monsieur Graves, et interprété comme signifiant qu'à Watt cela était indifférent, que Monsieur Graves s'entende avec sa femme ou non.

La question était néanmoins sous-entendue, et cela de façon flagrante. Car Monsieur Graves, ayant terminé pour la première fois le récit de ses ennuis, ne s'en alla point, mais resta là où il était, dans une attente muette, en tourmentant son chapeau melon (Monsieur Graves se découvrait toujours, même en plein air, lorsqu'il s'entretenait avec ses supérieurs) et le visage levé vers Watt debout sur le seuil. Et comme le visage de Watt portait son expression habituelle, celle du Juge Jeffreys en train de présider la Commission Ecclésiastique, Monsieur Graves avait bon espoir de bénéficier d'une parole secourable. Malheureusement à ce moment-là Watt pensait aux oiseaux, leur vol sol sol, leur chant de lancement. Mais s'en lassant vite il rentra dans la maison et ferma la porte derrière lui.

Mais bientôt Watt se prit à sortir la clef le matin, devant la porte, sous une pierre, et à sortir la théière à midi, devant la porte, sous une têtière, et à sortir la bouteille de stout l'après-midi, avec un tire-bouchon, devant la porte, à l'ombre. Et le soir, une fois Monsieur Graves parti, alors Watt rentrait la clef, et la théière, et la bouteille, remises par Monsieur Graves là où il les avait trouvées. Mais un peu plus tard Watt renonça à rentrer la clef. Car à quoi bon rentrer le soir une clef que le matin il faudrait ressortir ? De sorte que la clef n'allait plus à son clou, dans la cuisine, mais seulement sous la pierre, ou dans la poche de Monsieur Graves. Mais si Watt ne rentrait plus la clef, le soir, une fois Monsieur Graves parti, mais seulement la théière et la bouteille, néanmoins il ne rentrait jamais la théière et la bouteille sans regarder, sous la pierre, pour s'assurer que la clef y était.

Puis par une nuit glaciale Watt quitta son lit douillet, descendit, rentra la clef et l'enveloppa dans une rognure de couverture rognée au préalable sur sa propre couverture. Puis il ressortit la clef, sous la pierre. Et le lendemain soir, quand il regarda, sous la pierre, il retrouva la clef comme il l'avait laissée, dans sa petite couverture, sous la pierre. Car Monsieur Graves était un homme très compréhensif.

Watt se demandait si Monsieur Graves avait un fils, à l'exemple de Monsieur Gall, à qui passer le flambeau, au moment de mourir. Watt le jugeait très probable. Car peut-on s'entendre avec sa femme, tout au long d'une vie conjugale, comme l'ormeau avec la vigne, sans avoir au moins un fils à qui passer le flambeau, au moment de mourir, ou de prendre sa retraite ?

Quelquefois Watt entrevoyait Monsieur Knott, dans le vestibule, ou dans le jardin, rivé sur place, ou circulant lentement.

Un jour Watt, au débouché d'un buisson, faillit heurter Monsieur Knott, ce qui lui fit perdre contenance un instant, car il n'avait pas tout à fait fini d'ajuster ses vêtements. Mais il n'y avait pas de quoi perdre contenance, car les mains de Monsieur Knott étaient derrière son dos, et sa tête penchait profondément vers la terre. Puis Watt, baissant les yeux à son tour, ne vit d'abord que l'herbe verte et rase, mais à force de regarder il finit par voir une petite fleur bleue et à côté un gros ver en train de rentrer sous terre. C'était donc cela qui avait attiré l'attention de Monsieur Knott, peut-être. Et les deux de rester là ainsi un petit moment ensemble, le maître et le serviteur, les têtes penchées se touchant presque (ce qui donne la taille approximative de Monsieur Knott, n'est-ce pas, à supposer le sol horizontal), jusqu'à ce que le ver eût disparu et que seule la fleur demeurât. Un jour ce serait à la fleur de disparaître et au ver de demeurer, mais ce jour-là ce fut à la fleur de demeurer et au ver de disparaître. Et puis Watt, levant les yeux, vit que les yeux de Monsieur Knott étaient fermés, et il entendit son souffle, doux et léger, comme le souffle de l'enfant qui dort.

Watt ne savait pas s'il était content ou mécontent de ne pas voir Monsieur Knott plus souvent. En un sens il était mécontent, en un autre content. Il était mécontent en ce sens, qu'il avait envie de voir Monsieur Knott face à face, et il était content en ce sens, qu'il en avait peur. Hé oui, dans la mesure où il avait envie, dans la mesure où il avait peur, de voir Monsieur Knott face à face, son envie le rendait mécontent, sa peur content, de le voir si peu, et de si loin en général, et si fugitivement, et souvent de biais, voire de dos.

Watt se demandait si, à ce point de vue, Erskine était mieux loti que lui.

Mais à mesure que passait le temps, comme il se doit, et que touchait à son terme la période de service de Watt au rez-de-chaussée, alors cette envie et cette crainte, et par conséquent ce mécontentement et ce contentement, comme tant d'autres envies et craintes, tant d'autres mécontentements et contentements, s'émoussaient peu à peu, toujours davantage, jusqu'à ne plus se faire sentir du tout. Et la raison de cela était peut-être ceci, que peu à peu Watt perdait tout espoir, toute crainte, de jamais voir Monsier Knott face à face, ou peut-être ceci, que Watt, tout en croyant toujours à la possibilité de voir Monsieur Knott face à face, finissait par en considérer la réalisation comme sans importance, ou peut-être ceci, qu'à mesure qu'allait croissant chez Watt l'intérêt qu'il portait à l'âme, comme on dit, de Monsieur Knott, l'intérêt qu'il portait au corps, comme on l'appelle, allait diminuant (car il est fréquent, quand une chose va croissant quelque part, qu'ailleurs une autre aille diminuant), ou peut-être tout autre chose, la simple fatigue par exemple, n'ayant avec les raisons précitées rien à voir.

Ajoutez que les rares fois où Watt entrevoyait Monsieur Knott, il ne l'entrevoyait pas clairement, mais comme dans une glace, une glace sans tain, une fenêtre à l'est le matin, une fenêtre à l'ouest le soir.

Ajoutez que la forme que Watt entrevoyait parfois, dans le vestibule, dans le jardin, était rarement la même d'une entrevision à l'autre, mais variait tellement, à en croire les yeux de Watt, en corpulence, taille, teint et même chevelure, et bien sûr dans sa façon de circuler, et de rester sur place, que Watt ne l'aurait jamais crue la même, s'il n'avait su que c'était Monsieur Knott.

Watt n'avait jamais entendu Monsieur Knott non plus, entendu parler s'entend, ou rire, ou pleurer. Mais une fois il crut l'entendre dire, Cui ! Cui ! à un petit oiseau, et une autre fois il l'entendit faire un bruit étrange, *PLOPF* Plopf *Plopf* Plopf *plopf* plopf plop plo pl. Cela se passa parmi les fleurs.

Watt se demandait si Erskine était mieux partagé, à cet égard. Lui et son maître conversaient-ils ? Watt ne les avait jamais entendu le faire, comme il l'aurait certainement fait, s'ils l'avaient fait. Dans un murmure peut-être. Oui, peut-être conversaient-ils dans un murmure, le maître et le serviteur, dans deux murmures, le murmure du maître, le murmure du serviteur.

Un jour, vers la fin du séjour de Watt au rez-de-chaussée, le téléphone sonna et une voix demanda comment Monsieur Knott allait. De quoi coller le meilleur. La voix dit en outre, Une connaissance. Cela pouvait être une voix d'homme aiguë, comme cela pouvait être une voix de femme grave.

Watt formula cet incident comme suit :

Une connaissance de Monsieur Knott, sexe incertain, téléphone pour savoir comment il va.

Cette formulation ne tarda pas à se lézarder.

Mais Watt était trop fatigué pour la réparer, Watt n'osait se fatiguer davantage.

Que de fois il en avait fait fi, du danger qu'il courait en se fatiguant davantage. Fi-fi, disait-il, fi-fi, et de s'y mettre dare-dare, à réparer les lézardes. Mais plus maintenant.

Watt était maintenant fatigué du rez-de-chaussée, le rez-de-chaussée l'avait fatigué pour de bon.

Qu'avait-il appris ? Rien.

Que savait-il de Monsieur Knott ? Rien.

153

De son désir de s'améliorer, de son désir d'apprendre, de son désir de guérir, que restait-il ? Rien.

Mais n'était-ce pas là quelque chose ?

Il se voyait comme il avait été alors, si petit, si pauvre. Et maintenant ? Plus petit, plus pauvre. N'était-ce pas là quelque chose ?

Si malade, si seul.

Et maintenant ?

Plus malade, plus seul.

N'était-ce pas là quelque chose ?

Comme le comparatif est quelque chose. Qu'il soit plus que son positif ou moins. Qu'il soit moins que son superlatif ou plus.

Rouge, plus bleu, le plus jaune, ce vieux rêve était achevé, à demi achevé, achevé. Encore.

Un peu avant l'aube.

Mais enfin il se réveilla pour trouver, s'étant levé, étant descendu, Erskine parti et, descendu un peu plus, un étranger dans la cuisine.

Il ne savait pas quand c'était. C'était quand l'if était vert sombre, presque noir. C'était un matin blanc et mou et la terre semblait parée pour la tombe. C'était au son des cloches, cloches de temple, cloches d'église. C'était un matin où le garçon laitier arriva en chantant, faux à la porte son chant aigu, et en chantant repartit, ayant mesuré le lait, de son bidon, dans le pot, royalement, comme à son accoutumée.

L'étranger ressemblait à Arsene et à Erskine, au physique. Il se présenta sous le nom d'Arthur. Arthur.

154

III

C'est vers cette époque que Watt fut transféré dans un autre pavillon, me laissant seul dans l'ancien. En conséquence de quoi il nous arrivait moins souvent que par le passé de nous rencontrer, et de converser. Non que cela nous fût jamais arrivé souvent, de nous rencontrer, et de converser, loin de là. Mais maintenant moins que jamais. Car nous quittions rarement nos pavillons, Watt quittait rarement le sien et je quittais rarement le mien. Et lorsque exceptionnellement nous étions amenés, par le temps que nous aimions, à quitter nos pavillons, et à sortir dans le parc, nous ne l'étions pas toujours au même moment. Car le temps que j'aimais moi, tout en ressemblant au temps qu'aimait Watt, avait certaines caractéristiques que le temps qu'aimait Watt n'avait pas, et manquait de certaines caractéristiques que le temps qu'aimait Watt avait. Ainsi lorsqu'il nous arrivait, attirés au même moment hors de nos pavillons par ce que chacun croyait être le temps aimé, de nous rencontrer dans le petit parc, et peut-être de converser (car si nous ne pouvions converser sans nous rencontrer, nous pouvions, et c'était souvent le cas, nous rencontrer sans converser), il était presque fatal qu'au moins l'un des deux soit déçu, et se repente amèrement d'avoir quitté son pavillon, et fasse le vain serment de ne plus quitter son pavillon, plus jamais quitter son pavillon, pour rien au monde. Si bien que nous connaissions la résistance aussi, la résistance à l'appel du temps aimé, mais rarement au même instant. Non qu'il y eût le moindre rapport entre le fait de résister au même instant et celui de nous rencontrer, et de converser, loin de là. Car lorsque nous résistions tous les deux, alors il ne nous arrivait pas davantage de nous rencontrer, et de converser, que lorsque l'un résistait et l'autre cédait. Mais ah lorsque nous cédions tous les deux, alors il nous arrivait de nous rencontrer, et peut-être de converser, dans le petit parc.

Le oui est si facile, le non est si facile, quand l'appel se fait entendre, si facile, si facile. Mais à nous dans notre monde sans fenêtres, à la température du corps, fermé aux bruits du dehors, à qui nous ne pouvions entendre le vent, ni voir le soleil, quel appel pouvait parvenir, du temps que nous aimions, sinon un appel d'une faiblesse à se gausser de oui et de non ? Et il était manifestement impossible d'avoir la moindre confiance dans les renseignements météorologiques de nos surveillants. Rien d'étonnant dans ces conditions si, par pure ignorance de ce qui se faisait dehors, nous passions enfermés, tantôt Watt, tantôt moi, tantôt Watt et moi, maintes heures fugitives qui auraient fui tout aussi bien, sinon mieux, certainement pas plus mal, loin de nous, avec nous, lors d'une promenade, solitaire ou à deux, avec ou sans colloque, dans le petit parc. Non, mais l'étonnant c'est qu'à nous, disposés à céder, chacun à part dans sa tiédeur feutrée et sombre, l'appel ait pu tant de fois parvenir, quelquefois parvenir, assez clair pour nous attirer dehors, dans le petit parc. Oui, que nous ayons jamais pu nous rencontrer, et nous parler, et nous écouter, et que mon bras ait jamais pu reposer sur son bras, et le sien sur le mien, et que nos épaules aient jamais pu se toucher, et nos jambes tricoter en cadence, en ne laissant pour ainsi dire qu'une seule trace, parallèlement les droites en avant, les gauches en arrière, puis sans hésitation l'inverse, et que penchés en avant, poitrine contre poitrine, nous ayons jamais pu nous embrasser (oh exceptionnellement et jamais sur la bouche bien sûr), cela m'a semblé, la dernière fois que j'y ai pensé, étonnant, étonnant. Car nous ne quittions jamais nos pavillons, jamais, sinon à l'appel du temps aimé, Watt ne quittait jamais le sien à cause de moi, je ne quittais jamais le mien à cause de lui, mais les quittant chacun de son côté à l'appel du temps aimé il nous arrivait de nous rencontrer, et même parfois de converser, de la façon la plus amicale, pour ne pas dire tendre, dans le petit parc.

Aucun contact avec la canaille, grouillant dans les couloirs, sottement braillarde, bruyamment morose, et jouant à la balle, toujours jouant à la balle, mais à petits pas raides et délicats, à travers ce pullulement de pitres ricanants, hors de nos pavillons vers le temps que nous aimions, et retour de même.

Vent fort avec soleil brillant, voilà le temps que nous aimions (1). Mais tandis que pour Watt l'essentiel était le vent, le soleil était l'essentiel pour Sam. Il s'ensuivait que Watt, donné un vent fort à souhait, ne pestait pas trop contre un soleil qui sans laisser d'être brillant aurait pu l'être encore plus, et que Sam, illuminé de façon adéquate, pouvait passer sur un vent qui sans manquer de force aurait gagné à en avoir davantage. Il est donc évident que les occasions étaient rarissimes où, nous promenant et peut-être conversant dans le petit parc, il nous était donné de nous y promener et peut-être d'y converser avec une joie égale. Car lorsque au soleil Sam resplendissait, alors Watt pouvait haleter dans un vide, et lorsque comme une feuille Watt était secoué, alors Sam pouvait trébucher dans le noir. Mais ah lorsque exceptionnellement les degrés rêvés de ventilation et de rayonnement étaient réunis, dans le

_____

(1) Watt aimait le soleil à cette époque ou tout au moins le supportait. On ne sait rien de cette volte-face. Que bougent toutes les ombres, et non seulement lui-même, semblait lui faire plaisir.

petit parc, alors nous jouissions d'une paix égale, chacun à sa manière, jusqu'à ce que tombe le vent, décline le soleil.

Non que le parc fût si petit, loin de là, puisqu'il s'étendait sur cinq ou sept hectares. Mais à nous il semblait petit, après nos pavillons.

Il poussait là d'immenses trembles blêmes et des ifs éternellement sombres, avec une luxuriance tropicale, et d'autres essences aussi, en nombre moindre, si bien que nous marchions souvent dans l'ombre, épaisse, frémissante, sauvage, tumultueuse.

En hiver les ombres maigres se tordaient, sous nos pas, dans l'herbe folle flétrie.

De fleurs pas trace, sinon des fleurs qui se sèment toutes seules, ou qui ne meurent jamais, ou qui ne meurent qu'après bien des saisons, victimes de l'herbe dévorante. En tête le pissenlit.

De légumes pas signe.

Il y avait un petit ruisseau, ou ru, jamais à sec, qui coulait tantôt lent, tantôt torrentiel, captif à jamais de son lit étroit.

Instable un pont rustique enjambait ses eaux sombres, un pont rustique à dos d'âne, dans un état d'extrême délabrement.

C'est à travers la bosse de cet ouvrage que Watt un jour, allant d'un pas plus lourd que d'ordinaire, ou moins précautionneux que d'habitude, enfonça le pied, et une partie de la jambe. Et il n'aurait pas manqué de tomber, et peut-être d'être emporté par l'onde subfluente, si je n'avais été là pour le retenir. Pour ce menu service, je m'en souviens, je n'eus droit à aucun remerciement. Mais comme un seul homme nous nous mîmes aussitôt, Watt depuis une berge, moi depuis l'autre, au moyen de branches robustes et de brins d'osier, à parer au sinistre. Couchés de tout notre long sur le ventre, moi de tout mon long sur le mien, Watt sur le sien de tout le sien, moitié (pour plus de sûreté) sur la berge, moitié sur un versant de l'arche, nous travaillâmes d'arrache-pied à bout de bras jusqu'à ce que notre tâche fût terminée, et l'endroit remis en état, et aussi solide qu'avant, sinon davantage. Puis, nos regards s'étant rencontrés, nous échangeâmes un sourire, chose rare chez nous, quand nous étions ensemble. Et au bout d'un moment ainsi, couchés de tout notre long, sur nos lèvres ce sourire insolite, nous commençâmes à nous en tirer en avant, et vers le haut, tant et si bien que nos têtes finirent par se toucher, et nos nobles fronts bombés, le noble front de Watt, mon noble front à moi. Et enfin ce fut cette chose si rare entre nous, le baiser. Watt posa ses mains sur mes épaules, je posai les miennes sur les siennes (je ne pouvais guère faire autrement), puis j'effleurai de mes lèvres la joue gauche de Watt, puis il effleura des siennes ma joue gauche à moi (il ne pouvait guère faire moins), tout cela sans passion, sous la voûte tourmentée des branches.

C'est que nous y tenions, au petit pont. Car sans lui comment passer d'une partie du parc à l'autre, sans nous mouiller les pieds, et peut-être attraper un refroidissement, susceptible de dégénérer en pneumonie, avec issue probablement fatale.

De sièges, où s'asseoir et reposer, pas le moindre vestige.

Buissons et arbustes, à proprement parler, brillaient par leur absence. Mais de toutes parts se dressaient des taillis, des fourrés d'une densité impénétrable et des ronces géantes en masses arrondies.

Des oiseaux de toute espèce abondaient, et nous nous faisions une joie de les poursuivre, avec des pierres et des mottes de terre. Chez les rouges-gorges notamment, grâce à leur familiarité, nous faisions des ravages. Et les nids d'alouette, chargés d'œufs encore tièdes de la gorge maternelle, nous les foulions aux pieds avec une satisfaction toute particulière, au début de la belle saison.

Mais nos meilleurs amis étaient les rats, longs et noirs,

qui hantaient les berges du ruisseau. Nous leur apportions de notre ordinaire des morceaux de choix tels que croûtes de fromage et filandres d'agneau, et nous leur apportions en supplément des œufs d'oiseau, des grenouilles et des oisillons. Sensibles à ces attentions ils accouraient au-devant de nous, avec force marques d'affection et de confiance, et se coulaient le long de nos pantalons, et se pendaient à nos poitrines. Alors nous nous asseyions au milieu d'eux, et leur donnions à manger, à même la main, d'une bonne grenouille bien grasse ou d'un bébé grive. Ou attrapant soudain un raton bien en chair, assoupi dans notre sein à la suite de son repas, nous le donnions en pâture à son père, ou à sa mère, ou à son frère, ou à sa sœur, ou à quelque parent moins fortuné.

C'était en ces occasions, nous en sommes convenus, après un bref échange de vues, que nous nous trouvions le plus près de Dieu.

Quand Watt parlait il parlait d'une voix basse et rapide. Il y a eu des voix, il y en aura encore, plus basses que celle de Watt, plus que la sienne rapides, c'est une affaire entendue. Mais que d'un gosier humain ait jamais pu sortir, puisse jamais sortir un jour, sauf dans le délire, ou pendant le saint sacrifice, une voix *à la fois* si basse et si rapide, on a peine à le croire. Watt parlait aussi avec peu d'égards pour la grammaire, la syntaxe, la prononciation, l'élocution et sans doute, on peut le craindre, l'orthographe, telles qu'on les reçoit communément. Les noms propres cependant, tant de lieu que de personne, tels que Knott, Christ, Gomorrhe, Cork, il les articulait avec une grande netteté, et de son discours ils émergeaient, palmiers, atolls, de loin en loin, car il précisait peu, avec un effet fort vivifiant. Le labeur de la composition, l'incertitude quant à la façon de continuer, ou à l'opportunité de continuer, inséparables de nos improvisations les plus heureuses, et dont ne sont exempts ni le chant de l'oiseau, ni même le cri du quadrupède, n'avaient

160

ici nulle part, apparemment. Mais Watt parlait comme quelqu'un en train de parler sous la dictée, ou de réciter, comme un perroquet, un texte devenu familier à force de répétition. De ce murmure impétueux une grande partie sollicitait en vain mon oreille et mon intelligence défaillantes, et le vent en furie en emportait autant sans espoir de retour.

Le parc était entouré d'une haute clôture de fil de fer barbelé ayant grand besoin de réfection, de nouveau fil, de barbes nouvelles. A travers cette clôture, là où elle n'était pas aveuglée par des ronces et des orties géantes, se voyaient distinctement de toutes parts des parcs semblables, semblablement enclos, chacun avec son pavillon. Tantôt divergeant, tantôt convergeant, ces clôtures dessinaient des lacis d'une irrégularité frappante. Nulle clôture n'était mitoyenne, ne fût-ce qu'en partie. Mais leur proximité était telle, à certains endroits, qu'un homme large d'épaules ou de bassin, enfilant cette passe étroite, le ferait avec plus de facilité, et avec moins de danger pour sa veste, et peut-être pour son pantalon, de biais que de front. En revanche, pour un homme gros de fesses ou de ventre, l'attaque directe s'imposerait, sous peine de se voir perforer l'estomac, ou le cul, peut-être les deux, d'une ou de plusieurs barbes rouillées. Pour une femme grosse de fesses et de poitrine, une nourrice obèse par exemple, la nécessité serait la même. Quant aux personnes à la fois larges d'épaules et grosses de ventre, ou larges de bassin et grosses de fesses, ou larges de bassin et grosses de ventre, ou larges d'épaules et grosses de fesses, ou grosses de poitrine et larges d'épaules, ou larges de bassin et grosses de poitrine, elles feraient mieux de ne s'engager à aucun prix, à moins d'avoir perdu la tête, dans ce chenal perfide, mais de faire demi-tour, et de battre en retraite, sous peine de se voir empaler, en plusieurs points à la fois, et peut-être saigner à mort, ou manger vives par les rats, ou succomber aux intempéries, longtemps avant que leurs cris se fassent entendre, et encore plus longtemps avant que les sauveteurs accourent, avec les ciseaux, le cognac et la teinture d'iode. Car si leurs cris ne devaient se faire entendre, alors leurs chances d'être sauvées étaient minces, tant ces parcs étaient vastes, tant déserts, en temps normal.

Il s'écoula un certain temps, après le transfert de Watt, avant la nouvelle rencontre. Je me promenais dans mon parc comme d'habitude, c'est-à-dire quand je cédais à l'appel du temps que j'aimais, et Watt se promenait de même dans le sien. Mais comme ce n'était plus le même parc, pas question de nous rencontrer. Cette nouvelle rencontre, quand elle se produisit enfin, de la façon décrite plus loin, nous fit comprendre à tous les deux, à moi, à Watt, que nous aurions pu nous rencontrer bien plus tôt, si nous l'avions désiré. Mais voilà, le désir de nous rencontrer nous faisait défaut. Watt ne désirait pas me rencontrer, je ne désirais pas rencontrer Watt. Dire que nous y étions franchement hostiles, à l'idée de nous rencontrer, de reprendre nos promenades, et éventuellement nos conversations, non, loin de là, c'était seulement que le désir ne s'en faisait pas sentir, chez Watt, chez moi.

Un jour donc, par un vent et un soleil inouïs, je me sentis poussé vers la clôture, comme par une force extérieure ; et cette impulsion me porta sans faiblir jusqu'au point où je n'aurais pu lui céder davantage sans m'infliger une blessure grave, sinon mortelle ; là par bonheur elle m'abandonna et je pus regarder autour de moi, chose que je ne faisais jamais, sous aucun prétexte, en temps normal. Quelle horreur que le point et virgule. J'ai dit une force extérieure ; car de mon propre chef qui, sans être robuste, n'en possédait pas moins à cette époque une espèce d'opiniâtreté féline, je ne me serais jamais approché de la clôture, pour rien au monde ; car j'avais un faible pour les clôtures, pour les clôtures de fil de fer, un grand faible ; pas pour les murs, ni pour les palissades, ni pour les haies opaques, non ; mais

162

pour tout ce qui limitait le mouvement, sans pour autant limiter la vue, pour le fossé, la fosse, la fenêtre à barreaux, le marécage, le sable mouvant, la claire-voie, pour tous j'avais de la tendresse, à cette époque, une grande tendresse. Et (ce qui rend, si c'est possible, la suite encore plus singulière qu'elle ne l'est déjà), je crois bien que Watt était dans le même cas. Car lorsque, avant son transfert, nous nous promenions ensemble dans notre parc, pas une seule fois nous ne nous sommes approchés de la clôture, comme nous n'aurions pu manquer de le faire, au moins une fois ou deux, si le hasard seul nous avait conduits. Watt ne me dirigeait pas, je ne dirigeais pas Watt, mais d'un commun accord, comme par connivence tacite, nous ne nous approchions jamais de la clôture à moins de cent ou de cinq cents mètres. Quelquefois nous la voyions au loin, à peine, au fond d'une clairière, flageolante, les vieux fils affaissés, les poteaux penchés. Ou nous voyions un gros oiseau noir perché dans le vide, peut-être croassant, ou se lissant les plumes.

Si près maintenant de la clôture que j'aurais pu la toucher, avec un bâton, si j'avais voulu, et regardant ainsi autour de moi comme qui aurait perdu la raison, je m'aperçus, sans aucune possibilité d'erreur, que je me trouvais en présence d'un de ces chenaux ou détroits décrits plus haut, où la limite de mon parc et celle d'un autre suivaient le même tracé, si près l'une de l'autre et sur une distance si grande que des doutes ne pouvaient manquer de s'élever, dans tout esprit raisonnable, quant à la santé mentale de celui responsable de l'implantation. Poursuivant mon inspection, comme qui n'aurait pas toute sa tête, je reconnus, avec une netteté ne laissant aucune place au doute, dans le parc voisin, en marche vers moi à reculons... qui ? Vous avez deviné. Watt en personne. Sa rétrogression était lente et ondoyante, du fait sans doute qu'il n'avait pas d'yeux derrière la tête, et pénible aussi, je le crois volontiers, car souvent il butait

163

contre les fûts, ou dans le fouillis de broussailles se prenait le pied, et s'étalait par terre, sur le dos, ou dans un amas de ronces, ou d'épines, ou d'orties, ou de chardons. Mais toujours sans murmure il reculait, jusqu'à s'affaler contre la clôture, les bras en croix et les mains serrant le fil. Puis il fit demi-tour, avec l'intention probablement de repartir comme il était venu, et je vis son visage, avec tout le devant de son corps. Il avait le visage en sang, les mains aussi, et la tête pleine d'épines. Sa ressemblance, à ce moment-là, avec le Christ dit de Bosch (National Gallery No ?), était si frappante que j'en fus frappé. Et dans le même instant j'eus soudain l'impression de me trouver devant un vaste miroir qui me renvoyait mon parc, et ma clôture, et moi-même, et jusqu'aux oiseaux ballotés dans le vent, au point que je regardai mes mains, et me tâtai le visage, et le crâne luisant, avec une inquiétude aussi réelle qu'injustifiée. Car s'il y avait quelqu'un sur terre, à cette époque, digne d'être jugé sans ressemblance avec le Christ dit de Bosch (National Gallery No ?), sans vouloir me flatter c'était bien moi. Tiens, Watt, m'écriai-je, te voilà bien arrangé, pas d'erreur. Pas ce-n'est oui, répondit Watt. Cette courte phrase m'occasionna, je le jure, plus d'effroi, plus de douleur, que si j'avais reçu, inopinément, à bout portant, une giclée de plomb en plein dans la raie. Cette impression fut renforcée par la suite. Pitié par, dit Watt, nez-mouche prête, sang essuyer. Attends, attends, j'arrive, m'écriai-je. Et je crois vraiment, tant j'avais hâte alors d'arriver jusqu'à Watt, que je me serais rué sur la clôture, à corps perdu, au besoin. J'allais même, avec cette idée en tête, jusqu'à m'en éloigner vivement d'une dizaine ou d'une quinzaine de pas et à chercher du regard un jeune arbre, ou une vieille branche, susceptible de se laisser convertir, rapidement, et sans le secours d'une lame, en gaule, ou en perche. Et pendant que je m'employais mollement ainsi, je crus apercevoir, dans la clôture, sur ma droite, une brèche, large et irrégulière. Jugez donc de mon étonnement lorsque, m'en étant approché, je dus m'avouer que j'avais vu juste. C'était une brèche, dans la clôture, une large brèche irrégulière, ouverte par des vents sans nombre, des pluies sans nombre, ou par un sanglier, ou par un taureau, un sanglier sauvage, un taureau sauvage, en pleine fuite, en pleine poursuite, aveuglé par la colère, ou par la peur, ou sait-on jamais par le désir charnel, au point de se ruer à cet endroit à travers la clôture, minée par des vents sans nombre, des pluies sans nombre. C'est par cette brèche que je passai, sans mal, ni dommage pour mon uniforme joli, et me voilà dans le couloir, en train de regarder autour de moi, car je n'avais pas encore retrouvé mon aplomb. Mes sens étant maintenant aiguisés jusqu'à dix ou quinze fois leur acuité normale, je ne tardai pas à distinguer, dans l'autre clôture, une autre brèche, opposée quant à l'emplacement et quant à la forme semblable à celle par où, voilà à peine dix ou quinze minutes, je m'étais frayé un chemin. Ce qui me fit dire que nul sanglier n'avait ouvert ces brèches, ni nul taureau, mais l'action du temps, particulièrement sévère à cet endroit. Car où était le sanglier, ou le taureau capable, après avoir ouvert de vive force une brèche dans la première clôture, d'en ouvrir une seconde, en tous points semblable, dans la seconde ? Car l'ouverture de la première brèche ne freinerait-elle pas la masse en furie au point d'interdire, au cours de la même charge, l'ouverture de la seconde ? Ajoutez qu'un mètre à peine séparait les deux clôtures, à cet endroit, de sorte que le groin, ou mufle, serait forcément en contact avec la seconde avant que l'arrière-train soit dégagé de la première et que par conséquent, une fois ouverte la première brèche, l'espace manquerait où reprendre l'élan nécessaire à l'ouverture de la seconde. En plus il était peu probable que le sanglier, ou le taureau, une fois ouverte la première brèche, ait reculé à une distance suffisante pour pouvoir, en récidivant, développer la poussée nécessaire à l'ouverture de la seconde, via la première. Car une fois ouverte la première brèche, alors de deux choses l'une, ou bien l'animal était toujours aveuglé par la passion, ou bien il ne l'était plus. S'il l'était toujours, alors il y avait peu de chances pour qu'il puisse viser la première brèche avec assez de précision pour pouvoir la franchir avec assez de vélocité pour pouvoir ouvrir la seconde. Et s'il ne l'était plus, mais par l'ouverture de la première brèche calmé, et ses yeux dessillés, eh bien alors il serait bien étonnant qu'il eût envie d'en ouvrir une autre. En plus il était peu probable que la seconde brèche, ou encore mieux la brèche Watt (rien n'empêchant, jusqu'à preuve du contraire, la brèche dite seconde d'être antérieure à la brèche dite première et la brèche dite première d'être postérieure à la brèche dite seconde), ait été ouverte indépendamment, à une tout autre époque, du côté de chez Watt. Car si les deux brèches avaient été ouvertes indépendamment, l'une du côté de chez Watt, l'autre du côté de chez moi, par deux sangliers en furie, ou par deux taureaux en furie, tout à fait distincts (à moins de supposer l'une ouverte par un sanglier en furie et l'autre par un taureau en furie, chose peu probable), et à deux époques tout à fait différentes, alors leur conjonction à cet endroit était incompréhensible, pour le moins. En plus il était peu probable que les deux brèches, celle dans la clôture Watt et celle dans la mienne, aient été ouvertes, en la même occasion, par deux sangliers en furie, ou par deux taureaux en furie, ou par un sanglier en furie et une laie en furie, ou par un taureau en furie et une vache en furie (à moins de les supposer ouvertes simultanément, l'une par un sanglier en furie et l'autre par une vache en furie, ou l'une par un taureau en furie et l'autre par une laie en furie, chose peu croyable), lancés à toute allure l'un vers l'autre, sous l'empire de la colère ou de la chaleur, l'un du côté de chez Watt, l'autre du côté de chez moi, jusqu'à se heurter de plein fouet, une fois les brèches ouvertes, à l'endroit même où alors je me tenais, la bouche ouverte, essayant d'y voir clair. Car cela supposait l'ouverture des brèches, par les sangliers, ou par les taureaux, ou par le sanglier et la laie, ou par le taureau et la vache, au même instant exactement, et non pas d'abord l'une, puis l'autre un instant plus tard. Car si d'abord l'une, puis l'autre un instant plus tard, alors le sanglier, la laie, le taureau, la vache, ayant défoncé sa clôture en premier, et donnant déjà de la tête contre l'autre, empêcherait fatalement, bon gré mal gré, le passage à travers cette dernière, à cet endroit, du sanglier, de la laie, du sanglier, du taureau, de la vache, du taureau, se précipitant en sens inverse avec toute la furie de la haine, ou de l'amour. Et j'avais beau chercher, à genoux, en écartant délicatement les herbes folles, je ne trouvais nulle trace ni de conflit ni d'accouplement. Ces brèches donc n'étaient l'œuvre ni d'un sanglier, ni d'un taureau, ni d'une laie, ni d'une vache, ni de deux sangliers, ni de deux taureaux, ni de deux laies, ni de deux vaches, ni d'un couple sanglier-laie, ni d'un couple taureau-vache, ni d'un couple taureau-laie, ni d'un couple sanglier-vache, mais dues à l'action du temps, aux vents et pluies sans nombre, et aux soleils, et aux neiges, et aux gels, et dégels, particulièrement rigoureux à cet endroit. Ou enfin tout compte fait ne fallait-il pas y voir, comme une chose tout juste possible, le fait d'une bête solitaire, sa puissance naturelle décuplée par la colère ou la peur, sanglier, taureau, laie ou vache, capable de défoncer les deux clôtures, ainsi minées par les intempéries, d'abord celle de Watt et ensuite la mienne, ou d'abord la mienne et ensuite celle de Watt, peu importe, dans une seule et même charge et avec autant de facilité que si elles n'en faisaient qu'une ?

Me tournant alors vers l'endroit où j'avais eu le plaisir de voir Watt pour la dernière fois, je m'aperçus qu'il n'y était plus, ni même à aucun des autres endroits, et ils étaient nombreux, accessibles à mon regard. Mais quand

167

j'appelai, Watt ! Watt ! alors il surgit, tout en reboutonnant gauchement son pantalon qu'il portait devant derrière, de derrière un arbre, et s'avança à reculons, guidé par mes cris, lentement, péniblement, tombant souvent, mais non moins souvent se ramassant, sans un murmure, vers l'endroit où j'étais, tant et si bien qu'enfin, après si longtemps, je pus le toucher de nouveau, de la main. Puis j'avançai la main, par la brèche, et l'attirai, par la brèche, à moi. Puis je pris dans ma poche un petit linge que j'avais dans ma poche et essuyai son visage, et ses mains. Puis je pris dans ma poche une petite boîte d'onguent que j'avais dans ma poche et oignis son visage, et ses mains. Puis je pris dans ma poche un petit peigne de poche et lissai ses touffes, et ses moustaches. Puis je pris dans ma poche une petite brosse à habits et brossai sa veste, et son pantalon. Puis je le fis pivoter jusqu'à ce qu'il me fît face. Puis je posai ses mains sur mes épaules, sa main gauche sur mon épaule droite, sa main droite sur mon épaule gauche. Puis je posai mes mains sur ses épaules, sur son épaule gauche ma main droite, sur son épaule droite ma main gauche. Puis je fis un demi-pas en avant, de la jambe gauche, et lui un demi-pas en arrière, de la jambe droite (il ne pouvait guère faire autrement). Puis je fis un pas entier en avant, de la jambe droite, et lui bien sûr un pas entier en arrière, de la jambe gauche. Et ainsi de passer ensemble entre les clôtures, moi en avançant, lui en reculant, jusqu'à l'endroit où les clôtures divergeaient de nouveau. Puis faisant demi-tour, moi faisant demi-tour, lui faisant demi-tour, de repasser par le chemin où nous venions de passer, moi en avançant et lui bien sûr en reculant, les quatre mains sur les quatre épaules toujours. Et ainsi repassant par le chemin où nous venions de passer, de passer devant les brèches et au-delà jusqu'à l'endroit où les clôtures divergeaient de nouveau. Puis faisant demi-tour, comme un seul homme, de repasser par le chemin où nous venions de passer et de repas-

ser par le chemin où nous venions de passer, devant mes
yeux là où nous allions, devant les siens là d'où nous venions.
Et ainsi, allant et venant, allant et venant, nous passions
et repassions entre les clôtures, ensemble de nouveau après
si longtemps, sous le soleil ardent, dans le vent impétueux.

Etre ensemble de nouveau, amis du soleil venté, du vent
ensoleillé, en plein vent, en plein soleil, c'est peut-être
quelque chose, peut-être quelque chose.

Pour nous qui allions ainsi, entre les clôtures, allions
et venions, d'un point de divergence à l'autre, il y avait
juste la place.

Dans le parc de Watt, dans mon parc à moi, nous aurions
été plus à l'aise. Mais il ne me vint jamais à l'esprit de
ramener Watt dans mon parc à moi ou dans le sien de
le suivre. Mais il ne vint jamais à l'esprit de Watt de me
ramener dans son parc à lui ou dans le mien de me suivre.
Car mon parc était mon parc à moi, et le parc de Watt
était le parc de Watt, nous n'avions plus de parc commun.
Ainsi nous allions et venions, de la manière décrite, ni
l'un ni l'autre dans son parc à lui.

Ainsi nous recommencions, après un temps si long, à
nous promener ensemble, et parfois à converser.

De même que Watt marchait à l'envers, de même il
conversait à reculons.

Voici un exemple de sa manière, à cette époque :

*Jour plupart, nuit partie, Knott avec. Peu si oh vu, peu
si oh ouï, peu si avant. Jour le peu, nuit la jamais, peu si
oh avec. Présent à vu, présent à ouï, présent à quoi ? Bruit
sans chose, peine à chose. Baisse en vue, baisse en ouïe,
cours en baisse. Lueur sans monde, bruit sans monde, autour
tout.*

D'où l'on soupçonnera peut-être :

que l'inversion intéressait, non pas l'ordre des phrases,
mais seulement celui des mots ;

que l'inversion était imparfaite ;

que l'ellipse était fréquente ;

que le refus de l'euphonie n'était pas absolu ;

que l'absence de naturel n'était pas totale ;

qu'il y avait peut-être davantage qu'un simple renversement du discours ;

qu'il y avait peut-être inversion de la pensée.

Ainsi à tout un chacun, tôt ou tard, la mouche fait envie, toutes les longues joies de l'été devant elle.

Le débit était aussi rapide qu'avant, la voix aussi sourde.

C'étaient là des sons qui d'abord, malgré notre marche vis-à-vis, étaient vides de sens pour moi.

Watt ne me suivait pas non plus. P-pardon, disait-il dans une agitation croissante, p-p-pardon. Et il ajoutait. P-p-p-pardon.

Ainsi je perdais (j'imagine) des choses fort intéressantes (je suppose) touchant le stade premier ou initial (je présume) de la seconde et dernière période du séjour de Watt chez Monsieur Knott.

Car chez Watt l'amour de la chronologie n'avait d'égal que la haine de la battologie.

Souvent mes mains lâchaient ses épaules, pour consigner une petite note sur leur petit calepin. Mais les siennes ne lâchaient jamais les miennes, si je ne les en détachais moi-même.

Mais je finis par me faire à ces sons et par comprendre aussi bien qu'avant, c'est-à-dire une grande partie de ce que j'entendais.

Ainsi tout alla bien jusqu'au moment où Watt se mit à invertir, non plus l'ordre des mots dans la phrase, mais celui des lettres dans le mot.

A cette nouvelle opération Watt apporta toute sa discrétion habituelle et son sens de ce que l'oreille pouvait tolérer, et le jugement esthétique. N'empêche que pour quelqu'un comme moi, avide surtout de renseignements, le changement n'était pas peu déconcertant.

170

Voici un exemple de sa manière à cette époque :

Rop lio, lap ruvab, rucso amgam. Rop napmit, ploc niol, ploc niol. Rop replap, drem lom, drem lom. Rop tarodo, rodo daf, rodo daf. Rop ropas, dro luc, dro luc.

C'étaient là des sons qui d'abord, malgré notre marche buste à buste, ne me disaient pas grand'chose.

Watt ne me suivait pas non plus. Nodrap-p-p, disait-il, nodrap-p. Nodrap-p-p-p.

Ainsi je perdais (je suppose) des choses fort intéressantes (je présume) touchant le second stade (j'imagine) de la seconde et dernière période du séjour de Watt chez Monsieur Knott.

Mais je finis par me faire à ces sons et par comprendre aussi bien qu'avant.

Ainsi tout alla bien jusqu'au moment où Watt se mit à invertir, non plus l'ordre des lettres dans le mot, mais celui des phrases dans la période.

Voici un exemple de sa manière, à cette époque.

Du rien. A la source. Au temple. Au prêtre. Et les lui offris. Ce cœur vide. Ces mains vides. Cette âme ignorante. Ce corps exilé. Pour l'aimer mon peu rabaissai. Mon peu rejetai pour l'avoir. Mon peu pour l'apprendre oubliai. Perdis mon peu pour le trouver.

C'étaient là des sons qui d'abord, malgré notre marche ventre à ventre, n'étaient que du vent pour moi.

Watt ne me suivait pas non plus. P-p-p-pardon, disait-il. P-p-pardon, p-pardon.

Ainsi je perdais (je présume) des choses fort intéressantes (j'imagine) touchant le troisième stade (je suppose) de la seconde et dernière période du séjour de Watt chez Monsieur Knott.

Mais je finis par me faire à ces sons et par comprendre aussi bien qu'avant.

Ainsi tout alla bien jusqu'au moment où Watt se mit à invertir, non plus l'ordre des phrases dans la période, mais celui des mots dans la phrase en même temps que celui des lettres dans le mot.

Voici un exemple de sa manière, à cette époque.

Miaf lek ? Tonk. Saper lek ? Tonk. Miaf sulp ? Hap ! Miaf siam ? Rus sap. Saper siam ? Sap sias.

C'étaient là des sons qui d'abord, malgré notre marche sexe à sexe, laissaient plutôt à désirer pour moi.

Watt ne me suivait pas non plus. Nodrap-p, disait-il, nodrap-p-p. Nodrap-p-p-p.

Ainsi je perdais (j'imagine) des choses fort intéressantes (je présume) touchant le quatrième stade (je suppose) de la seconde et dernière période du séjour de Watt chez Monsieur Knott.

Mais je finis par me faire à ces sons.

Ainsi tout alla bien jusqu'au moment où Watt se mit à invertir, non plus l'ordre des mots dans la phrase en même temps que celui des lettres dans le mot, mais celui des mots dans la phrase en même temps que celui des phrases dans la période.

Voici un exemple de sa manière, à cette époque.

Disait me, Non !, gilet le, flanelle la, pantalon le, chaussettes les, chaussures les, chemise la, caleçon le, veste la, habiller pour prêt tout quand. Disait me, Habiller ! Disait me, Non !, eau la, serviette la, éponge la, savon le, sels les, gant le, brosse la, cuvette la, laver pour prêt tout quand. Disait me, Laver ! Disait me, Non ! eau la, serviette la, éponge la, savon le, rasoir le, poudre la, blaireau le, plat le, raser pour prêt tout quand. Disait me, Raser !

C'étaient là des sons qui d'abord, malgré notre marche bourses à bourses, me les brisaient plutôt qu'autre chose.

Watt ne me suivait pas non plus. P-p-p-pardon, disait-il P-pardon, p-p-p-pardon.

Ainsi je perdais (je suppose) des choses fort intéressantes (j'imagine) touchant le cinquième stade (je présume)

172

de la seconde et dernière période du séjour de Watt chez Monsieur Knott.

Mais je finis par me faire à ces sons.

Jusqu'au moment où Watt se mit à invertir, non plus l'ordre des mots dans la phrase en même temps que celui des phrases dans la période, mais celui des lettres dans le mot en même temps que celui des phrases dans la période.

Voici un exemple de cette manière :

Rop rinif, sucer egnoc. Sap tav, sap tonk. Sap sproc, sap tirpse. Sap fiv, sap trom. Sap fitca, sap fissap. Sap enrom, sap iag. Snia siv, rop smet.

Cela ne signifiait rien pour moi.

Nodrap-p-p-p, disait Watt. Nodrap-p-p, nodrap-p.

Ainsi je perdais (je présume) des choses fort intéressantes (je suppose) touchant le cinquième, non, le sixième stade (j'imagine) de la seconde et dernière période du séjour de Watt chez Monsieur Knott.

Mais je finis par comprendre.

Puis ne voilà-t-il pas qu'il se mit à invertir, non plus l'ordre des lettres dans le mot en même temps que celui des phrases dans la période, mais celui des lettres dans le mot en même temps que celui des mots dans la phrase en même temps que celui des phrases dans la période.

Exemple :

Tav te tonk, toc à toc. Ruoi tuot, skon trap. Nif snas. Nif snas knod smet ? Hap ! Tonk rop tom tav ? Hap ! Tav rop tom tonk ? Hap ! Tonk rop drager tav ? Hap ! Tav rop drager tonk ? Gueva, tapa, nofa. Skon trap, ruoi tuot. Tav te tonk, toc à toc.

Je mis du temps à me faire à cela.

Nodrap-p-p-p, disait Watt. Nodrap-p-p, nodrap-p.

Ainsi je perdais (j'imagine) des choses fort intéressantes (je suppose) touchant le septième stade (je présume) de

173

la seconde et dernière période du séjour de Watt chez Monsieur Knott.

Enfin il se mit dans la tête d'invertir, non plus l'ordre des mots dans la phrase, ni celui des lettres dans le mot, ni celui des phrases dans la période, ni sumultanément celui des mots dans la phrase et celui des lettres dans le mot, ni simultanément celui des mots dans la phrase et celui des phrases dans la période, ni simultanément celui des lettres dans le mot et celui des phrases dans la période, ni simultanément celui des mots dans la phrase et celui des lettres dans le mot et celui des phrases dans la période, pensez-vous, mais au cours d'une seule et même brève période tantôt celui des mots dans la phrase, tantôt celui des lettres dans le mot, tantôt celui des phrases dans la période, tantôt simultanément celui des mots dans la phrase et celui des lettres dans le mot, tantôt simultanément celui des mots dans la phrase et celui des phrases dans la période, tantôt simultanément celui des lettres dans le mot et celui des phrases dans la période, et tantôt simultanément celui des mots dans la phrase et celui des lettres dans le mot et celui des phrases dans la période. Cette sorte de convulsion phonique gagna la métathèse elle-même, jusqu'ici relativement sage.

Je ne me rappelle aucun exemple de cette manière.

C'était là des sons qui d'abord, malgré notre marche agglutinante, étaient du gaélique pour moi.

Watt ne me suivait pas non plus. P-ponrad, disait-il, dans une agitation croissante, p-p-nodrap. P-p-p-rapnod.

Ainsi je perdais (je suppose) des choses fort intéressantes (je présume) touchant le stade huitième et final (j'imagine) de la seconde et dernière période du séjour de Watt chez Monsieur Knott.

Mais je finis par me faire à ces sons et par comprendre tout autant qu'avant, c'est-à-dire une bonne moitié de tout ce qui forçait mon cérumen.

Hé oui, mon ouïe à moi aussi commençait à baisser, si ma myopie n'évoluait pas. Mes facultés purement mentales en revanche, celles à si juste titre dites de

?   ?

?   ?

étaient si possible plus vigoureuses que jamais.

C'est à ces conversations que nous sommes redevables des informations suivantes.

Un jour ils étaient au jardin tous les quatre, Monsieur Knott, Watt, Arthur et Monsieur Graves. C'était une belle journée d'été. Monsieur Knott circulait lentement, tantôt disparaissant derrière un buisson, tantôt réapparaissant de derrière un autre. Watt était assis sur un mamelon. Arthur était debout sur la pelouse, devisant avec Monsieur Graves. Monsieur Graves s'appuyait sur une fourche. Mais la grande masse de la maison vide était là toute proche. Un bond et ils étaient tous à l'abri.

Arthur dit :

Ne désespérez pas, Monsieur Graves. Un jour les nuages se dissiperont et le soleil, si longtemps obnubilé, brillera de plus belle, pour vous, Monsieur Graves, enfin.

Pas plus de nerf, Monsieur Arthur, dit Monsieur Graves, qu'un bœuf.

Oh Monsieur Graves, dit Arthur, ne dites pas ça.

Quand je dis nerf, dit Monsieur Graves, je veux dire —. Il fit un geste avec sa fourche.

Avez-vous essayé Bando, Monsieur Graves ? dit Arthur. Une capsule, dans un doigt de lait tiède, avant et après les repas, et de nouveau le soir, au coucher. J'avais tout essayé et étais au désespoir lorsqu'une amie me parla de Bando. Son mari ne pouvait plus s'en passer, comprenez-vous. Essaie-le, dit-elle, et reviens me voir dans cinq ou six ans. Je l'ai essayé, Monsieur Graves, et ma vie en a été transformée. De l'homme morose que j'étais, apathique et constipé, couvert de squames, abandonné de tous, l'haleine fétide et l'appétit dépravé (depuis des années je ne mangeais plus que du gros lard rance), je suis devenu, après quatre ans au Bando, vif comme un lézard, nudiste à succès, maître de mes selles, presque père et amateur de pommes à l'anglaise. Bando. S'écrit comme ça se prononce.

Monsieur Graves dit qu'il en ferait l'essai.

L'ennui avec Bando, dit Arthur, c'est qu'il n'y a plus moyen d'en avoir, dans cet infortuné pays. Pour les produits inférieurs, tels qu'ostréine et mouches espagnoles, il paraît qu'on trouve encore, dans les quartiers excentriques, des pharmaciens au grand cœur qui se laissent fléchir, à condition de se voir supplier à quatre pattes dans les dix ou quinze minutes qui suivent leur repas de midi. Mais pour Bando, même un samedi après-midi, vous pouvez toujours ramper. Car l'Etat, faisant litière comme d'habitude du droit des gens, et dûment indifférent aux souffrances de dizaines de milliers d'hommes, et de centaines de milliers de femmes, d'un bout à l'autre du territoire, a jugé bon de mettre l'embargo sur ce produit admirable, susceptible de faire gicler la joie, à un prix raisonnable, dans le foyer conjugal, et autres lieux de rendez-vous, plongés aujourd'hui dans la désolation. De sorte qu'il ne peut plus entrer dans nos ports, ni franchir notre frontière septentrionale, qu'à raison d'un suintement casuel, aléatoire et subreptice, je veux dire en vrac dans les dessous de l'épouse, ou dans le sac à cannes du golfeur, ou dans le bréviaire creux de quelque curé humanitaire, où à peine découvert il est saisi, et confisqué, par un grossier commis des douanes à moitié fou d'intoxication séminale, et vendu, à dix et même quinze fois sa valeur déclarée, à des voyageurs de commerce rentrant éreintés d'une tournée infructueuse. Mais je ne saurais mieux illustrer mon propos qu'en vous racontant l'aventure de mon vieil ami Monsieur Ernest Louit qui, dans les heures les plus sombres de l'école et de l'université, ne m'abandonna jamais, quoique souvent exhorté à le faire, tant par ses supporters que par les miens. Sa thèse doctorale s'intitulait, je m'en souviens, *Les Intuitions Mathématiques des Visiceltes,* sujet sur lequel il professait les opinions les plus radicales, car il était des intimes de Monsieur l'Intendant, leur commerce (le mot n'est pas trop fort) étant fondé sur une communauté de goûts, pour ne pas dire d'agissements, hélas trop répandus dans les milieux académiques, et dont sans doute le plus mignon était le schnaps au réveil, qui le plus souvent les surprenait ensemble. Louit sollicita à cette époque, par le truchement de Monsieur l'Intendant, et finit par se voir accorder, un crédit supplémentaire de cinquante livres, somme qu'en sa candeur il jugeait suffisante pour couvrir les frais de six semaines de recherche, chez les autochtones, dans le comté de Clare. Son analyse de ce dérisoire devis était la suivante :

	L	S	D
Déplacement	1	15	0
Brodequins	0	15	0
Pacotille	5	0	0
Gratifications	0	10	0
Sustentation	42	0	0
Total	50	0	0

La nourriture nécessaire au maintien de son chien, un bull-terrier, dans l'état de pléthore sanguinaire qui lui était habituel, il se déclara généreusement disposé à la payer de ses propres deniers, et il ajouta, avec sa candeur inimitable, et à la grande joie du Comité des Subventions, qu'il pensait pouvoir s'en remettre à O'Connor pour vivre sur l'habitant. A ces différents chapitres il ne fut fait aucune objection. En revanche l'absence d'autres, d'usage en pareil cas, comme par exemple celui correspondant à l'hébergement pour la nuit, provoqua un certain étonnement. Invité, par le truchement de Monsieur l'Intendant, à s'expliquer sur cette omission, Louit répondit, par le truchement de Monsieur l'Intendant, qu'en raison de sa complexion raffinée à l'extrême il comptait passer ses nuits, tant qu'il n'aurait pas quitté la région, dans le foin odoriférant, ou dans la paille odoriférante, selon le cas, des granges locales. Cet éclaircissement déclencha un nouvel accès d'hilarité chez les membres du comité. Et ceux qui s'en souvenaient ne pouvaient qu'admirer, au retour de Louit, la franchise avec laquelle il avoua n'avoir trouvé, au cours de son expédition, que trois granges en tout et pour tout, dont deux abritaient des bouteilles vides et la troisième le squelette d'une chèvre. Mais il y en avait chez qui ces déclarations et d'autres analogues firent l'objet d'un accueil nettement moins amical. Car Ernest, blême et défait, réintégra son logis trois semaines avant la date prévue. Invité, par le truchement de Monsieur l'Intendant, à produire les brodequins pour l'acquisition desquels quinze shillings lui avaient été alloués sur les maigres ressources du Collège, Louit répondit, par le même canal, que dans l'après-midi finissant du vingt et un novembre, dans le voisinage de Handcross, ils avaient malheureusement lâché ses pieds, aspirés par un marécage qu'à cause de la lumière incertaine, et de la confusion de ses facultés due à des jeûnes prolongés, il avait pris pour un champ d'oignons tardifs. A l'espoir courtoisement formulé qu'O'Connor avait eu le temps de ne pas trop s'ennuyer Louit répondit, avec gratitude et reconnaissance, qu'en cette même occasion il avait dû, bien à contre-cœur, enfoncer dans le marais la tête du chien et l'y maintenir le temps pour son cœur fidèle de cesser de battre, et ensuite le rôtir, avec la peau, qu'il n'avait pu se résoudre à enlever, sur un feu de joncs et de roseaux. Il ne s'en faisait pas une gloire, O'Connor à sa place en aurait fait autant pour lui. Les os de son vieux compagnon, auxquels ne manquaient plus que les moelles, reposaient chez lui, dans un sac, et pouvaient être inspectés tous les après-midi sauf le dimanche, entre quatorze heures quarante-cinq et quinze heures quinze. Monsieur l'Intendant se demanda alors, au nom du comité, si Monsieur Louit ne verrait pas d'inconvénient à donner un bref aperçu de l'impulsion imprimée à ses études par son bref séjour dans les provinces. Louit répondit qu'il s'en serait fait une joie s'il n'avait eu le malheur d'égarer, le matin même de son départ de l'ouest, entre onze heures et midi, dans les vestiaires des messieurs de la gare d'Ennis, les cinq cents feuilles éparses entièrement remplies recto verso de notes sténographiées couvrant toute la période en question. Soit, ajouta-t-il, cinq pages, pas une de moins, ou dix faces par jour en moyenne. Depuis lors il se démenait de son mieux et, il en avait peur, bien au-delà de ses forces, pour récupérer son manuscrit qui, en tant que tel, ne pouvait avoir la moindre valeur pour personne à part l'auteur et, éventuellement, l'humanité. Mais selon son expérience des vestiaires de gare, et en particulier de ceux exploités par le réseau de l'ouest, il était fatal que tout objet égaré en ces endroits, et ayant la moindre ressemblance avec du papier, à l'exception peut-être de cartes de visite, timbres-poste, tickets du P. M. U. et billets de train poinçonnés, soit englouti et perdu à tout jamais. Si bien que ses efforts pour recouvrer son bien, gravement entravés par manque de force, et par pénurie de fonds, lui paraissaient voués à l'échec, plutôt qu'au succès. Et une telle perte était irréparable, car des innombrables observations faites pendant son expédition, et des réflexions en découlant, en toute hâte et dans les pires conditions jetées sur le papier, il n'avait à son grand regret que peu ou point de souvenir. A la relation de ces douloureux événements, à savoir la perte de ses brodequins, de son chien, de son labeur, de son argent, de sa santé et peut-être même de l'estime de ses supérieurs hiérarchiques, Louit n'avait rien à ajouter sinon qu'il se ferait un plaisir de comparaître devant le comité, à une date à débattre entre les intéressés, avec la preuve que sa mission n'avait pas été entièrement vaine. Fixés le jour et l'heure on put voir Louit s'avancer, conduisant par la main un vieillard portant kilt, plaid, brogues et, malgré le froid, des chaussettes de soie amarrées aux mollets violacés au moyen de minces supports-chaussettes mauves de bon ton, et tenant sous le bras un feutre noir à larges bords. Louit dit, Vous avez devant vous, Messieurs, Monsieur Thomas Nackybal, natif de Burren. C'est là qu'il a passé toute sa vie, là d'où il n'est parti qu'à son corps défendant, là où il brûle de retourner tuer son cochon, consolation annuelle de sa solitude. Monsieur Nackybal a maintenant soixante-treize ans et n'a jamais reçu, pendant tout ce temps, d'autre instruction que celle relative à certains sujets agricoles, indispensables à l'exercice de son métier, tels le toit de trèfle, la patate de rocher, l'art du fumier maison, la tourbe ignifuge et le porc insectivore, de sorte qu'il ne sait, et n'a jamais su, ni lire, ni écrire, ni, sans le secours de ses doigts, et de ses orteils, additionner, soustraire, multiplier ou diviser le moindre nombre entier à, de ou par un autre. Voilà pour le Nackybal mental. Quant au physique —. Tout doux, Monsieur Louit, dit le président, levant la main, un moment, Monsieur Louit, s'il vous plaît. Mille, Monsieur, si vous voulez, dit Louit. Sur le podium ils étaient cinq, Monsieur O'Meldon, Monsieur Magershon, Monsieur Fitzwein, Monsieur de Baker et Monsieur MacStern, de gauche à droite. Ils se consultèrent. Monsieur Fitzwein dit, Monsieur Louit, vous ne nous ferez pas croire que l'existence mentale de cet être se réduit à la seule appréhension, dans l'ignorance totale des rudiments, de ce qui est nécessaire à sa survie. C'est là en effet le mérite, répondit Louit, que j'ose revendiquer pour mon ami, convaincu que dans son esprit, à part la pâle musique de l'ignorance dont vous parlez et la pâle lumière, dans quelque coin du cervelet siège de toute idéation agricole, de comment extraire de la parcelle de moraine ancestrale, avec le minimum de labeur, le maximum de nourriture pour son cochon et pour lui-même, tout n'est qu'une extase de ténèbres, et de silence. Le comité, dont les yeux n'avaient pas quitté Louit pendant qu'il exécutait cette phrase, les reporta maintenant sur Monsieur Nacky-bal, comme s'il était question de sa carnation. Ils entreprirent alors de se regarder et s'y employèrent un bon moment avant d'y parvenir. Non qu'ils se soient regardés longuement, non, pas si bêtes. Mais lorsque cinq hommes se regardent, si en théorie il n'y faut que vingt regards, à raison de quatre chacun, cependant dans la pratique ce nombre est rarement suffisant, du fait des nombreux regards qui s'égarent. Par exemple, Monsieur Fitzwein regarde Monsieur Magershon, à sa droite. Mais Monsieur Magershon ne regarde pas Monsieur Fitzwein, à sa gauche, mais Monsieur O'Meldon, à sa droite. Mais Monsieur O'Meldon ne regarde pas Monsieur Magershon, à sa gauche, mais, penché en avant, Monsieur MacStern, quatrième à sa gauche à l'autre bout de la table. Mais Monsieur MacStern ne regarde pas, penché en avant, Monsieur O'Meldon, quatrième à sa droite à l'autre bout de la table, mais, droit sur son siège, Monsieur de Baker, à sa droite. Mais Monsieur de Baker ne regarde pas Monsieur MacStern, à sa gauche, mais Monsieur Fitzwein, à sa droite. Alors Monsieur Fitzwein, las de regarder le crâne de Monsieur Magershon, regarde maintenant, penché en avant, Monsieur O'Meldon, deuxième à sa droite au bout de la table. Mais Monsieur O'Meldon, las de regarder, penché en avant, Monsieur MacStern, regarde maintenant, penché en arrière, Monsieur de Baker, troisième à sa gauche. Mais Monsieur de Baker, las de regarder le crâne de Monsieur Fitzwein, regarde maintenant, penché en avant, Monsieur Magershon, deuxième à sa droite. Mais Monsieur Magershon, las du spectacle de l'oreille gauche de Monsieur O'Meldon, regarde maintenant, penché en avant, Monsieur MacStern, troisième à sa gauche au bout de la table. Mais Monsieur MacStern, las de regarder le crâne de Monsieur de Baker, regarde maintenant, penché en avant, Monsieur Fitzwein, deuxième à sa droite. Puis Monsieur Fitzwein, las de regarder, penché en avant, Monsieur O'Meldon, regarde maintenant, penché en avant dans l'autre sens, Monsieur MacStern, deuxième à sa gauche au bout de la table. Mais Monsieur MacStern, las de regarder, penché en avant, Monsieur Fitzwein, regarde maintenant, penché en arrière, Monsieur Magershon, troisième à sa droite. Mais Monsieur Magershon, las de regarder, penché en arrière, Monsieur MacStern, regarde maintenant, penché en avant, Monsieur de Baker, deuxième à sa gauche. Mais Monsieur de Baker, las de regarder, penché en avant, Monsieur Magershon, regarde maintenant, penché en arrière, Monsieur O'Meldon, troisième à sa droite au bout de la table. Mais Monsieur O'Meldon, las de regarder, penché en arrière, Monsieur de Baker, regarde maintenant, penché en avant, Monsieur Fitzwein, deuxième à sa gauche. Alors Monsieur Fitzwein, las de regarder, penché en avant, l'oreille gauche de Monsieur MacStern, se redresse et se tournant vers le seul membre du comité dont il n'ait pas encore cherché le regard, à savoir Monsieur de Baker, se voit récompenser par l'occiput poli de ce monsieur. Car Monsieur de Baker, las de regarder, penché en arrière, l'oreille gauche de Monsieur Magershon, et s'étant tourné en vain vers tous les membres du comité à l'exception de son voisin de gauche, s'est redressé et plonge maintenant son regard dans les corolles douteuses de l'oreille droite de Monsieur MacStern. Car Monsieur MacStern, n'en pouvant plus de l'oreille gauche de Monsieur Magershon, et n'ayant pas d'alternative, contemple maintenant, penché en avant, le profil droit écœuré et même écœurant de Monsieur O'Meldon. Car Monsieur O'Meldon bien sûr, ayant éliminé tous ses collègues à l'exception de son voisin immédiat, s'est redressé et considère maintenant les furoncles, pustules et comédons de la nuque de Monsieur Magershon. Car Monsieur Magershon, ayant épuisé les beautés de l'oreille droite de Monsieur de Baker, s'est redressé et bénéficie à présent, certes pas pour la première fois de l'après-midi, mais avec une plénitude accrue, du déjeuner de fayots de Monsieur Fitzwein. Ainsi des cinq fois quatre soit vingt regards lancés, pas un seul de rendu, et toutes ces contorsions, en avant, en arrière, à droite et à gauche, n'ont abouti à rien, et en fait de résultat obtenu par le comité dans sa tentative pour se regarder ses yeux auraient tout aussi bien pu être fermés, ou levés au ciel. Et ce n'est pas fini. Car voilà sans doute Monsieur Fitzwein qui dit, Ça fait un moment que je n'ai regardé Monsieur Magershon, vivement que je le regarde de nouveau, qui sait, il me regarde peut-être. Mais Monsieur Magershon qui, on s'en souvient, vient de regarder Monsieur Fitzwein. aura certainement tourné la tête dans l'autre sens pour regarder Monsieur O'Meldon, avec l'espoir de se voir regarder de ce dernier, car ça fait un moment que Monsieur Magershon n'a regardé Monsieur O'Meldon. Mais si ça fait un moment que Monsieur Magershon n'a regardé Monsieur O'Meldon, ça ne fait pas un moment que Monsieur O'Meldon n'a regardé Monsieur Magershon, puisqu'il vient juste de le faire, n'est-ce pas ? Et il serait peut-être encore à le faire, car les yeux des trésoriers ne sont pas de ceux qui facilement se baissent ou se détournent, n'eût été un effluve étrange, non sans fragrance au départ, mais à la longue franchement révoltant, qui s'élève des profondeurs des sous-vêtements de Monsieur Magershon et s'exhale, plus léger que l'air, entre sa nuque et son faux-col, tentative audacieuse et sans conteste réussie, de la part du nerf vague de ce dignitaire, pour compenser l'affolement momentané de ses connexions supérieures. Monsieur Magershon se tourne donc vers Monsieur O'Meldon et voit celui-ci qui regarde, non pas lui, comme il l'avait espéré (car s'il

183

n'avait espéré, en se tournant pour regarder Monsieur
O'Meldon, se voir regarder de Monsieur O'Meldon, alors
il ne se serait pas tourné pour regarder Monsieur O'Meldon,
non, mais se serait penché en avant, ou peut-être en arrière,
pour regarder Monsieur MacStern, ou peut-être Monsieur
de Baker, mais plus vraisemblablement celui-là, en tant que
moins récemment regardé que celui-ci), mais Monsieur Mac-
Stern, avec l'espoir de se voir regarder de ce dernier. Et
quoi de plus naturel, car des quatre regards que Monsieur
O'Meldon a eus jusqu'à présent celui à l'intention de Monsieur MacStern est le plus ancien, et Monsieur O'Meldon
ne peut pas raisonnablement savoir que des quatre eus par
Monsieur MacStern le plus récent est celui à l'adresse de
Monsieur O'Meldon, puisqu'il vient à peine de s'achever,
n'est-ce pas ? Monsieur O'Meldon voit donc Monsieur Mac-
Stern qui regarde, non pas lui, comme il l'avait espéré, mais,
avec l'espoir de se voir regarder de Monsieur de Baker,
Monsieur de Baker. Mais Monsieur de Baker, pour la même
raison qui fait que Monsieur Magershon regarde, non pas
Monsieur Fitzwein, mais Monsieur O'Meldon, et que Monsieur O'Meldon regarde, non pas Monsieur Magershon, mais
Monsieur MacStern, et que Monsieur MacStern regarde, non
pas Monsieur O'Meldon, mais Monsieur de Baker, regarde,
non pas Monsieur MacStern, comme Monsieur MacStern
l'avait espéré (car si Monsieur MacStern n'avait espéré, en
se tournant pour regarder Monsieur de Baker, se voir regarder de Monsieur de Baker, alors il ne se serait pas tourné
pour regarder Monsieur de Baker, non, mais se serait penché
en avant, ou peut-être en arrière, pour jeter un œil à Monsieur Fitzwein, ou peut-être à Monsieur Magershon, mais
plus probablement à celui-là, en tant que moins récemment
regardé que celui-ci), mais Monsieur Fitzwein alors suspendu
à l'aspect postérieur de Monsieur Magershon à peu de chose
près comme un moment plus tôt Monsieur Magershon au
sien, et Monsieur O'Meldon à celui de Monsieur Mager-

shon. Et ainsi de suite. Jusqu'à ce que des cinq fois huit soit quarante regards dépensés pas un seul n'ait été payé de retour et que le comité, dans ses efforts pour se regarder, malgré toutes ses acrobaties, ne soit pas plus avancé qu'au moment désormais irrévocable de les avoir entrepris. Et ce n'est pas fini. Car incalculables les regards encore à lancer, le temps encore à perdre, avant que chaque œil trouve l'œil qu'il cherche et qu'affluent dans chaque esprit l'énergie, le réconfort et le courage nécessaires à la reprise de l'ordre du jour. Et tout cela par manque de méthode, d'autant moins pardonnable chez un comité que les comités, les grands comme les petits, sont plus souvent dans la nécessité de se regarder que tout autre rassemblement, à l'exception peut-être des commissions. Or de toutes les méthodes à employer pour qu'un comité puisse se regarder rapidement, et que soient évités tout ce tracas et surmenage fléau des comités qui se regardent sans méthode, une des meilleures est sans doute celle-ci. Que des numéros soient affectés aux membres du comité, un, deux, trois, quatre, cinq, six, sept et ainsi de suite, autant de numéros que de membres du comité, de manière que chaque membre du comité ait son numéro bien à lui et qu'aucun membre du comité n'en soit dépourvu, et que ces numéros soient gravés dans la mémoire des membres du comité jusqu'à ce que chaque membre du comité sache, d'un savoir indélébile, non seulement son numéro à lui, mais les numéros des autres membres du comité, et que ces numéros soient alloués aux membres du comité au moment de sa constitution et maintenus inchangés jusqu'au moment de sa dissolution, car si à chaque nouvelle réunion du comité une nouvelle numération devait intervenir il en résulterait une confusion sans nom (du fait de la nouvelle numération) et un désordre indicible. Il apparaîtra alors que chaque membre du comité sans exception est non seulement pourvu de son numéro à lui, mais content de ce numéro, et tout disposé à l'apprendre par cœur, et non seulement le sien, mais tous les autres numéros aussi, jusqu'à ce que chaque numéro évoque aussitôt dans son esprit un nom, un visage, un tempérament, une fonction, et chaque visage un numéro. Alors, venu le moment où le comité doit se regarder, que tous les membres sauf le numéro un regardent ensemble le numéro un et que le numéro un les regarde tous tour à tour, puis ferme les yeux, si le cœur lui en dit, car il a fait son devoir. Ensuite de tous ceux sauf le numéro un ayant regardé le numéro un et par le numéro un été regardés un à un, que tous sauf le numéro deux regardent ensemble le numéro deux et que le numéro deux à son tour les regarde tous tour à tour, puis enlève ses lunettes et se repose les yeux, s'il a mal aux yeux et porte des lunettes, car il n'a plus rien à faire, pour le moment. Ensuite de tous ceux sauf le numéro deux, et bien sûr le numéro un, ayant regardé ensemble le numéro deux et par le numéro deux été regardés un à un, que tous à l'exception du numéro trois regardent ensemble le numéro trois et que le numéro trois à son tour les regarde tous tour à tour, puis se lève et aille à la fenêtre et regarde dehors, s'il ressent le besoin d'un peu de mouvement et d'un changement de scène, car on n'a plus besoin de lui, pour l'instant. Ensuite de tous ceux à l'exception du numéro trois, et bien entendu des numéros deux et un, ayant regardé ensemble le numéro trois et par le numéro trois été regardés un à un, que tous hormis le numéro quatre regardent ensemble le numéro quatre et que le numéro quatre à son tour les regarde tous l'un après l'autre, puis se masse doucement les globes, s'il en éprouve le besoin, car leur rôle immédiat est terminé. Et ainsi de suite, jusqu'à ce qu'il ne reste plus que deux membres du comité qui alors à leur tour qu'ils se regardent, puis se baignent la cornée, s'ils ont apporté leurs œillères, avec un peu de laudanum, ou une solution boriquée légère, ou un peu de thé tiède léger, car ils l'ont bien mérité. Il apparaîtra alors que le comité s'est regardé dans les plus

186

brefs délais, et avec le minimum de regards, soit $x^2 - x$ regards s'il y a x membres du comité, et $y^2 - y$ s'il y en a y. Mais peu à peu deux à deux les yeux décochèrent de nouveau leurs traits interrogateurs, d'abord à l'endroit de Monsieur Nackybal, ensuite à celui de Louit qui ainsi enhardi reprit, Le physique, Messieurs, vous l'avez sous les yeux, les pieds sont gros et plats, et ainsi continua, lentement de bas en haut, tant et si bien qu'il finit par en venir à la tête, chapitre sur lequel, comme d'ailleurs sur le reste, il avait beaucoup de choses à dire, excellentes, moyennes, mémorables, quelconques et inoubliables. Monsieur Fitzwein dit, Mais ce n'est pas un grand m-m-malade ? Il peut diriger ses pas tout seul ? S'asseoir, rester assis, se remettre debout, rester debout, manger, boire, se coucher, dormir, se lever et vaquer à ses devoirs, sans assistance ? Oh oui, Monsieur, dit Louit, même pour excréter il n'a besoin de personne. Tiens tiens, dit Monsieur Fitzwein. Il ajouta, Et sa vie sexuelle, à propos d'excrétion ? Celle d'un célibataire impécunieux d'aspect repoussant, dit Louit, n'en déplaise à personne. Vous dites ? dit Monsieur MacStern. Baise sa cochonne, dit Louit. Eh bien, dit Monsieur Fitzwein, ça nous fait toujours plaisir, à moi pour ma part d'abord, à mes collègues ensuite pour la leur, de rencontrer un déchet d'un autre milieu d'aisance que le nôtre, que le mien, que le leur. Et à ce titre je veux bien croire que nous vous sommes obligés. Mais je ne sais si nous saisissons, je ne sais si moi je saisis et ça m'étonnerait fort que mes confrères saisissent, le rapport entre ce monsieur et le but de votre récent voyage, Monsieur Louit, votre récent voyage si bref et — passez-moi l'expression — si dispendieux au littoral atlantique. Là-dessus Louit pour toute réponse, de sa main droite lancée en arrière, chercha la gauche de Monsieur Nackybal qu'il se rappelait avoir vu assis, avant de le perdre des yeux, docilement et décemment assis, un peu à sa droite et en retrait. Si je vous raconte tout cela avec un tel luxe de détails, Monsieur Graves, c'est qu'il m'est impossible, croyez-moi, malgré que j'en aie, et pour des raisons dont je vous ferai grâce, car elles me sont inconnues, de faire autrement. Les détails, Monsieur Graves, je les honnis, je les vomis, tout autant que vous, jardinier. Quand vous semez vos petits pois, quand vous semez vos haricots, quand vous semez vos pommes de terre, quand vous semez vos carottes, vos navets, vos panais et autres pivotantes, le faites-vous avec maniaquerie ? Que non, mais vivement vous creusez un sillon, aligné tant bien que mal, ni tout à fait droit, ni tout à fait tortueux, ou une série de trous, à des intervalles qui n'offusquent pas votre vieil œil fatigué, ou ne l'offusquent qu'un moment, le temps de les combler, et vous y laissez tomber la semence, l'esprit ailleurs, comme le prêtre dans la tombe la poussière ou la cendre, et vous ramenez la terre dessus, du bout de votre sabot probablement, en sachant que si la semence doit croître et multiplier, dix fois, quinze fois, vingt fois, vingt-cinq fois, trente fois, trente-cinq fois, quarante fois, quarante-cinq fois et jusqu'à cinquante fois, elle le fera, et que sinon elle ne le fera pas. Plus jeune, Monsieur Graves, nul doute que vous aviez recours au cordeau, au niveau, au litre en bois, au fil à plomb, et placiez vos petits pois, vos haricots, vos maïs, vos lentilles, par paquets de quatre, ou cinq, ou six, ou sept, non pas quatre dans un trou, et cinq dans un autre, et six dans un troisième, et sept dans un quatrième, non, mais dans chaque trou quatre, ou cinq, ou six, ou sept, et vos pommes de terre le germe en haut, et mélangiez vos graines de carotte et de navet, vos graines de radis et de panais, avec de la poussière, ou du sable, ou de la cendre, avant de les confier à la couche. Alors qu'aujourd'hui ! Et quand avez-vous renoncé, Monsieur Graves, au cordeau, au niveau, au litre en bois, au fil à plomb, et à placer et à étendre votre semence de la sorte, avant de la semer ? A quel âge, Monsieur Graves, et en quelles circonstances ?

Est-ce d'un seul coup, Monsieur Graves, que tout fut balayé, le cordeau, le niveau, le litre en bois, le fil à plomb, et qui sait quels autres adjuvants mécaniques, et la façon de placer, et la manière de mélanger, ou bien le cordeau d'abord, puis un peu plus tard le niveau, puis un peu plus tard le litre en bois, puis un peu plus tard le fil à plomb (dont j'avoue ne pas saisir l'utilité), puis un peu plus tard le plaçage pointilleux, puis enfin un peu plus tard le mélangeage méticuleux ? Ou est-ce par dépouillements successifs plus amples, Monsieur Graves, portant chacun sur plusieurs unités, que peu à peu vous avez atteint ce haut degré de liberté, où vous n'avez plus besoin que de semence, de terre, de fumier, d'eau et d'un bâton ? Mais la main gauche de Monsieur Nackybal n'était pas libre, la droite non plus, car de la première il soutenait le poids de sa masse maintenant en porte-à-faux extrême, pendant que de l'autre, invisible sous le kilt, il grattait en connaisseur, sans rudesse mais en appuyant, à travers le tissu échauffant quoique élimé de son caleçon d'hiver, un diffus prurit anoscrotal (vers ? nerfs ? hémorroïdes ? ou pire ?) vieux de soixante-quatre ans. Le faible raclement se faisait entendre du tranchant de la main qui allait et venait, allait et venait, et ces crissements, joints à la pose du corps comme en pâmoison de souffrance et à l'expression du visage, tendue, comblée, ébahie, expectante, induisirent à tel point le comité en erreur qu'il s'exclama, Quelle vitalité ! A son âge ! La vie au grand air ! La vie de garçon ! Ego autem ! (1) (Monsieur MacStern.) Mais voilà déjà que Monsieur Nackybal, s'étant procuré un temporaire soulagement, retira en se redressant la main droite de sous sa jupe et dans un geste caractéristique la promena, dos contre ses lèvres, plusieurs fois sous son nez. Puis

_____

(1) Locution latine signifiant à peu près : moi (ego) aussi (autem).

189

il reprit sa pose, la pose décente qu'avait rompue le brusque réveil de sa vieille affection, les mains sur les genoux, les vieilles mains poilues, noueuses et tavelées sur les vieux genoux nus, osseux et bleus, et avec l'air de celui qui se tourne vers un spectacle depuis longtemps familier, ou pour quelque autre raison dépourvue d'intérêt, se mit à regarder par la fenêtre, d'un œil terne qui semblait plutôt aux écoutes, le ciel bas soutenu çà et là par une coupole, un dôme, un toit, une flèche, un clocher, le faîte d'un arbre. Mais voilà que Louit, car le moment était venu, conduisit Monsieur Nackybal au pied du podium, le fixa affectueusement en plein visage, ou plus exactement en plein quart de visage, soit à peu près affectueusement en pleine oreille, car plus Louit tournait vers Monsieur Nackybal son visage, son plein visage affectueux, plus Monsieur Nackybal détournait le sien, ruine brique envahie de poils, et dit, d'une voix forte, lente et solennelle, Quatre cent trente-huit mille neuf cent soixante-seize. Ce fut alors que Monsieur Nackybal à la surprise générale, détacha du ciel ses yeux dociles, stupides, liquides, exorbités, pour les poser sur Monsieur Fitzwein qui au bout d'un moment s'exclama, encore à la surprise générale, Une gazelle ! Une brebis ! Une vieille brebis ! Monsieur de Baker, dit Louit, auriez-vous l'obligeance de noter soigneusement tout ce que je dirai, et tout ce que dira mon ami ici présent, dorénavant ? Mais comment donc, Monsieur Louit, dit Monsieur de Baker. Je vous suis très obligé, Monsieur de Baker, dit Louit. Voyons, voyons, de rien, Monsieur Louit, dit Monsieur de Baker. Je peux donc compter sur vous, Monsieur de Baker, dit Louit. Sans faute, Monsieur Louit, sans faute, dit Monsieur de Baker. Vous êtes trop aimable, Monsieur de Baker, dit Louit. Bah ! vous voulez rire, Monsieur Louit, dit Monsieur de Baker. Une chèvre ! Une vieille bique ! s'écria Monsieur Fitzwein. Grâce à vous j'ai maintenant l'esprit tranquille, Monsieur de Baker, dit Louit. Pas un autre mot, Monsieur Louit, dit

Monsieur de Baker, pas un mot de plus. Et en même temps allégé d'un grand poids, Monsieur de Baker, dit Louit. Sa prunelle se coule jusqu'au tréfonds de mon âme, dit Monsieur Fitzwein. De son quoi ? dit Monsieur O'Meldon. De son âme, dit Monsieur Magershon. Ciel, qu'est-ce que c'est que ça ? s'exclama Monsieur MacStern. Que croyez-vous que ce soit ? L'Angélus ? dit Monsieur de Baker. Est-ce qu'on relève des choses pareilles, entre gens du monde ? dit Monsieur Magershon. Au moins ce fut franc, dit Monsieur O'Meldon. Je peux donc poursuivre sans crainte, Monsieur de Baker ? dit Louit. Sans la moindre, Monsieur Louit, dit Monsieur de Baker, pour ma part en ce qui me concerne. Et l'emmaillotte comme avec des bandelettes humides, dit Monsieur Fitzwein. Dieu vous bénisse, Monsieur de Baker, dit Louit. Et vous alors, Monsieur Louit, dit Monsieur de Baker. Non non, vous, Monsieur de Baker, vous, dit Louit. Mais volontiers, Monsieur Louit, moi, si vous insistez, mais vous aussi, dit Monsieur de Baker. Vous voudriez que Dieu nous bénisse tous les deux, Monsieur de Baker ? dit Louit. Diable, dit Monsieur de Baker. Son visage me dit quelque chose, dit Monsieur Fitzwein. Tom ! s'écria Louit. Monsieur Nackybal se tourna à l'appel, présentant à Louit un visage empreint d'inquiétude. Bah, dit Louit, le moment décisif est venu. Puis d'une voix forte, Quatre cent trente-huit mi — . Mais quoi ? dit Monsieur Fitzwein. Quatre cent trente-huit mille, vociféra Louit, neuf cent soixante-seize. Hé ? dit Monsieur Nackybal. Avez-vous pris note, Monsieur de Baker ? dit Louit. Mais parfaitement, Monsieur Louit, dit Monsieur de Baker. Auriez-vous l'obligeance de répéter, Monsieur de Baker ? dit Louit. Mais certainement, Monsieur Louit, dit Monsieur de Baker, je répète : Monsieur Louit : Quatre cent trente-huit mille neuf cent soixante-treize ; Monsieur Nack —. Quatre cent trente-huit mille neuf cent soixante-*seize,* dit Louit, non pas soixante-*treize,* soixante-*seize.* Oh je vous demande pardon, Monsieur

Louit, dit Monsieur de Baker, j'ai entendu soixante-*treize*.
J'ai dit soixante-*seize,* Monsieur de Baker, dit Louit, et
avec netteté il me semble. Comme c'est drôle, dit Monsieur de Baker, j'ai nettement entendu soixante-*treize*. Il
ajouta, Et vous, Monsieur MacStern, qu'avez-vous entendu ? J'ai entendu soixante-*seize,* avec la plus grande
netteté, dit Monsieur MacStern. Vous m'en direz tant,
dit Monsieur de Baker. Le s siffle encore dans mes
oreilles, dit Monsieur MacStern. Et vous, Monsieur O'Meldon ? dit Monsieur de Baker. Et moi quoi ? dit Monsieur O'Meldon. Avez entendu quoi, soixante-*seize* ou
soixante-*treize* ? dit Monsieur de Baker. Et vous, Monsieur
de Baker, qu'avez-vous entendu ? dit Monsieur O'Meldon.
Soixante-*treize,* dit Monsieur de Baker. Soixante quoi ? dit
Monsieur O'Meldon. Soixante-TRRREIZE, dit Monsieur de
Baker. Naturellement, dit Monsieur O'Meldon. A la bonne
heure, dit Monsieur de Baker. J'ai dit soixante-*seize,* dit
Louit. Soixante quoi ? dit Monsieur Magershon. Soixante-SSSEIZE, dit Louit. C'est bien ce que j'ai pensé, dit Monsieur Magershon. Sans en être sûr, dit Monsieur de Baker.
Evidemment, dit Monsieur Magershon. Et vous, Monsieur le
Président ? dit Monsieur de Baker. Hé ? dit Monsieur Fitzwein. Je dis, Et vous, Monsieur le Président ? dit Monsieur
de Baker. Je ne vous suis pas, Monsieur de Baker, dit Monsieur Fitzwein. Est-ce soixante-*seize* que vous avez entendu,
dit Monsieur de Baker, ou soixante-*treize* ? J'ai entendu quarante-six, dit Monsieur Fitzwein. J'ai dit *soixante-seize,* dit
Louit. On vous croit, Monsieur Louit, on vous croit, dit
Monsieur Magershon. Voulez-vous rectifier, Monsieur de
Baker, dit Louit. Mais certainement avec joie, dit Monsieur
de Baker. Je vous remercie infiniment, Monsieur de Baker,
dit Louit. Vous plaisantez, Monsieur Louit, dit Monsieur de
Baker. Qu'est-ce que ça donne à présent ? dit Louit. Ça
donne, dit Monsieur de Baker, ceci : Monsieur Louit : Quatre cent trente-huit mille neuf cent soixante-seize ; Monsieur

Nackybal : Hé ? A-t-il votre permission de s'asseoir ? dit
Louit. Qui ? dit Monsieur Magershon. La station debout le
fatigue, dit Louit. Où ai-je déjà vu ce visage ? dit Monsieur
Fitzwein. Ça va durer encore longtemps ? dit Monsieur Mac-
Stern. Il entend mieux assis, dit Louit. Qu'il se couche, s'il
le désire, dit Monsieur Fitzwein. Louit aida Monsieur Nackybal à se coucher et s'agenouilla à côté de lui. Tom, tu
m'entends ? s'écria-t-il. Oui chef, dit Monsieur Nackybal.
Quatre-cent trente-huit mille neuf cent soixante-seize, s'écria
Louit. Un instant que je note, dit Monsieur de Baker. Un
instant passa. Allez-y, dit Monsieur de Baker. Réponds !
s'écria Louit. Septante-six, dit Monsieur Nackybal. Septante-
six ? dit Monsieur de Baker. Peut-être qu'il veut dire
soixante-seize, dit Monsieur O'Meldon. Il veut dire soixante-
seize ? dit Monsieur Fitzwein. Il l'a dit, dit Louit. Vous
m'en direz tant, dit Monsieur de Baker. Mon Dieu, dit Monsieur MacStern. Son quoi ? dit Monsieur O'Meldon. Son
Dieu, dit Monsieur Magershon. Auriez-vous la bonté de
relire, Monsieur de Baker, dit Louit. Relire ? dit Monsieur
de Baker. Ce que vous venez d'écrire, qu'on soit sûr que
c'est juste, dit Louit. Vous n'êtes pas d'un naturel confiant,
Monsieur Louit, dit Monsieur de Baker. Il est essentiel que
le procès-verbal soit conforme, dit Louit. Il a raison, dit
Monsieur MacStern. Où dois-je commencer ? dit Monsieur
de Baker. Uniquement mes paroles et celles de mon ami,
dit Louit. Le reste ne vous intéresse pas ? dit Monsieur de
Baker. Non, dit Louit. Monsieur de Baker dit, En relisant
mes notes je trouve ce qui suit : Monsieur Louit : Tom, tu
m'entends ? Monsieur Nackybal : Oui chef. Monsieur Louit :
Quatre cent trente-huit mille neuf cent soixante-treize.
Monsieur Nack —. Soixante-seize, dit Louit. Vraiment, Monsieur de Baker, dit Monsieur Fitzwein. Combien de fois
faut-il vous le rabâcher ? dit Monsieur O'Meldon. Pensez à
vos soixante-seize printemps, dit Monsieur Magershon. Ha
ha, très joli, dit Monsieur de Baker. Monsieur Magershon

dit, N'y aurait-il pas intérêt peut-être, vu la nature un peu spéciale des chiffres — heu — en cause, si élevés, d'une telle complexité, à ce que notre trésorier — s'il y consent — se charge du procès-verbal, à titre exceptionnel. Oh qu'on ne voie pas là la moindre critique de notre archiviste dont les qualités d'archiviste hors ligne ne sont que trop connues de nous tous. Mais avec des chiffres pareils, si touffus, si ardus... peut-être... à titre tout à fait —. Non non, c'est impensable dit Monsieur Fitzwein. Monsieur MacStern dit, Et si notre ami voulait avoir la bonté de noter les chiffres, non pas en chiffres, mais en toutes lettres —. Oui oui, dit Monsieur Fitzwein, c'est à tenter. Qu'est-ce que ça change-rait ? dit Monsieur O'Meldon. Monsieur MacStern répondit, Mais de cette façon il n'aurait plus qu'à inscrire les mots qu'il entend, à la place de leurs équivalents chiffrés, ce qui exige une longue pratique, surtout s'agissant de nombres de cinq ou six lettres, pardon, chiffres je veux dire. C'est peut-être après tout une excellente idée, dit Monsieur Magershon. Auriez-vous cette bonté, Monsieur de Baker, par hasard ? dit Monsieur Fitzwein. Mais je ne procède jamais autrement, s'écria Monsieur de Baker, jamais ! Bon bon, je vous crois, dit Monsieur Fitzwein. En ce cas on ne voit pas de solu-tion, dit Monsieur Magershon. Errare humanum est (1), dit Louit. Merci, Monsieur Louit, dit Monsieur de Baker. Mais de rien, Monsieur de Baker, dit Louit. Merveilleux mer-veilleux ! s'exclama Monsieur O'Meldon. Qu'est-ce qui est merveilleux merveilleux ? dit Monsieur Fitzwein. Mais les deux nombres sont reliés, dit Monsieur O'Meldon, comme le cabe à sa rucine ! Le cabe à sa quoi ? dit Monsieur Fitz-wein. Et inversement ! dit Monsieur O'Meldon. Il veut dire le cube à sa racine, dit Monsieur MacStern. Et qu'est-ce que j'ai dit ? dit Monsieur O'Meldon. Le rube à sa cacine,

<hr>

(1) Locution latine signifiant à peu près : errer (errare) humain (huma num) est (est).

ha ha, dit Monsieur de Baker. Qu'est-ce que ça veut dire, le cube à sa racine ? dit Monsieur Fitzwein. Ça ne veut rien dire, dit Monsieur MacStern. Comment ça ne veut rien dire ? dit Monsieur O'Meldon. Monsieur MacStern répondit, A sa combientième racine ? Un cube peut avoir une masse de racines. Comme le concombre géant d'Istambul, dit Monsieur Fitzwein. Pas tous les cubes, dit Monsieur O'Meldon. Qui vous parle de tous les cubes ? dit Monsieur MacStern. Pas ce cube-là, dit Monsieur O'Meldon. C'est vous qui le dites, dit Monsieur MacStern. Je nage, dit Monsieur Fitzwein. Et moi alors, dit Monsieur Magershon. Qu'est-ce qui est merveilleux merveilleux ? dit Monsieur Fitzwein. Monsieur O'Meldon répondit, Que Monsieur Ballynack —. Nackybal, dit Louit. Monsieur O'Meldon reprit, Que Monsieur Nackybal ait pu, de tête, dans le bref espace de trente-cinq ou quarante secondes, extirper la racine cubique d'un nombre de six chiffres. Monsieur MacStern dit, Quarante secondes ! Voici au moins cinq minutes qu'on entend parler de ce produit. Qu'est-ce qu'il y a là de si merveilleux ? dit Monsieur Fitzwein. Possible que notre président ait oublié, dit Monsieur MacStern. Deux est la racine cubique de huit, dit Monsieur O'Meldon. Vraiment, dit Monsieur Fitzwein. Oui, dit Monsieur O'Meldon, deux fois deux quatre et deux fois quatre huit. Ça alors, dit Monsieur Fitzwein, deux est la racine cubique de huit. Oui, et huit est le cube de deux, dit Monsieur O'Meldon. Huit est le cube de deux, dit Monsieur Fitzwein. Voilà, dit Monsieur O'Meldon. Qu'est-ce qu'il y a là de si merveilleux ? dit Monsieur Fitzwein. Monsieur O'Meldon répondit, Que deux soit la racine cubique de huit, et huit le cube de deux, il y a belle lurette que cela ne nous étonne plus. Ce qui est étonnant, c'est que Monsieur Nallyback ait pu, de tête, en si peu de temps, extirper la racine cubique d'un nombre de six chiffres. Oh, dit Monsieur Fitzwein. Est-ce donc si difficile ? dit Monsieur Magershon. Impossible, dit Monsieur MacStern. Eh ben, dit

Monsieur Fitzwein. Un exploit encore jamais réalisé par l'homme, dit Monsieur O'Meldon, et une seule fois par un cheval. Un cheval ! s'exclama Monsieur Fitzwein. Un épisode du Kulturkampf, dit Monsieur O'Meldon. Ah je vois, dit Monsieur Fitzwein. Louit ne cacha pas sa satisfaction. Monsieur Nackybal gisait sur le flanc et semblait dormir. Mais Monsieur Nackybal n'est pas un cheval, dit Monsieur Fitzwein. Loin de là, dit Monsieur O'Meldon. Vous êtes sûr de ce que vous avancez ? dit Monsieur Magershon. Non, dit Monsieur O'Meldon. C'est louche, dit Monsieur MacStern. Je proteste, dit Louit. Contre quoi ? dit Monsieur Fitzwein. Contre le mot louche, dit Louit. Prenez-en note, Monsieur de Baker, dit Monsieur Fitzwein. Louit sortit une feuille de papier de sa poche et la passa à Monsieur O'Meldon. Mon Dieu, qu'est-ce que vous me donnez là, Monsieur Louit ? dit Monsieur O'Meldon. Une liste de cubes parfaits, dit Louit, de six chiffres et au-dessous, quatre-vingt-dix-neuf au total, avec les racines cubiques correspondantes. Et que voulez-vous que j'en fasse, Monsieur Louit ? dit Monsieur O'Meldon. Que vous mettiez mon ami à l'épreuve, dit Louit. Oh, dit Monsieur Fitzwein. En mon absence, puisque vous doutez de notre bonne foi, dit Louit. Allons allons, Monsieur Louit, dit Monsieur Magershon. Déshabillez-le, bandez-lui les yeux, mettez-moi dehors, dit Louit. Vous oubliez la télépathie, ou transmission de pensée, dit Monsieur MacStern. Louit dit, Masquez les cubes en demandant les cubes des racines, masquez les racines en demandant les racines des cubes. Qu'est-ce que ça changera ? dit Monsieur O'Meldon. Vous ne saurez pas la réponse avant lui, dit Louit. Monsieur Fitzwein quitta la salle, suivi de ses aides. Louit secoua Monsieur Nackybal et l'aida à se lever. Monsieur O'Meldon revint, le papier de Louit à la main. Je peux le garder jusqu'à demain, Monsieur Louit ? dit-il. Toute la vie, dit Louit. Bonsoir à tous les deux, dit Monsieur O'Meldon. Bonsoir, Monsieur O'Meldon, dit

Louit. Il ajouta, Tom, dis bonsoir gentiment à Monsieur O'Meldon, dis, Bonsoir, Monsieur O'Meldon. Soir, dit Monsieur Nackybal. Charmant charmant, dit Monsieur O'Meldon. Il s'en alla, suivi peu après de Louit et de Monsieur Nackybal, bras dessus bras dessous. La salle à présent vide s'emplit bientôt de l'ombre du soir. Nature. Un appariteur apparut, alluma, rangea les chaises, s'assura que tout était en état, éteignit et disparut, laissant la vaste salle dans l'obscurité, car la nuit était tombée, encore une fois. Eh bien, Monsieur Graves, croyez-moi si vous voulez, le lendemain à la même heure, au même endroit, dans l'immense et haute salle inondée à présent de lumière, les mêmes personnes se réunirent et Monsieur Nackybal fut soumis à un test sévère, en matière d'élévation aussi bien que d'extraction, à partir de la table fournie par Louit. Les précautions préconisées par Louit furent adoptées, à ceci près que Louit ne fut pas mis dehors, mais posté le dos à la salle devant la fenêtre ouverte, et que Monsieur Nackybal se vit autoriser à garder une grande partie de ses sous-vêtements. De cette épreuve ardue Monsieur Nackybal se tira avec honneur, ne s'étant trompé et encore de peu sur les quarante-six cubes demandés que vingt-cinq fois et sur les cinquante-trois extractions proposées n'ayant commis que la bagatelle de quatre erreurs insignifiantes. L'intervalle entre question et réponse, tantôt bref, tantôt allant jusqu'à une minute, était en moyenne, au dire de Monsieur O'Meldon, qui s'était muni de son chronomètre, d'un peu plus de trente-quatre et d'un peu moins de trente-cinq secondes. Une fois Monsieur Nackybal s'abstint de répondre. Un ange passa. Monsieur O'Meldon, les yeux sur la feuille, venait d'annoncer, Six cent cinquante-huit mille quatre cent treize. Il s'écoula une minute, une minute un quart, une minute et demie, une minute trois quarts, deux minutes, deux minutes un quart, deux minutes et demie, deux minutes trois quarts, trois minutes, trois minutes un quart, trois minutes et demie, trois minutes trois quarts, et toujours pas de réponse de Monsieur Nackybal ! Allons allons, Monsieur, dit Monsieur O'Meldon avec aigreur, Six cent cinquante-huit mille quatre cent treize. Et toujours pas de réponse de Monsieur Nackybal ! De deux choses l'une, dit Monsieur Magershon, ou bien il sait ou bien il ne sait pas. Là Monsieur de Baker rit aux larmes. Monsieur Fitzwein dit, Si vous n'entendez pas, dites que vous n'entendez pas, si vous ne savez pas, dites que vous ne savez pas, on n'a pas toute la nuit à perdre. Louit se retourna et dit, Ce nombre est-il sur la liste ? Silence, Monsieur Louit, dit Monsieur Fitzwein. Ce nombre est-il sur la liste ? tonna Louit, avançant d'un pas, le visage soudain blême de colère, de livide qu'il avait été. J'accuse le Trésorier, dit-il, dardant son index vers ce monsieur, comme s'il y avait deux, ou trois, ou quatre, ou cinq, ou même six trésoriers dans la salle au lieu d'un seul, d'avoir annoncé un nombre qui n'est pas sur la liste et n'a pas plus de racine cubique que mon cul. Monsieur Louit ! s'écria Monsieur Fitzwein. Son quoi ? dit Monsieur O'Meldon. Son cul, dit Monsieur Magershon. Je l'accuse, dit Louit, d'avoir essayé froidement, avec une malveillance calculée, de brimer et d'égarer un vieillard qui, par amitié pour moi, fait de son mieux pour... pour... qui fait de son mieux. Mécontent de cette faible péroraison Louit ajouta, J'appelle ça l'acte d'un — , — , — , — , — , — , — , — , — —, soit en clair une bordée d'injures si grossières qu'un homme moins doux de caractère que Monsieur O'Meldon s'en serait certainement formalisé, tant elles étaient grossières et véhémentes. Mais le caractère de Monsieur O'Meldon était d'une telle douceur que lorsque Monsieur Fitzwein se leva, et avec colère déclara la séance levée, Monsieur O'Meldon se leva aussi et calma Monsieur Fitzwein, en lui expliquant que c'était lui et lui seul le coupable, pour avoir pris un zéro pour un un et non pas pour un zéro, comme il aurait dû. Mais vous ne l'avez pas fait de propos dé — dé — délibéré, dit Monsieur Fitzwein, et avec prémé — mé — méditation. Il s'ensuivit un silence qui se prolongea jusqu'à ce que Monsieur O'Meldon, baissant la tête, et la balançant lentement de droite et de gauche, et se dandinant d'une jambe sur l'autre, répondît enfin, Oh non non non non non, le ciel m'est témoin que non. En ce cas, dit Monsieur Fitzwein, je dois demander à Monsieur Lingard de vous faire des excuses. Oh non non non non non, pas d'excuses, s'écria Monsieur O'Meldon. Monsieur Lingard ? dit Monsieur Magershon. J'ai dit Monsieur Lingard ? dit Monsieur Fitzwein. Dame, dit Monsieur Magershon. Où avais-je donc la tête ? dit Monsieur Fitzwein. Ma mère est née Lingard, dit Monsieur MacStern. En effet, dit Monsieur Fitzwein, je m'en souviens, une femme exquise. Elle est morte en me donnant le jour, dit Monsieur MacStern. Mettez-vous à sa place, dit Monsieur de Baker. Exquise exquise, dit Monsieur Fitzwein. La démonstration terminée, ce fut l'heure des questions. Derrière les baies occidentales de la vaste salle flamboyait le rouge soleil d'hiver, déjà bas sur l'horizon, faisant frémir l'air captif de ses furieux rayons derniers, pendant que par les ouvertures opposées ou orientales arrivait le murmure, faible et apaisant, des innombrables clairons de la nuit. C'était l'heure des questions. Et la racine quatrième ? dit Monsieur Fitzwein, se piquant au jeu. Louit répondit. Et la racine cinquième ? dit Monsieur Fitzwein. Ainsi de suite. Rose et sombre, adieu et avé, s'affrontaient confondus, vainqueur, vaincu, vaincu, vainqueur, dans la vaste salle indifférente. Et la racine treizième ? dit Monsieur Fitzwein. Pitié ! dit Monsieur Magershon. Vous dites ? dit Monsieur Fitzwein. Pitié, dit Monsieur Magershon. De quoi vous mêlez-vous ? dit Monsieur Fitzwein. Messieurs messieurs, dit Monsieur MacStern. Monsieur O'Meldon leva le nez de son papier et dit, Monsieur Louit, en examinant de près ces colonnes de chiffres j'ai pu constater que l'une, ou colonne racines, ne comporte aucun nombre de plus de deux chiffres, et l'autre, ou colonne cubes, aucun de plus de six. Colonne cubes ! s'écria Monsieur Mac-Stern. Qu'est-ce qui ne va pas maintenant ? dit Monsieur Fitzwein. Comme c'est beau, dit Monsieur MacStern. Vous êtes d'accord, Monsieur Louit ? dit Monsieur O'Meldon. Je suis fermé à la musique, dit Louit. Je ne parle pas de ça, dit Monsieur O'Meldon. De quoi parleriez-vous ? dit Monsieur Fitzwein. Je parle, dit Monsieur O'Meldon, d'une part de l'absence dans l'une des colonnes, ou colonne racines, de tout nombre de plus de deux chiffres, et de l'autre, dans l'autre, ou colonne cubes, de l'absence de tout nombre de plus de six chiffres. Est-ce que je me trompe, Monsieur Louit ? Vous avez la liste sous les yeux, dit Louit. Colonne racines, c'est joli aussi, non ? dit Monsieur de Baker. Oui, mais moins que colonne cubes, dit Monsieur MacStern. Peut-être, dit Monsieur de Baker, un peu moins peut-être, mais guère. Monsieur de Baker chanta :

> Colonne cubes dit à colonnes racines,
> Que veux-tu boire, ma chère ?
> Colonne cubes dit à colonne racines,
> Que veux-tu boire, ma chère ?
> Colonne cubes dit à colonne racines,
> Que veux-tu boire, ma chère ?
> Je boirais bien un pot, dit colonne racines,
> De ton extrait mortuaire.

Hahahaha, haha, ha, hum, dit Monsieur de Baker. Pas d'autres questions, dit Monsieur Fitzwein, avant que je rentre me coucher ? J'en soulevais une, dit Monsieur O'Meldon, quand on m'a interrompu. Peut-être qu'il pourrait reprendre là où il s'est arrêté, dit Monsieur Magershon. La question que je soulevais, dit Monsieur O'Meldon, quand on m'a interrompu, est celle-ci : en examinant de près ces colonnes de chiffres j'ai pu constater que l'une, ou — . Il l'a déjà dit deux fois, dit Monsieur MacStern. Sinon trois, dit Monsieur de Baker. Monsieur Magershon dit, Reprenez là où vous vous êtes arrêté, non pas là où vous avez commencé. Où êtes-vous comme la chenille de Darwin ? La quoi de qui ? dit Monsieur de Baker. La chenille de Darwin, dit Monsieur Magershon. Qu'est-ce qu'elle avait qui n'allait pas ? dit Monsieur MacStern. Elle avait ceci, dit Monsieur Magershon, que lorsqu'elle filait son enveloppe, si on la dérangeait — . Sommes-nous ici pour parler chenilles ? dit Monsieur O'Meldon. Soulevez votre question pour l'amour de Dieu, dit Monsieur Fitzwein, que j'aille retrouver ma femme. Il ajouta, Et mes enfants. La question que j'étais en train de soulever, dit Monsieur O'Meldon, quand on m'a si grossièrement interrompu, est celle-ci : si dans la colonne de gauche, ou colonne racines, il y avait des nombres non plus de deux chiffres au plus, mais de trois chiffres, voire de quatre chiffres, pour nous en tenir là, alors dans la colonne de droite, ou colonne cubes, il y aurait des nombres non plus de six chiffres au plus, mais de sept, huit, neuf, dix, onze, voire douze chiffres. Un silence s'ensuivit. Oui ou non, Monsieur Louit ? dit Monsieur O'Meldon. C'est probable, dit Louit. Alors pourquoi, dit Monsieur O'Meldon, se penchant en avant et écrasant son poing sur la table, pourquoi n'y en a-t-il pas ? Pourquoi n'y a-t-il pas quoi ? dit Monsieur Fitzwein. Ce que je viens de dire, dit Monsieur O'Meldon. Pitié, dit Monsieur Magershon. C'est-à-dire ?, dit Monsieur Fitzwein. Monsieur O'Meldon répondit, D'une part, dans l'une des colonnes — . Ou colonne racines, dit Monsieur de Baker. Monsieur O'Meldon reprit, Des nombres de trois chiffres, voire de — . Pour nous en tenir là, dit Monsieur MacStern. Monsieur O'Meldon reprit, Et de l'autre, dans l'autre — . Ou colonne cubes, dit Monsieur Magershon. Monsieur O'Meldon reprit, Des nombres de sept — . Huit, dit Monsieur de Baker. Neuf, dit Monsieur MacStern. Dix, dit

Monsieur Magershon. Onze, dit Monsieur de Baker. Voire douze, dit Monsieur MacStern. Chiffres, dit Monsieur Magersshon. Pourquoi y en aurait-il ? dit Monsieur Fitzwein. Petit à petit l'oiseau, dit Louit. Dois-je donc supposer, Monsieur Louit, dit Monsieur O'Meldon, que si je demandais à cet individu la racine cubique de mettons — il se pencha sur son papier — mettons neuf cent soixante-treize millions deux cent cinquante-deux mille deux cent soixante et onze, il ne serait pas capable de la fournir ? Pas ce soir, dit Louit. Ou, poursuivit Monsieur O'Meldon, consultant de nouveau son papier, Neuf cent quatre-vingt-dix-huit billions sept cents millions cent vingt-neuf mille neuf cent quatre-vingt-dix-neuf, par exemple. Pas en ce moment, une autre fois, dit Louit. Aha, dit Monsieur O'Meldon. Votre question est-elle soulevée à présent ? dit Monsieur Fitzwein. Elle l'est, dit Monsieur O'Meldon. A la bonne heure, dit Monsieur Fitzwein. Vous nous expliquerez ça plus tard, dit Monsieur Magershon. Ou ai-je déjà vu ce visage ? dit Monsieur Fitzwein. Une dernière chose, dit Monsieur MacStern. Le soleil s'est couché, au ponant, dit Monsieur de Baker, tournant la tête, étendant le bras, dans cette direction. Alors les autres de se tourner aussi, pour fixer d'un long regard l'endroit où, voilà un instant à peine, le soleil était. Mais Monsieur de Baker, d'une brusque virevolte, désigna la direction opposée, en disant, Pendant qu'au levant la nuit tombe, à grands pas. Alors les autres de se retourner aussi, face à ces fenêtres luisantes, au ciel gris foncé en bas, gris plus clair en haut. Car la nuit semblait moins tomber que se lever, tel un jour nouveau. Mais comme à la fosse, Monsieur Graves, à la fosse pas encore comblée, ou au véhicule s'ébranlant avec la bien-aimée, je dis bien, au véhicule s'ébranlant avec la bien-aimée, en soupirant ils s'arrachèrent lentement à la nuit enfin, et Monsieur Fitzwein se mit à rassembler vivement ses papiers, car dans cette lumière finissante il avait retrouvé l'endroit, l'endroit ancien où déjà il avait vu ce visage, puis se leva et quitta rapidement la salle (comme s'il avait pu quitter rapidement la salle sans se lever), suivi plus mollement de ses aides dans l'ordre suivant, d'abord Monsieur O'Meldon, puis Monsieur MacStern, puis Monsieur de Baker, et enfin Monsieur Magershon, au gré du hasard, ou d'une autre force quelconque. Puis Monsieur O'Meldon, s'attardant pour serrer la main à Louit, et pour appliquer une tape sur le crâne de Monsieur Nackybal, tape preste que sournoisement aussitôt il essuya sur le fond de son pantalon, fut rattrapé et dépassé, d'abord par Monsieur MacStern, puis par Monsieur de Baker, et enfin par Monsieur Magershon. Puis Monsieur MacStern, s'immobilisant pour mieux formuler cette dernière chose, fut rattrapé et dépassé, d'abord par Monsieur de Baker, puis par Monsieur Magershon. Puis Monsieur de Baker, se baissant pour renouer son lacet qui s'était défait, à la manière des lacets, fut rattrapé et dépassé par Monsieur Magershon qui continua sur son erre, lent et solitaire, comme dans une histoire de Poe, vers la porte, et l'aurait assurément atteinte, et même franchie, sans une pensée subite qui le figea sur place, au milieu d'un pas, en équilibre précaire sur la plante gauche et les orteils droits, image même de la consternation bipède. Voilà donc renversé l'ordre dans lequel, à la suite de Monsieur Fitzwein, déjà sur l'impériale du tram numéro onze, ils s'étaient élancés, si bien que le premier était dernier, et le dernier premier, et le deuxième troisième, et le troisième deuxième, et que là où l'on avait pu voir, par ordre de marche, Monsieur O'Meldon, Monsieur MacStern, Monsieur de Baker et Monsieur Magershon, on voyait maintenant, étonné, baissé, songeur, saluant, Monsieur Magershon, Monsieur de Baker, Monsieur MacStern et Monsieur O'Meldon. Mais à peine Monsieur O'Meldon, cessant de saluer, eut-il repris sa marche vers Monsieur MacStern que Monsieur MacStern, cessant de songer, reprit sa marche, accompagné de Monsieur O'Meldon, vers Monsieur de Baker. Mais à peine Monsieur O'Meldon et Monsieur MacStern, ayant cessé le premier de saluer, le deuxième de songer, eurent-ils repris ensemble leur marche vers Monsieur de Baker que Monsieur de Baker, cessant de se baisser, reprit sa marche, accompagné de Monsieur O'Meldon et de Monsieur MacStern, vers Monsieur Magershon. Mais à peine Monsieur O'Meldon et Monsieur MacStern et Monsieur de Baker, ayant cessé le premier de saluer, le deuxième de songer, le troisième de se baisser, eurent-ils repris ensemble leur marche vers Monsieur Magershon que Monsieur Magersshon, cessant de s'étonner, reprit sa marche, accompagné de Monsieur O'Meldon et de Monsieur MacStern et de Monsieur de Baker, vers la porte. Ainsi à travers la porte, après la coagulation de rigueur, les dérobades, les reculades, les écartades, les bousculades, et par le petit palier, et par le noble escalier, et jusque dans la cour débordante de nuit, un à un ils passèrent, Monsieur MacStern, Monsieur O'Meldon, Monsieur Magershon et Monsieur de Baker, dans cet ordre, selon les exigences du hasard, ou d'une autre puissance quelconque. Ainsi celui qui avait été en premier premier, et en deuxième dernier, maintenant était deuxième, et celui qui avait été en premier deuxième, et en deuxième troisième, maintenant était premier, et celui qui avait été en premier troisième, et en deuxième deuxième, maintenant était dernier, et celui qui avait été en premier dernier, et en deuxième premier, maintenant était troisième. Et peu après Monsieur Nackybal se leva, remit ses vêtements de dessus et s'en alla. Et peu après Louit s'en alla. Et comme Louit descendait l'escalier il croisa l'appariteur Power, moins aigre-doux que doux-amer, qui montait. Et comme ils se croisaient l'appariteur ôta sa casquette et Louit sourit. Et bien leur en prit. Car si Louit n'avait souri, alors Power n'aurait pas ôté sa casquette, et si Power n'avait ôté sa casquette, alors Louit n'aurait pas souri. Mais ils se seraient croisés, chacun poursuivant sa voie, Louis vers le bas, Power vers le haut, l'un impassible, l'autre couvert. Or le lendemain — .

Mais ici Arthur parut se lasser de son histoire, car il quitta Monsieur Graves et rentra dans la maison. Watt s'en réjouit, car lui aussi était las, de l'histoire d'Arthur, qu'il avait écoutée avec la plus grande attention. Et c'est sans mentir qu'il pouvait dire, comme il le faisait longtemps après, que de tout ce qu'il avait vu et entendu, pendant son séjour chez Monsieur Knott, il n'avait rien vu aussi clairement, rien entendu aussi nettement, qu'Arthur et Monsieur Graves par cet après-midi doré, sur la pelouse, et Louit, et Monsieur Nackybal, et Monsieur O'Meldon, et Monsieur Magershon, et Monsieur Fitzwein, et Monsieur de Baker, et Monsieur MacStern, et tout ce qu'ils avaient fait, et tout ce qu'ils avaient dit. Il avait tout compris aussi, très bien, même s'il ne pouvait garantir l'exactitude des chiffres, qu'il ne s'était pas donné la peine de vérifier, n'ayant pas la bosse des racines. Et s'il ne rapportait pas mot pour mot les propos tenus par Arthur, par Louit, par Monsieur Nackybal et par les autres, il ne s'en fallait pas de beaucoup. Il y prit plaisir aussi, à cet incident, tant qu'il dura, plus qu'il n'en avait pris à rien, depuis longtemps, plus qu'avant longtemps à rien il n'allait en prendre. Mais il finit par s'en lasser et vit avec satisfaction Arthur s'interrompre, et s'en aller. Puis Watt descendit, de son mamelon, songeant combien il ferait bon de retrouver l'ombre fraîche de la maison, devant un verre de lait. Mais il répugnait, à vrai dire sans motif, à laisser Monsieur Knott tout seul dans le jardin. Puis il vit s'agiter les branches d'un arbre et Monsieur Knott qui descendait parmi elles, on aurait dit presque de branche en branche, de plus en plus bas, jusqu'à toucher terre. Puis Monsieur Knott se dirigea vers la maison et Watt lui emboîta le pas, enchanté de son après-midi, sur le mamelon, et savourant à l'avance le bon verre de lait froid qu'il allait boire, au frais, à l'ombre, dans un instant. Et Monsieur

Graves restait seul, appuyé sur sa fourche, tout seul, pendant que les ombres s'allongeaient.

Watt apprit plus tard, de la bouche d'Arthur, que la narration de cette histoire, tant qu'elle dura, jusqu'à ce qu'Arthur s'en lasse, avait transporté Arthur loin de Monsieur Knott et de son domaine dont les mystères, la fixité, l'existence tout court, lui étaient par moments insupportables.

Arthur était bien brave, ouvert et sans malice, tout le contraire d'Erskine.

Dans un autre endroit, dit-il, à partir d'un autre endroit, peut-être qu'il aurait pu finir son histoire, révéler la véritable identité de Monsieur Nackybal (de son vrai nom Tisler, il pourrissait dans une chambre sur le canal!), expliquer sa méthode d'extraction mentale et relater les forfaits de Louit, sa chute et son ascension, grâce au trafic du Bando.

Mais dans le domaine de Monsieur Knott, à partir du domaine de Monsieur Knott, cela ne lui était pas possible, à Arthur.

Car si Arthur s'arrêta au milieu de son histoire, et se tut, ce n'est pas vraiment qu'il fût las de son histoire, car il ne l'était pas vraiment, c'est qu'il éprouvait le désir de revenir, de quitter Louit et de revenir, à la maison de Monsieur Knott, à ses mystères, à sa fixité. Car en rester absent plus longtemps lui était insupportable.

Mais dans un autre endroit, à partir d'un autre endroit, peut-être qu'il n'aurait jamais commencé cette histoire.

Car un endroit et un seul, là où était Monsieur Knott, recélait dans ses mystères, dans sa fixité, de quoi pousser l'âme dehors, d'une telle poussée.

Mais s'il avait commencé, dans un autre endroit, à partir d'un autre endroit, à raconter cette histoire, alors il l'aurait probablement finie.

Car un endroit et un seul, là où était Monsieur Knott, avait l'étrange propriété de pouvoir, ayant d'une telle poussée poussé l'âme dehors, la rappeler à lui, d'un tel rappel.

206

Watt prenait part à ce dilemme. N'avait-il pas lui aussi, au début, eu recours à de semblables faux-fuyants ?

En avait-il fini à présent ? Eh bien presque.

Fixité n'est pas le terme qu'il aurait employé.

Watt n'avait pas grand'chose à dire au sujet de la seconde ou dernière période de son séjour chez Monsieur Knott.

Au cours de la seconde ou dernière période du séjour de Watt chez Monsieur Knott les renseignements glanés par Watt, à ce sujet, étaient maigres.

De la nature de Monsieur Knott en particulier il continuait de tout ignorer.

Il y avait à cela de nombreuses et excellentes raisons dont deux au moins semblaient à Watt dignes d'être relevées : d'une part la pénurie des matériaux proposés à ses sens, de l'autre l'altération de ceux-ci. Le peu qu'il y avait à voir, à entendre, à sentir, à goûter, à toucher, comme frappé de stupeur il le voyait, l'entendait, le sentait, le goûtait, le touchait.

Dans le vide feutré, l'ombre close, de la vaste pièce réservée à la jouissance de Monsieur Knott et de son serviteur, Monsieur Knott demeurait. Et cette ambiance le suivait dehors et allait avec lui, partout où il allait, dans la maison, dans le jardin, assombrissant tout, affadissant tout, assourdissant tout, engourdissant tout, partout où il passait.

Les vêtements que portait Monsieur Knott, dans sa chambre, par sa maison, parmi son jardin, étaient d'une grande diversité, d'une très grande diversité. Tantôt lourds, tantôt légers ; tantôt habillés, tantôt négligés ; tantôt sobres, tantôt voyants ; tantôt décents, tantôt osés (son costume de bain sans jupette, par exemple). Et souvent il portait, au coin du feu, ou quand il errait par les chambres, les escaliers, les couloirs de sa demeure, un chapeau, ou une casquette, ou, emprisonnant son cheveu folâtre et rare, un filet. Et tout aussi souvent sa tête était nue.

Quant à ses pieds, tantôt il avait à chacun une chaussette, ou à l'un une chaussette et à l'autre un bas, ou un brodequin, ou un soulier, ou un chausson, ou une chaussette et un brodequin, ou une chaussette et un soulier, ou une chaussette et un chausson, ou un bas et un brodequin, ou un bas et un soulier, ou un bas et un chausson, ou rien du tout. Et tantôt il avait à chacun un bas, ou à l'un un bas et à l'autre un brodequin, ou un soulier, ou un chausson, ou une chaussette et un brodequin, ou une chaussette et un soulier, ou une chaussette et un chausson, ou un bas et un brodequin, ou un bas et un soulier, ou un bas et un chausson, ou rien du tout. Et tantôt il avait à chacun un brodequin, ou à l'un un brodequin et à l'autre un soulier, ou un chausson, ou une chaussette et un brodequin, ou une chaussette et un soulier, ou une chaussette et un chausson, ou un bas et un brodequin, ou un bas et un soulier, ou un bas et un chausson, ou rien du tout. Et tantôt il avait à chacun un soulier, ou à l'un un soulier et à l'autre un chausson, ou une chaussette et un brodequin, ou une chaussette et un soulier, ou une chaussette et un chausson, ou un bas et un brodequin, ou un bas et un soulier, ou un bas et un chausson, ou rien du tout. Et tantôt il avait à chacun un chausson, ou à l'un un chausson et à l'autre une chaussette et un brodequin, ou une chaussette et un soulier, ou une chaussette et un chausson, ou un bas et un brodequin, ou un bas et un soulier, ou un bas et un chausson, ou rien du tout. Et tantôt il avait à chacun une chaussette et un brodequin, ou à l'un une chaussette et un brodequin et à l'autre une chaussette et un soulier, ou une chaussette et un chausson, ou un bas et un brodequin, ou un bas et un soulier, ou un bas et un chausson, ou rien du tout. Et tantôt il avait à chacun une chaussette et un soulier, ou à l'un une chaussette et un soulier et à l'autre une chaussette et un chausson, ou un bas et un brodequin, ou un bas et un soulier, ou un bas et un chausson, ou rien du tout. Et tantôt il avait à chacun une chaussette et un chausson, ou à l'un une chaussette et un chausson et à l'autre un bas et un brodequin, ou un bas et un soulier, ou un bas et un chausson, ou rien du tout. Et tantôt il avait à chacun un bas et un brodequin, ou à l'un un bas et un brodequin et à l'autre un bas et un soulier, ou un bas et un chausson, ou rien du tout. Et tantôt il avait à chacun un bas et un soulier, ou à l'un un bas et un soulier et à l'autre un bas et un chausson, ou rien du tout. Et tantôt il avait à chacun un bas et un chausson, ou à l'un un bas et un chausson et à l'autre rien du tout. Et tantôt il allait pieds nus.

Penser, quand on n'est plus jeune, quand on n'est pas encore vieux, qu'on n'est plus jeune, qu'on n'est pas encore vieux, ce n'est peut-être pas rien. Faire une pause, vers la fin de sa journée de trois heures, et considérer : l'aise toujours plus sombre, la peine toujours plus claire ; le plaisir là encore parce qu'il fut, la douleur là déjà parce qu'elle sera ; l'acte joyeux devenu volontaire, en attendant de se faire acharné ; le halètement, le tremblement, vers l'être révolu, devant l'être à venir ; et le vrai qui ne l'est plus, et le faux qui ne l'est pas encore. Et décider de ne pas sourire après tout, assis à l'ombre à écouter les cigales, à réclamer la nuit, à réclamer le matin, à écouter le murmure, Non, ce n'est pas le cœur, non, ce n'est pas le foie, non, ce n'est pas la prostate, c'est musculaire, c'est nerveux. Puis la rage s'achève, ou elle continue, et l'on est au fond du trou, au-delà du désir du désir, de l'horreur de l'horreur, au fin fond du trou, au pied de toutes les pentes enfin, des chemins qui montent, des chemins qui descendent, et libre, libre enfin, pour un instant libre enfin, rien enfin.

Mais quoi qu'il choisît en se levant, car minuit le voyait toujours en chemise de nuit, quoi qu'il choisît alors, pour sa tête, pour son corps, pour ses pieds, il n'y touchait plus, mais le gardait toute la journée, dans sa chambre, par sa maison, parmi son jardin, jusqu'au moment où il mettait sa chemise de nuit, une fois de plus. Oui, pas question de toucher au moindre bouton, pour le boutonner ou le déboutonner, sauf nécessité naturelle, et là il ne boutonnait jamais, depuis le moment où il mettait ses vêtements, en les ajustant à sa convenance, jusqu'au moment où il les enlevait, encore une fois. Si bien qu'il n'était pas rare de le voir, dans sa chambre, par sa maison, parmi son jardin, en tenue bizarre et hors de saison, comme s'il n'avait pas conscience du temps qu'il faisait, ou de l'époque de l'année. Et le voir quelquefois ainsi, nu-pieds et accoutré pour le canotage, dans la neige, dans la gadoue, dans la bise glaciale de l'hiver, ou, l'été revenu, au coin du feu, chargé de fourrures, c'était se demander, Cherche-t-il à savoir de nouveau ce que c'est, le froid, le chaud ? Mais c'était là une impertinence anthropomorphique de courte durée.

Car sauf, primo, d'être sans besoin et, secundo, d'un témoin de son absence de besoin, Monsieur Knott n'avait besoin de rien, pour autant que Watt pût en juger.

S'il mangeait, et il mangeait copieusement ; s'il buvait, et il buvait abondamment ; s'il dormait, et il dormait profondément ; s'il faisait autre chose, et il faisait autre chose régulièrement, ce n'était pas par besoin de nourriture, ou de boisson, ou de sommeil, ou d'autre chose, non, mais par besoin d'être sans besoin, à tout jamais sans besoin, de nourriture, de boisson, de sommeil et d'autre chose.

Ce fut là, de la part de Watt, sur le compte de Monsieur Knott, la première conjecture non dépourvue d'intérêt.

Et Monsieur Knott n'ayant besoin de rien sinon, primo, d'être sans besoin et, secundo, d'un témoin de son absence de besoin, sur lui-même ne savait rien. D'où son besoin d'un témoin, non pas aux fins de savoir, non, mais aux fins de ne pas cesser.

Ce fut là, sur le compte de Monsieur Knott, de la part de Watt, la seconde et dernière hypothèse pas entièrement gratuite.

Hésitantes, défaillantes d'incertitude, elles franchirent à peine ses lèvres.

Son ton habituel était celui de l'assurance.

Mais quelle sorte de témoin était Watt, dont la vue déclinait, l'ouïe baissait, et même les sens autrement intimes laissaient sérieusement à désirer ?

Un témoin tout besoin, tout insuffisance.

Pour mieux témoigner et plus mal.

Pour en tant que besoin témoigner de son absence.

Pour en tant qu'insuffisance en témoigner mal.

Pour que sans jamais cesser Monsieur Knott aille sans cesse cessant.

Tel semblait être le système.

Quand Monsieur Knott circulait par sa maison il le faisait comme quelqu'un étranger aux lieux, tâtonnant à des portes immémorialement condamnées, regardant étonné par les fenêtres, trébuchant dans le noir de toujours, errant partout à la recherche des toilettes, se figeant perplexe au pied de l'escalier, se figeant perplexe en haut de l'escalier.

Quand Monsieur Knott circulait parmi son jardin il le faisait comme quelqu'un ignorant de ses beautés, tombant en arrêt devant les arbres, devant les fleurs, devant les buissons, devant les légumes, comme si leur création, ou la sienne, avait eu lieu dans la nuit.

Mais c'était dans sa chambre, même s'il lui arrivait de vouloir en sortir par la porte du placard, que Monsieur Knott semblait le moins perdu, et se montrait sous son meilleur jour.

Ici il se tenait immobile. Debout. Assis. A genoux. Couché. Ici il allait et venait. De la porte à la fenêtre, de la fenêtre à la porte ; de la fenêtre à la porte, de la porte à la fenêtre ; du feu au lit, du lit au feu ; du lit au feu, du feu au lit ; de la porte au feu, du feu à la porte ; du feu à la porte, de la porte au feu ; de la fenêtre au lit, du lit à la fenêtre ; du lit à la fenêtre, de la fenêtre au lit ; du feu à la fenêtre, de la fenêtre au feu ; de la fenêtre au feu, du feu à la fenêtre ; du lit à la porte, de la porte au lit ; de la porte au lit, du lit à la porte ; de la porte à la fenêtre, de la fenêtre au feu ; du feu à la fenêtre, de la fenêtre à la porte ; de la fenêtre à la porte, de la porte au lit ; du lit à la porte, de la porte à la fenêtre ; du feu au lit, du lit à la fenêtre ; de la fenêtre au lit, du lit au feu ; du lit au feu, du feu à la porte ; de la porte au feu, du feu au lit ; de la porte à la fenêtre, de la fenêtre au lit ; du lit à la fenêtre, de la fenêtre à la porte ; de la fenêtre à la porte, de la porte au feu ; du feu à la porte, de la porte à la fenêtre ; du feu au lit, du lit à la porte ; de la porte au lit, du lit au feu ; du lit au feu, du feu à la fenêtre ; de la fenêtre au feu, du feu au lit ; de la porte au feu, du feu à la fenêtre ; de la fenêtre au feu, du feu à la porte ; de la fenêtre au lit, du lit à la porte ; de la porte au lit, du lit à la fenêtre ; du feu à la fenêtre, de la fenêtre au lit ; du lit à la fenêtre, de la fenêtre au feu ; du lit à la porte, de la porte au feu ; du feu à la porte, de la porte au lit.

Cette chambre était meublée solidement et avec sobriété. Ce mobilier solide et sobre était soumis par Monsieur Knott à de fréquents changements de position, tant absolus que relatifs. Ainsi il n'était pas rare de voir le dimanche la commode debout près du feu, et la coiffeuse pieds en l'air près du lit, et la table de nuit sur le ventre près de la porte, et la table de toilette sur le dos près de la fenêtre ; et le lundi la commode sur le dos près du lit, et la coiffeuse sur le ventre près de la porte, et la table de nuit sur le dos près de la fenêtre, et la table de toilette debout près du feu ; et le mardi la commode sur le ventre près de la porte, et la coiffeuse sur le dos près de la fenêtre, et la table de nuit debout près du feu, et la table de toilette pieds en l'air près du lit ; et le mercredi la commode sur le dos près de la fenêtre, et la coiffeuse debout près du feu, et la table de nuit pieds en l'air près du lit, et la table de toilette sur le ventre près de la porte ; et le jeudi la commode sur le flanc près du feu, et la coiffeuse debout près du lit, et la table de nuit pieds en l'air près de la porte, et la table de toilette sur le ventre près de la fenêtre ; et le vendredi la commode debout près du lit, et la coiffeuse pieds en l'air près de la porte, et la table de nuit sur le ventre près de la fenêtre, et la table de toilette sur le flanc près du feu ; et le samedi la commode pieds en l'air près de la porte, et la coiffeuse sur le ventre près de la fenêtre, et la table de nuit sur le flanc près du feu, et la table de toilette debout près du lit ; et le dimanche suivant la commode sur le ventre près de la fenêtre, et la coiffeuse sur le flanc près du feu, et la table de nuit debout près du lit, et la table de toilette pieds en l'air près de la porte ; et le lundi suivant la commode sur le dos près du feu, et la coiffeuse sur le flanc près du lit, et la table de nuit debout près de la porte, et la table de toilette pieds en l'air près de la fenêtre ; et le mardi suivant la commode sur le flanc près du lit, et la coiffeuse debout près de la porte, et la table de nuit pieds en l'air près de la fenêtre, et la table de toilette sur le dos près du feu ; et le mercredi suivant la commode debout près de la porte, et la coiffeuse pieds en l'air près de la fenêtre, et la table de nuit sur le dos près du feu, et la table de toilette sur le flanc près du lit ; et le jeudi suivant la commode pieds en l'air près de la fenêtre, et la coiffeuse sur le dos près du feu, et la table de nuit sur le flanc près du lit, et la table de toilette debout près de la porte ; et le vendredi suivant la commode sur le ventre près du feu, et la coiffeuse sur le dos près du lit, et la table de nuit sur le flanc près de la porte, et la table de toilette debout près de la fenêtre ; et le samedi suivant la commode sur le dos près du lit, et la coiffeuse sur le flanc près de la porte, et la table de nuit debout près de la fenêtre, et la table de toilette sur le ventre près du feu ; et le dimanche suivant la commode sur le flanc près de la porte, et la coiffeuse debout près de la fenêtre, et la table de nuit sur le ventre près du feu, et la table de toilette sur le dos près du lit ; et le lundi suivant la commode debout près de la fenêtre, et la coiffeuse sur le ventre près du feu, et la table de nuit sur le dos près du lit, et la table de toilette sur le flanc près de la porte ; et le mardi suivant la commode pieds en l'air près du feu, et la coiffeuse sur le ventre près du lit, et la table de nuit sur le dos près de la porte, et la table de toilette sur le flanc près de la fenêtre ; et le mercredi suivant la commode sur le ventre près du lit, et la coiffeuse sur le dos près de la porte, et la table de nuit sur le flanc près de la fenêtre, et la table de toilette pieds en l'air près du feu ; et le jeudi suivant la commode sur le dos près de la porte, et la coiffeuse sur le flanc près de la fenêtre, et la table de nuit pieds en l'air près du feu, et la table de toilette sur le ventre près du lit ; et le vendredi suivant la commode sur le flanc près de la fenêtre, et la coiffeuse pieds en l'air près du feu, et la table de nuit sur le ventre près du lit, et la table de toilette sur le dos près de la porte, par exemple, pas du tout rare, pour considérer seulement, sur une période de vingt jours seulement, la commode, la coiffeuse, la table de nuit et la table de toilette, et leurs pieds, leurs ventres, leurs dos et leurs flancs non précisés, et le feu, le lit, la porte et la fenêtre, pas du tout rare.

Car les sièges aussi, pour ne parler que des sièges aussi, voyageaient sans cesse.

Car les encoignures aussi, pour ne parler que des encoignures aussi, étaient rarement dégagées.

Seul le lit donnait l'illusion de la fixité, le lit si sobre, le lit si solide, qu'il en était rond, et vissé au sol.

La tête de Monsieur Knott, les pieds de Monsieur Knott, à raison d'un déplacement de près d'un degré par nuit, bouclaient en douze mois le tour de cette couche solitaire. Son coccyx aussi, et appareil adjacent, accomplissaient leur petite révolution annuelle, comme en faisaient foi les draps (changés régulièrement à la Saint-Lazare) et même le matelas.

Des étranges agissements dans les étages, qui avaient tant préoccupé Watt pendant son séjour au rez-de-chaussée, nulle explication ne se présentait. Mais ils ne le préoccupaient plus.

De temps en temps Monsieur Knott disparaissait de sa chambre, laissant Watt tout seul. Un moment il était là, le moment d'après envolé. Mais Watt en ces occasions, à l'encontre d'Erskine, ne se sentait pas tenu de partir à sa recherche, dans les étages et au rez-de-chaussée, massacrant de ses pas le silence de la maison et importunant son collègue dans la cuisine, non, mais il demeurait tranquillement à sa place, ni tout à fait endormi, ni tout à fait éveillé, en attendant que Monsieur Knott revînt.

Watt ne souffrait ni de la présence de Monsieur Knott, ni de son absence. Quand il était avec lui il était content d'être avec lui, quand il était loin de lui il était content d'être loin de lui. Jamais avec soulagement, jamais à regret, il ne le quittait le soir, ni le matin ne le retrouvait.

Cette ataraxie s'étendait à la maison tout entière, au jardin de plaisance, au potager et bien sûr à Arthur.

De sorte que, venu pour Watt le moment du départ, il gagna la grille le plus sereinement du monde.

Mais il n'était pas plus tôt sur la voie publique qu'il fondit en larmes. Il se voyait encore, planté là, tête basse, un sac à chaque main, et ses larmes qui dégouttaient lentes et avares, pour se répandre sur la chaussée qui venait d'être refaite. Il n'aurait pas cru possible une chose pareille, s'il n'y avait assisté. De cette effusion, la source partie, il estimait que la route avait dû garder des traces pendant deux minutes au moins, sinon trois. Encore heureux que le temps fût au sec.

La chambre de Watt ne recélait aucun indice. C'était un réduit sordide et, quoique Watt ne fût pas exactement sale de sa personne, malodorant. L'unique fenêtre avait une belle vue sur un champ de courses. La peinture, ou reproduction en couleurs, ne livrait rien de plus. Au contraire, plus le temps passait, moins elle avait de sens.

De la voix de Monsieur Knott il n'y avait rien à tirer. Entre Monsieur Knott et Watt, aucune conversation. Il arrivait à Monsieur Knott, sans raison apparente, d'ouvrir la bouche pour chanter. Il usait de tous les registres mâles, de la basse au ténor, avec un bonheur égal. Il ne chantait pas bien, à l'avis de Watt, mais Watt avait entendu de pires chanteurs. La musique de ces chants était d'une monotonie extrême. Car à part de temps en temps une échappée discordante, aussi bien vers le haut que vers le bas, de la valeur d'une dixième, et même d'une onzième, la voix ne quittait plus la note sur laquelle, l'ayant choisie pour commencer, elle semblait contrainte de continuer, et finalement de conclure. Quant aux paroles de ces chants de deux choses l'une, ou bien elles ne signifiaient rien, ou bien elles dérivaient d'un idiome auquel Watt, linguiste plus que passable, n'avait pas accès. L'a ouvert prédominait, avec les explosives k et g. A noter aussi que Monsieur Knott parlait souvent tout seul, avec des accents et des gestes aussi variés que véhéments, mais le tout si bas que Watt ne percevait, de ses oreilles déficientes, qu'un babil confus et sauvage, dépourvu de sens. C'était là un bruit dont Watt finit par être très friand. Non qu'il fût triste quand il s'arrêtait, ni heureux quand il reprenait, non, mais tant qu'il durait il se sentait réjoui, comme par la pluie sur les bambous, ou même sur les joncs, comme par la terre contre les vives eaux, vouées à cesser, vouées à revenir. Monsieur Knott était sujet aussi à de solitaires éjaculations dactyliques d'une rare vigueur, assorties de spasmes des membres. Revenaient le plus souvent : Exelmans ! Cavendish ! Habbakuk ! Ecchymose !

Sur la question si importante de l'aspect physique de Monsieur Knott Watt n'avait malheureusement rien à dire, ou si peu. Car un jour il pouvait être grand, gros, pâle et brun, et le lendemain sec, petit, rougeaud et blond, et le lendemain râblé, moyen, jaune et roux, et le lendemain petit, gros, pâle et blond, et le lendemain moyen, rougeaud, sec et roux, et le lendemain grand, jaune, brun et râblé, et le lendemain gros, moyen, roux et pâle, et le lendemain grand, sec, brun et rougeaud, et le lendemain petit, blond, râblé et jaune, et le lendemain grand, roux, pâle et gros, et le lendemain sec, rougeaud, petit et brun, et le lendemain blond, râblé, moyen et jaune, et le lendemain brun, petit, gros et pâle, et le lendemain blond, moyen, rougeaud et sec, et le lendemain râblé, roux, grand et jaune, et le lendemain pâle, gros, moyen et blond, et le lendemain rougeaud, grand, sec et roux, et le lendemain jaune, petit, brun et râblé, et le lendemain gros, rougeaud, roux et grand, et le lendemain brun, sec, jaune et petit, et le lendemain blond, pâle, râblé et moyen, et le lendemain brun, rougeaud, petit et gros, et le lendemain sec, blond, jaune et moyen, et le lendemain pâle, râblé, roux et grand, et le lendemain rougeaud, blond, gros et moyen, et le lendemain jaune, roux, grand et sec, et le lendemain râblé, petit, pâle et brun, et le lendemain grand, gros, jaune et blond, et le lendemain petit, pâle, sec et roux, et le lendemain moyen, rougeaud, brun et râblé, et le lendemain gros, petit, roux et jaune, et le lendemain moyen, sec, brun et pâle, et le lendemain grand, blond, râblé et rougeaud, et le lendemain moyen, brun, jaune et gros, et le lendemain sec, pâle, grand et blond, et le lendemain roux, râblé, petit et rougeaud, et le lendemain brun, grand, gros et jaune, et le lendemain blond, petit, pâle et sec, et le lendemain râblé, roux, moyen et rougeaud, et le lendemain jaune, gros, petit et blond, et le lendemain pâle, moyen, sec et roux, et le lendemain rougeaud, grand, brun et râblé, et le lendemain gros, jaune, roux et moyen, et le lendemain brun, sec, pâle et grand, et le lendemain blond, rougeaud, râblé et petit, et le lendemain roux, jaune, grand et gros, et le lendemain sec, brun, pâle et petit, et le lendemain rougeaud, râblé, blond et moyen, et le lendemain jaune, brun, gros et petit, et le lendemain pâle, blond, moyen et sec, et le lendemain râblé, grand, rougeaud et roux, et le lendemain moyen, gros, jaune et blond, et le lendemain grand, pâle, sec et roux, et le lendemain petit, rougeaud, brun et râblé, et le lendemain gros, grand, blond et pâle, et le lendemain petit, sec, roux et rougeaud, et le lendemain moyen, brun, râblé et jaune, et le lendemain petit, roux, pâle et gros, et le lendemain sec, rougeaud, moyen et brun, et le lendemain blond, râblé, grand et jaune, et le lendemain brun, moyen, gros et pâle, et le lendemain blond, grand, rougeaud et sec, et le lendemain râblé, roux, petit et jaune, et le lendemain rougeaud, gros, grand et blond, et le lendemain jaune, petit, sec et roux, et le lendemain pâle, moyen, brun et râblé, et le lendemain gros, rougeaud, roux et petit, et le lendemain brun, sec, jaune et moyen, et le lendemain blond, pâle, râblé et grand, et le lendemain brun, rougeaud, moyen et gros, et le lendemain sec, blond, jaune et grand, et le lendemain pâle, râblé, roux et petit, et le lendemain rougeaud, brun, gros et grand, et le lendemain jaune, blond, petit et sec, et le lendemain râblé, moyen, pâle et roux, et le lendemain petit, gros, rougeaud et blond, et le lendemain moyen, jaune, sec et roux, et le lendemain grand, pâle, brun et râblé, et le lendemain gros, moyen, roux et rougeaud, et le lendemain grand, sec, brun et jaune, et le lendemain petit, blond, râblé et pâle, du moins Watt en avait l'impression, pour ne parler que de la taille, de la corpulence, du teint et des cheveux.

Car changeaient en outre tous les jours, quant au port, à l'expression, à la forme, à la taille, les pieds, les jambes, les mains, les bras, la bouche, le nez, les yeux, les oreilles, pour ne parler que des pieds, des jambes, des mains, des bras, de la bouche, du nez, des yeux, des oreilles, et du port, de l'expression, de la forme, de la taille.

Car le maintien, la voix, l'odeur, la coiffure étaient rarement les mêmes d'un jour à l'autre, pour ne parler que du maintien, de la voix, de l'odeur, de la coiffure.

Car la façon de graillonner, la façon de cracher, était sujette à des fluctuations journalières, pour ne considérer que la façon de graillonner, la façon de cracher.

Car le rot n'était jamais pareil deux jours de suite, pour se borner au rot.

Watt n'avait aucune part à ces transformations et ignorait à quel moment du jour ou de la nuit elles pouvaient bien s'effectuer. Il soupçonnait toutefois qu'elles s'effectuaient entre minuit, heure à laquelle Watt terminait sa journée en aidant Monsieur Knott à se glisser, d'abord dans sa chemise de nuit (1), ensuite dans son lit, et les huit heures du matin, heure à laquelle Watt commençait sa journée en aidant Monsieur Knott à s'extraire, d'abord de son lit, ensuite de sa chemise de nuit. Car si Monsieur Knott avait modifié ses dehors pendant les heures de service de Watt, alors il aurait difficilement pu le faire sans attirer l'attention de Watt, sinon à l'instant même, du moins dans les heures qui suivaient. Ainsi Watt soupçonnait que c'était

---

1. Pour la gouverne du lecteur attentif, en peine de comprendre comment cette routine de la chemise de nuit, sans cesse revêtue et dépouillée, ne finit pas par révéler à Watt le véritable aspect de Monsieur Knott, il n'est peut-être pas superflu de signaler ici que l'attitude de Monsieur Knott envers la chemise de nuit n'était pas celle généralement reçue. Car il ne suivait pas l'exemple de la plupart des hommes, et de bon nombre de femmes, qui la nuit venue, avant de revêtir leurs vêtements de nuit, retirent leurs vêtements de jour, et derechef quand le matin revient, encore une fois, ne songent pas à revêtir leurs vêtements de jour avant d'avoir retiré leurs vêtements de nuit défraîchis, non, mais il se couchait ses vêtements de nuit par-dessus ses vêtements de jour et se levait ses vêtements de jour par-dessous ses vêtements de nuit.

au plus profond de la nuit, où le risque d'être dérangé était minime, que Monsieur Knott organisait son extérieur pour la journée à venir. Et ce qui contribuait à renforcer ce soupçon dans le cœur de Watt était ceci, que lorsque, passé minuit, ne pouvant ou ne voulant pas dormir, il se levait et allait à la fenêtre, pour regarder les étoiles qu'il avait si bien connues, et jusqu'à leurs noms, à l'époque où il se mourait à Londres, et pour respirer l'air de la nuit, et pour écouter les rumeurs de la nuit dont il était toujours très amateur, il voyait quelquefois qui pâlissait l'obscurité, grisaillait les feuilles et, quand il pleuvait, argentait la pluie, entre lui et le sol un faisceau de lumière blanche.

Aucun des gestes de Monsieur Knott ne pouvait passer pour caractéristique sinon peut-être celui qui consistait en l'obturation simultanée des cavités de la face, les pouces dans la bouche, les index dans les oreilles, les auriculaires dans les narines, les annulaires dans les yeux et les majeurs, aptes en temps de crise à activer la cérébration, posés contre les tempes. Mais c'était là moins un geste qu'une attitude, soutenue par Monsieur Knott pendant de longs moments, sans gêne apparente.

Watt avait remarqué d'autres traits chez Monsieur Knott, d'autres petits tours, petits tours pour tuer les petits jours, et aurait pu les rapporter s'il avait voulu, s'il n'avait pas été las, si las, après tout ce qu'il avait rapporté déjà, las d'ajouter, las de retrancher, aux mêmes vieilleries les mêmes vieilleries.

Mais il ne pouvait supporter que nous nous séparions, pour ne plus jamais nous voir (ici bas), et moi dans l'ignorance de comment Monsieur Knott s'y prenait pour chausser ses brodequins, ou ses souliers, ou ses chaussons, ou son brodequin et son soulier, ou son brodequin et son chausson, ou son soulier et son chausson, quand cela lui arrivait, car il lui arrivait aussi de ne chausser qu'un brodequin, qu'un soulier, qu'un chausson, sans plus. Détachant donc ses

220

mains de mes épaules, et les attachant à mes poignets, il raconta comment Monsieur Knott, quand il sentait le moment venu, prenait soudain un air rusé et commençait en douceur à se couler vers les brodequins, vers les souliers, vers les chaussons, vers le brodequin et le soulier, vers le brodequin et le chausson, vers le soulier et le chausson, tout doucement en tapinois mine de rien de plus en plus près du râtelier où ils étaient rangés, jusqu'à en être assez près pour pouvoir bing, d'un bond, s'en saisir. Et alors pendant qu'il en mettait un, le brodequin noir, le soulier marron, le chausson noir, le brodequin marron, le soulier noir, le chausson marron, à un pied, il tenait l'autre serré dans la main, de peur qu'il ne se sauve, ou le mettait dans sa poche, ou mettait le pied dessus, ou l'enfermait dans un tiroir, ou le serrait dans ses dents, jusqu'au moment de le mettre à l'autre pied.

Pour continuer donc, quand il m'eut dit tout cela, alors il dégagea mes mains de ses épaules et repassa à reculons par la brèche de son parc à lui, me laissant seul, n'ayant pour le suivre que mes tristes yeux, cette dernière fois après tant et tant de fois, pour le suivre qui allait trébuchant, par l'herbe folle où les grandes ombres se tordaient, à reculons vers son pavillon. Et souvent il se heurtait aux troncs des arbres, et dans l'enchevêtrement du sous-bois se prenait le pied, et s'étalait par terre, sur le dos, sur le ventre, sur le flanc, ou dans un grand fouillis de ronces, ou d'épines, ou de chardons, ou d'orties. Mais toujours il se relevait et repartait sans murmure, vers son pavillon, si bien que je finis par ne plus le voir, mais seuls les trembles. Et montant des pavillons invisibles, du sien, du mien, où déjà on apprêtait le dîner, les fumées s'en allaient au gré du vent, tantôt loin l'une de l'autre, mais tantôt ensemble, pour s'évanouir confondues.

IV

De même que Watt raconta le début de son histoire, non pas primo, mais secundo, de même tertio, et non pas quarto, il en raconta maintenant la fin. Deux, un, quatre, trois, voilà l'ordre dans lequel Watt raconta son histoire. Les quatrains héroïques ne sont pas autrement élaborés.

De même que Watt arriva, de même maintenant il s'en alla, la nuit, qui couvre tout de son manteau, surtout par temps couvert.

Il lui semblait que c'était l'été, car l'air n'était pas exactement froid. De même qu'à son arrivée, de même maintenant à son départ, ça semblait être une douce nuit d'été. Et elle venait à la fin d'une journée pareille aux autres journées. Pareille pour Watt. Car de Monsieur Knott il ne pouvait répondre.

Dans la chambre, passablement éclairée par la lune, et par de nombreuses étoiles, Monsieur Knott se tenait à peu près comme d'habitude apparemment, couché, à genoux, assis et debout, circulait, poussait ses cris, marmonnait et se taisait. Et à côté de la fenêtre ouverte Watt assis, comme c'était son habitude quand le temps était propice, entendait confusément les premières rumeurs de la nuit, voyait confusément les premiers feux de la nuit, tant humains que célestes.

A dix heures ce furent les pas, de plus en plus forts,

de plus en plus faibles, dans l'escalier, sur le palier, dans l'escalier de nouveau, et par la porte ouverte la lumière, de l'obscurité lentement émergeant, dans l'obscurité lentement se perdant, les pas d'Arthur, la lumière du pauvre Arthur, qui montait petit à petit vers son repos, à son heure habituelle.

A onze heures la chambre s'obscurcit, la lune montante s'étant cachée derrière un arbre. Mais l'arbre était petit, et l'ascension de la lune rapide, de sorte que cette éclipse dura peu, et cette enténébration.

De même qu'à la faveur des pas, de la lumière, croissant, décroissant, Watt sut qu'il était dix heures, de même il sut, quand la chambre s'obscurcit, qu'il était onze heures environ.

Mais quand il jugea qu'il était minuit, environ, et une fois Monsieur Knott introduit, d'abord dans sa chemise de nuit, ensuite dans son lit, alors Watt descendit à la cuisine, comme chaque nuit il le faisait, boire son dernier verre de lait, fumer son dernier quart de cigare.

Mais dans la cuisine un étranger était assis, à la lueur du fourneau mourant, sur une chaise.

Watt demanda à cet homme qui il était et comment il avait fait pour entrer dans la maison. Il sentait que c'était là son devoir.

Je m'appelle Micks, dit l'étranger. A un moment donné j'étais dehors, le moment d'après dedans.

Ainsi le moment était venu. Watt souleva de dessus le verre le disque de liège et but. Le lait tournait. Il alluma son quart de cigare et en tira une bouffée. C'était un cigare inférieur.

Je viens de — , dit Monsieur Micks, et il célébra l'endroit d'où il venait. Je suis né à — , dit-il, et le site et les circonstances de son éjection furent divulgués. Mes chers parents, dit-il, et Monsieur et Madame Micks, couple héroïque sans précédent dans les annales de la fornication claustrale, envahirent la cuisine. Il dit encore, A l'âge de quinze ans, Mon épouse bien-aimée, Mon chien bien-aimé, Jusqu'à ce qu'enfin. Heureusement que Monsieur Micks n'avait pas d'enfants.

Watt écouta un moment, car la voix ne manquait pas de suavité. Les fricatives en particulier étaient plaisantes. Mais comme sur le chemin du proscrit une musique de nuit, ainsi s'éloigna la voix de Micks, la voix plaisante du pauvre Micks, et se perdit, dans le tumulte muet de la lamentation intérieure.

Ayant bu son lait et fumé son cigare, jusqu'à s'en brûler les lèvres, Watt quitta la cuisine. Mais peu après il réapparut, devant Micks, un petit sac dans chaque main, soit deux petits sacs en tout.

Watt préférait, quand il voyageait, deux petits sacs à un grand sac. Il préférait même, quand il se déplaçait, deux petits sacs, un dans chaque main, à un petit sac, tantôt dans une main, tantôt dans l'autre. Aucun sac, ni grand ni petit, ni dans une main ni dans l'autre, c'est ce qu'il aurait préféré à tout, cela va de soi, quand il prenait la route. Mais alors que seraient devenus ses effets, ses objets de toilette, son linge de rechange ?

L'un de ces sacs était la gibecière déjà évoquée peut-être. Au mépris des courroies et des boucles dont elle était généreusement pourvue, Watt la tenait par l'oreille, à la manière d'un sac de sable.

L'autre de ces sacs était une autre gibecière, semblable en tous points à la première. Elle aussi Watt la tenait par l'oreille, à la manière d'un gourdin.

Ces deux sacs étaient aux trois quarts vides.

Watt portait un grand manteau, encore vert par endroits. Ce manteau, la dernière fois que Watt l'avait pesé, pesait entre quinze et seize livres, poids commerce, Watt en avait la certitude, pour être monté sur la bascule, d'abord avec le manteau, puis sans le manteau, laissé en tas par terre, à

225

ses pieds. Mais il y avait longtemps de cela et le manteau avait pu prendre du poids, comme il avait pu en perdre, entre-temps. Ce manteau était si long que le pantalon de Watt, qu'il portait très flottant afin de dissimuler la forme de ses jambes, en était dérobé à la vue. Ce manteau était d'un âge très respectable, pour un manteau de son espèce, ayant été acheté d'occasion, pour une somme dérisoire, à une veuve méritante, par le père de Watt à une époque où le père de Watt était encore jeune et l'automobile dans son enfance encore, c'est-à-dire quelque soixante-dix ans plus tôt. Ce manteau n'avait jamais, depuis lors, à aucun moment été lavé, sinon imparfaitement par la pluie, et la neige, et la grêle, et bien entendu par d'occasionnelles et fugitives immersions dans les eaux du canal, ni nettoyé à sec, ni retourné, ni brossé, et c'est sans doute à ces précautions qu'il devait d'être resté, sinon entier, du moins un. L'étoffe de ce manteau, quoique abondamment éraflée et meurtrie, surtout par derrière, était si épaisse, si résistante, qu'elle restait exempte de perforation, au sens strict du terme, et que sa trame n'était nulle part mise à nu sinon à l'endroit du séant, et des coudes. Ce manteau se boutonnait encore, d'un bout à l'autre du devant, au moyen de treize boutons très divers quant à la forme et à la couleur, mais sans exception assez volumineux pour rester, une fois boutonnés, boutonnés. Tout en haut dans la fente à fleur languissaient les restes d'un chrysanthème artificiel lie-de-vin. Des débris de velours s'accrochaient au col. Les basques n'étaient pas fendues.

Watt portait, sur la tête, un feutre rigide, de couleur poivre. Cet excellent chapeau avait appartenu à son grand-père qui l'avait ramassé sur un champ de courses, là où il gisait à même le sol, et ramené à la maison. De moutarde alors, il était devenu poivre.

Il était à remarquer que les couleurs, d'une part de ce manteau, de l'autre de ce chapeau, se rapprochaient de plus en plus l'une de l'autre, avec chaque lustre qui passait. Et pourtant quelle différence à leurs débuts ! L'un vert ! L'autre jaune ! Ainsi le veut le temps qui éclaircit le sombre, assombrit le clair.

Il était à prévoir qu'une fois leur jonction faite ils n'en resteraient pas là, non, mais qu'ils continueraient à vieillir, chacun selon sa loi, jusqu'à ce que le manteau soit jaune, le chapeau vert, et qu'ensuite, franchis les derniers parallèles, l'un pâlissant, l'autre fonçant, ils finissent par cesser, le manteau d'être manteau, le chapeau d'être chapeau. Car ainsi le préfère le temps.

Watt portait, aux pieds, un brodequin jaune et un soulier par bonheur jaunâtre aussi. Ce brodequin avait été acheté par Watt, pour huit pence, à un unijambiste qui, ayant perdu la jambe, et à plus forte raison le pied, dans un accident stupide, était heureux de pouvoir monnayer, à sa libération de l'hôpital, l'unique bien négociable resté en sa possession. Il était loin de se douter qu'il devait ce bonheur à l'invention par Watt, quelques jours plus tôt, sur la grève marine, d'un soulier raide de sel, mais au demeurant en état de marche.

Ce brodequin et ce soulier étaient si proches, quant à la couleur, et quant à l'empeigne si cachés, d'abord par le pantalon, ensuite par le manteau, qu'on aurait pu presque y voir, non pas un brodequin d'une part, et de l'autre un soulier, mais une vraie paire de brodequins, ou de souliers, n'eussent été les bouts dépareillés, celui du brodequin pointu, celui du soulier rond.

Chaussé de ce brodequin, un quarante-neuf, et de ce soulier, un quarante-cinq, Watt qui chaussait du quarante-sept souffrait sinon mille morts, tout au moins le martyre avec ses pieds, dont chacun aurait volontiers cédé sa place à l'autre, même l'espace d'un instant.

En portant au pied trop petit non pas une de ses deux chaussettes, mais les deux, et au pied trop grand non pas l'autre, mais aucune, Watt s'évertuait en vain à corriger cette dissymétrie. Mais la logique était pour lui et il restait fidèle, sur les grandes et moyennes distances, à cette répartition de ses chaussettes, de préférence aux trois autres.

Au sujet de la veste et du gilet de Watt, de sa chemise, de sa flanelle et de son caleçon, il y aurait beaucoup de choses à dire, d'une portée et d'une signification certaines. Le caleçon en particulier était remarquable, à plus d'un point de vue. Mais ils étaient dissimulés, veste et gilet, chemise et sous-vêtements, tous dissimulés à la vue.

Watt ne portait pas de faux-col, ni cravate aucune. S'il avait eu un faux-col il aurait sans doute trouvé une cravate, pour l'accompagner. Et s'il avait eu une cravate il se serait peut-être procuré un faux-col, pour la recevoir. Mais n'ayant ni faux-col, ni cravate, il n'avait ni cravate, ni faux-col.

Ainsi vêtu, et un sac dans chaque main, Watt se tenait debout dans la cuisine et l'expression de son visage devint peu à peu d'une telle vacuité que Micks, portant épouvanté sa main stupéfaite à sa bouche ahurie, recula jusqu'au mur et ne bougea plus, tout tassé sur lui-même, le dos collé au mur, le revers d'une main collé à ses lèvres, le revers de l'autre collé à la paume de l'une. Ou c'était peut-être autre chose qui obligea Micks à reculer, de la sorte, et à se tasser contre le mur, les mains sur le visage, de la sorte, autre chose que le visage de Watt. Car on a du mal à croire que le visage de Watt, tout horrible assurément qu'il était alors, pût être horrible assurément assez pour obliger un homme tel que Micks, puissant et lymphatique, à reculer jusqu'au mur en portant les mains au visage, de la sorte, comme pour parer un coup, ou étouffer un cri, et à blémir, car il blémit, comme de juste. Car le visage de Watt, tout horrible assurément qu'il était certes, surtout quand il prenait cette expression, pouvait difficilement être horrible assurément à ce point-là. D'autant que Micks n'était pas une fillette, ni un innocent petit enfant de chœur, non, mais un gros pépère placide qui avait roulé sa bosse, dans la merde natale et d'outre-mer. Mais alors qu'est-ce qui avait bien pu, si ce n'était le visage de Watt, révulser Micks à ce point, et drainer ses joues de leur incarnat coutumier ? Le manteau ? Le chapeau ? Le soulier et le brodequin ? Oui, le soulier et le brodequin peut-être, pris conjointement, si jaunes, si furtifs, si rond et si pointu, talons joints et bouts écartés dans un garde-à-vous obscène, et d'un jaune, d'un jaune. Ou enfin quelque chose qui n'était pas Watt, ni à Watt, mais derrière Watt, ou à côté de Watt, ou devant Watt, ou au-dessous de Watt, ou au-dessus de Watt, ou autour de Watt, une ombre sans rien pour la jeter, une lumière sans rien pour la verser, ou dans l'air gris le tourbillon des vaines entéléchies.

Mais si la bouche de Watt était ouverte, et sa mâchoire pendante, et ses yeux vitreux, et sa tête basse, et ses genoux fléchis, et son dos courbé, son esprit était tout à son problème, au problème de savoir ce qui était préférable, fermer la porte, d'où lui venait un vent coulis, sur la peau du cou, et déposer ses sacs, et s'asseoir, ou fermer la porte, et déposer ses sacs, sans s'asseoir, ou fermer la porte, et s'asseoir, sans déposer ses sacs, ou déposer ses sacs, et s'asseoir, sans fermer la porte, ou fermer la porte, d'où lui venait la bise, sur la peau du cou, sans déposer ses sacs, ni s'asseoir, ou déposer ses sacs, sans se donner la peine de fermer la porte, ou de s'asseoir, ou s'asseoir, sans se mêler de déposer ses sacs, ou de fermer la porte, ou ne rien changer à rien, ni à la traction des sacs dans ses mains, ni à la poussée du sol sous ses pieds, ni à l'air qui lui venait par bouffées, à travers la porte, sur la peau du cou. Et les réflexions de Watt aboutirent à ceci, que si une seule de ces choses en valait la peine, alors toutes en valaient la peine, mais qu'aucune n'en valait la peine, non, pas une seule, mais que toutes étaient à déconseiller, sans exception. Car il n'aurait pas le temps de se reposer, de se réchauffer. Car s'asseoir signifiait avoir encore à se mettre debout, et le fardeau déposé encore un fardeau à soulever, et la porte fermée encore une porte à ouvrir, si peu après la dernière fois, si peu avant la prochaine, qu'il risquait d'en éprouver, en fin de compte, plus de fatigue que de réconfort. Et il dit aussi, en guise de corollaire, que même s'il avait toute la nuit devant lui, pour se reposer, pour se réchauffer, sur une chaise, dans la cuisine, ce n'en serait pas moins un piètre repos, et une dérisoire chaleur, à côté du repos et de la chaleur qu'il se rappelait, à côté du repos et de la chaleur qu'il attendait, un piètre repos en vérité, et une lamentable chaleur, et source par conséquent en tout état de cause, très probablement, en fin de compte, moins de satisfaction que de désagrément. Mais sa lassitude était telle, au terme de cette longue journée, et l'heure de son coucher passée depuis si longtemps, et son besoin de repos si pressant en conséquence, et son besoin de chaleur, qu'il se pencha un peu plus, sans doute avec l'intention de déposer ses sacs, par terre, et de fermer la porte, et de s'asseoir à la table, et de poser ses bras sur la table, et d'ensevelir, oui, d'ensevelir sa tête dans ses bras, et peut-être même qui sait de tomber, au bout d'un moment, dans un sommeil agité, lacéré de songes, de plongeons depuis des hauteurs terrifiantes dans des eaux hérissées d'écueils, devant une nombreuse assistance. Il se pencha donc, mais il ne se pencha pas loin, car l'inclination n'avait pas plus tôt commencé qu'elle finit, et il n'avait pas plus tôt mis en marche son programme de repos, de repos agité, qu'il y coupa court et resta figé, dans une pose qui semblait la caricature de sa précédente station semi-debout, pose si pitoyable qu'il s'en aperçut, et aurait souri, s'il n'avait été trop faible pour sourire, ou franchement ri, s'il avait été assez fort pour rire franchement. Intérieurement il se dérida bien sûr, et oublia un instant ses soucis, mais moins que s'il avait eu la force de sourire, ou franchement de rire.

Dans l'allée, quelque part entre la maison et la route, Watt se rappela, avec regret, qu'il n'avait pas pris congé de Micks, comme il aurait dû le faire. Les quelques simples mots, au moment de se quitter, qui comptent tant, pour celui qui reste, pour celui qui s'en va, il n'avait pas eu l'élémentaire politesse de les dire, avant de quitter la maison. Une vague envie de revenir sur ses pas, et de réparer cette muflerie, le fit s'arrêter. Mais il ne s'arrêta pas longtemps, mais reprit son chemin, vers la grille, et la route. Et il fit bien, car Micks avait quitté la cuisine, avant Watt. Mais Watt ignorait ce détail, le départ de la cuisine de Micks avant le sien, car il ne devait s'en rendre compte que beaucoup plus tard, quand ce serait trop tard, et put par conséquent se repentir, chemin faisant vers la grille, et la route, de ne pas avoir pris congé de Micks, même brièvement.

La nuit était d'une splendeur inaccoutumée. La lune, sans être pleine, n'était pas loin de l'être, dans un jour ou deux elle serait pleine, pour ensuite décroître, jusqu'à prendre dans le ciel, au dire de certains auteurs, l'aspect d'un croissant, ou d'une faucille. Les autres corps célestes à leur tour, quoique situés pour la plupart à une grande distance, déversaient sur Watt, et sur les beautés jardinières qu'il traversait, une pointe de remords au cœur pour sa négligence envers Micks, au grand dégoût de Watt une lumière si forte, si pure, si constante et si blanche que sa progression, toute pénible et incertaine qu'elle était, était moins pénible, moins incertaine, qu'il ne l'avait craint au moment de partir.

Watt avait toujours de la chance, avec le temps.

Il marcha sur la bordure herbeuse, parce qu'il n'aimait pas la sensation du gravier sous les pieds, et les fleurs, et les hautes herbes, et les branches, tant d'arbres que d'arbrisseaux, le frôlaient d'une façon qui ne lui déplaisait pas. La caresse, contre le dôme de son chapeau, de quelque ombelle pendante, peut-être d'un charme, lui procura un plaisir tout particulier, et il ne s'était pas beaucoup éloigné, de l'endroit, qu'il fit demi-tour et retourna, à l'endroit, et s'immobilisa sous la branche, tout entier aux pédicelles, au va-et-vient des pédicelles, contre le dôme de son chapeau.

Il remarqua qu'il n'y avait pas de vent, pas un souffle. Et pourtant, dans la cuisine, il avait senti l'air frais, sur la peau du cou.

Il fut surpris, sur la route, par la défaillance passagère déjà signalée. Mais elle passa et il put reprendre son chemin, vers la gare.

Il marcha au milieu de la route, à cause des gravillons qui jonchaient le bas-côté.

Il ne rencontra âme qui vive, sur son chemin. Une bourrique égarée, ou une chèvre, couchée dans le fossé, leva la tête sur son passage. Watt ne vit pas la bourrique, ou la chèvre, mais la bourrique, ou la chèvre, vit Watt. Elle le regarda s'éloigner, à pas lents, sur la route, et finalement disparaître. Elle se figurait peut-être qu'il y avait dans les sacs quelque bonne provende pour elle. Sitôt les sacs hors de vue, elle laissa retomber sa tête, parmi les orties.

Arrivé à la gare, Watt la trouva fermée. A vrai dire elle était fermée depuis un bon moment déjà et ne faisait que continuer à l'être. Car il devait être déjà entre une heure et deux heures du matin, et le dernier train à s'arrêter dans cette gare le soir, et le premier à s'y arrêter le matin, s'y arrêtaient, le premier entre onze heures du soir et minuit, le second entre cinq heures et six heures du matin. Si bien que cette gare-là, pour ne parler que d'elle, fermait au plus tard à minuit et n'ouvrait jamais avant cinq heures du matin. Et comme il devait être seulement entre une heure et deux heures du matin, la gare était fermée.

Watt gravit les marches de pierre et, s'arrêtant devant le portillon, regarda à travers les barreaux. Il admira la voie ferrée, sa fuite dans les deux sens, sous les rayons de la lune, et des étoiles, jusqu'au point où les yeux ne pouvaient plus la suivre, où les yeux de Watt n'auraient plus pu la suivre, s'ils avaient été dans la gare. Il contempla aussi avec émerveillement l'ample coulée de la plaine, dans sa montée si libre et simple vers la montagne, et les replis ombrés de ses lointains. Remontant au gré des pentes son regard s'arrêta enfin sur le ciel bruni, ses trous d'ombre, ses constellations déclinantes et enfin, écarquillés sous l'eau, brouillés par les remous, deux yeux dévorants. Finalement brusquement il fixa le portillon.

Watt escalada le portillon et se trouva sur le quai, avec ses sacs. Car il avait pris la précaution, avant d'escalader le portillon, de hisser ses sacs par-dessus et de les laisser tomber, par terre, de l'autre côté.

Le premier soin de Watt, une fois dans la gare, sain et sauf, avec ses sacs, fut de faire demi-tour et de considérer, à travers le portillon, à contresens le chemin si récemment parcouru.

De toutes les touchantes images offertes de la sorte à son inspection, c'est la route elle-même qui le toucha le plus, plus blanche d'apparence à cette heure que le jour et d'une plus belle envolée entre ses haies et ses fossés. Cette route se déroulait sans accident sur une assez grande distance, puis plongeait soudain et disparaissait dans un fouillis déplorable d'abrupte verdure.

Les cheminées de la maison de Monsieur Knott n'étaient pas visibles, malgré l'excellente visibilité. Par une belle journée on pouvait les distinguer, de la gare. Mais par une belle nuit apparemment pas. Car les yeux de Watt, quand il y mettait du sien, n'étaient pas plus mauvais que d'autres, même à cette époque, et la nuit était exceptionnellement belle, même pour la région, réputée pour la beauté de ses nuits.

Watt avait toujours beaucoup de chance, avec le temps.

Watt se lassait déjà de balayer cette route des yeux lorsque son attention fut fixée, et ranimée, par une forme, à première vue humaine, qui avançait en son milieu. La première pensée de Watt fut que cette créature était sortie de dessous terre, ou tombée du ciel. Et sa seconde, quelque quinze ou vingt minutes après, qu'elle avait pu gagner sa position actuelle par voie d'abord d'une haie, puis d'un fossé. Watt n'était pas en mesure de dire si cette forme était celle d'un homme, ou celle d'une femme, ou celle d'un prêtre, ou celle d'une nonne. Que ce ne fût pas celle d'un garçon, ni celle d'une fille, c'est ce qui ressortait, à l'avis de Watt, de ses dimensions. Mais déterminer si c'était celle d'un homme, ou celle d'une femme, ou celle d'un prêtre, ou celle d'une nonne, non, Watt avait beau écarquiller les yeux, il n'y arrivait pas. Si c'était celle d'une femme, ou celle d'une nonne, c'était celle d'une femme, ou celle d'une nonne, de taille exceptionnelle, même pour la région, renommée pour la taille exceptionnelle de ses femmes, et de ses nonnes. Mais Watt savait trop bien, beaucoup trop bien, de quelles dimensions certaines femmes, et certaines nonnes, étaient capables, pour conclure, des dimensions de ce noctambule, que ce noctambule n'était ni une femme, ni une nonne, mais un homme, ou un prêtre. Quant aux vêtements, vus à cette distance, dans cet éclairage, il n'y avait pas plus à en tirer que d'un drap, ou d'un sac, ou d'un plaid, ou d'un suaire. Car s'étendaient de la tête aux pieds, pour autant que Watt pût voir, et les yeux de Watt étaient aussi bons que d'autres, même à ce stade, quand il se donnait la peine de les ajuster, les surfaces ininterrompues d'une vêture unique, tandis que sur la tête se tenait, asexué, ce qui ressemblait à un pot de chambre surbaissé à l'envers et jauni par le temps, façon de parler. Si la forme était effectivement celle d'une femme, ou celle d'une nonne, de taille exceptionnelle, c'était celle d'une femme, ou celle d'une nonne, de taille exceptionnelle d'une rare inélégance. Mais la femme géante est volontiers chienlit, Watt l'avait souvent remarqué, et la nonne géante tout autant. Les bras ne s'arrêtaient pas aux mains, mais se prolongeaient, par un phénomène que Watt n'arrivait pas à saisir, jusqu'à tout près du sol. Les pieds, se suivant l'un l'autre dans leur course impétueuse, se lançaient avec force, le gauche vers la gauche, le droit vers la droite, dans une frénésie d'embardées compensées, si bien que, pour chaque enjambée longue de trois pieds mettons, la distance parcourue n'en excédait pas un. Tout cela donnait à la démarche une sorte de vivacité entravée, très pénible à voir. Dans le for obscur Watt sentit luire soudain, puis soudain s'éteindre, les mots, *Seul remède le régime*.

Watt attendait avec impatience que cet homme, si c'était un homme, ou que cette femme, si c'était une femme, ou que ce prêtre, si c'était un prêtre, ou que cette nonne, si c'était une nonne, s'approche et le délivre de son incertitude. Il n'avait pas envie de conversation, il n'avait pas envie de compagnie, il n'avait pas envie de consolation, il ne tenait pas à une érection, non, son seul désir était que la forme s'approche et le tire de sa perplexité, à son égard.

Il ne savait pas pourquoi il se souciait de savoir ce que c'était, la forme qui avançait sur la route. Il ne savait pas s'il faisait bien, ou s'il faisait mal. Il lui semblait, abstraction faite de tout sentiment égoïste de gêne ou de soulagement, que c'était regrettable, ce souci de savoir ce que c'était, la forme qui avançait sur la route, tout à fait regrettable.

Que la forme s'approche sans plus, il lui semblait évident qu'il ne pouvait s'en contenter, non, il fallait que la forme s'approche de très près, de tout près. Car si elle ne faisait que s'approcher sans plus, et non pas de tout près, alors comment saurait-il, si c'était un homme, que ce n'était pas une femme, ou un prêtre, ou une nonne, en costume d'homme ? Ou, si c'était une femme, que ce n'était pas un homme, ou un prêtre, ou une nonne, en costume de femme ? Ou, si c'était un prêtre, que ce n'était pas un homme, ou une femme, ou une nonne, en costume de prêtre ? Ou, si c'était une nonne, que ce n'était pas un homme, ou une femme, ou un prêtre, en costume de nonne ? Watt attendait donc, avec impatience, que la forme s'approche de tout près.

Puis, comme Watt attendait toujours que la forme s'approche de tout près, il comprit soudain qu'il n'était pas nécessaire, mais pas du tout, que la forme s'approche de tout près, mais qu'une approche modérée serait plus que suffisante. Car la préoccupation de Watt, soit dit sans vouloir la dénigrer, ne visait pas la forme telle qu'elle était, en réalité, mais telle qu'elle semblait être, en réalité. Car depuis quand les préoccupations de Watt visaient-elles les choses telles qu'elles étaient, en réalité ? Mais il retombait toujours dans cette vieille erreur, cette erreur du temps jadis où, déchiré de curiosité, au milieu des corps ombre il trébuchait. C'était là, pour Watt, une source de peine profonde. Watt attendait donc de nouveau, avec impatience, que la forme s'approche.

Il attendait toujours, les mains serrant les barreaux du portillon, à se faire rentrer les ongles dans les paumes, ses sacs à ses pieds, son regard braqué à travers les barreaux sur cet incompréhensible staffage, dévoré d'impatience. Son trouble se fit enfin si grand qu'il secoua le portillon, de toutes ses forces.

Ce qui tant troublait Watt était ceci, que depuis le moment, voilà déjà dix minutes ou une demi-heure, où la forme lui était apparue, lancée vers la gare à toute allure au milieu de la chaussée, elle n'avait rien gagné, ni en hauteur, ni en largeur, ni en netteté. Tout en se hâtant de l'avant, pendant tout ce temps, sans rien perdre de sa précipitation fourbue, vers la gare, elle n'avait pas fait plus de chemin qu'une borne.

Watt se creusait la tête à ce sujet lorsque la forme, tout en continuant ses mouvements, se fit de plus en plus indistincte et finalement disparut.

Watt, pour quelque raison obscure, semblait attacher à cette hallucination-là un intérêt tout particulier.

Watt ramassa ses sacs, longea le mur et déboucha sur le quai. Il y avait de la lumière dans la cabine d'aiguillage.

L'aiguilleur, homme d'un certain âge nommé Case, attendait dans sa cabine, comme il le faisait chaque nuit, à l'exception de la nuit de dimanche à lundi (bizarre), que le rapide montant brûle sans encombre la gare. Sur quoi il réglerait ses aiguilles et rentrerait chez lui, auprès de son épouse esseulée, laissant la gare déserte.

Pour tromper l'attente, tout en enrichissant ses connaissances, Monsieur Case lisait un livre, *Chants d'un chemineau*, auteur George Russell (A. E.). Monsieur Case, la tête rejetée en arrière, tenait ce livre à bout de bras. Monsieur Case avait, pour un aiguilleur, des goûts très délicats, en matière de lecture.

Monsieur Case lisait :

?

La moustache touffue de Monsieur Case suivait les mouvements de sa lèvre qui à son tour allait épousant, tantôt enflée, tantôt retroussée, les diverses sonorités dont se composaient les mots ci-dessus. Son nez aussi participait, du bulbe et des narines. La pipe montait et descendait et du coin de la bouche la salive dégouttait, oubliée, sur son gilet, qui était en velours.

Watt se tenait dans la cabine comme tantôt dans la cuisine, ses sacs dans ses mains, ses yeux ouverts au repos et le dos tourné à la porte ouverte. Monsieur Case avait jadis, par la fenêtre de sa cabine, entrevu Watt, le soir de son arrivée. Son aspect ne lui était donc pas étranger. Cela lui rendait maintenant les choses moins difficiles.

Sauriez-vous me dire quelle heure il était ? dit Watt.

Il était, comme il le craignait, plus tôt qu'il ne l'espérait.

Saurais-je entrer en salle d'attente ? dit Watt.

Ça, pour un casse-tête, c'en était un. Car Monsieur Case

ne devait pas quitter sa cabine avant le moment de la quitter pour rentrer chez lui, auprès de son épouse inquiète. Pas question non plus de détacher la clef de son trousseau pour la confier à Watt en disant, Tenez, Monsieur, voici la clef de notre salle d'attente, je passerai la reprendre en m'en allant. Non. Car la salle d'attente donnait sur celle des pas perdus de telle sorte que pour gagner la salle d'attente il fallait passer par les pas perdus. Et la clef de la porte de la salle d'attente n'ouvrait pas la porte des pas perdus. Pas question non plus de dégager les deux clefs de son trousseau pour les confier à Watt en disant, Tenez, Monsieur, voici la clef de la porte de notre salle d'attente et voici, tenez, celle de la porte de nos pas perdus, je passerai les reprendre en partant. Non. Car les pas perdus communiquaient avec le sanctuaire du chef de gare de telle manière que pour pénétrer dans le sanctuaire du chef de gare il suffisait de franchir les pas perdus. Et la clef de la porte des pas perdus ouvrait la porte du sanctuaire du chef de gare de telle façon que ces deux portes étaient représentées aux trois trousseaux de clefs, au trousseau de Monsieur Gorman chef de gare, au trousseau de Monsieur Case aiguilleur et au trousseau de Monsieur Nolan porteur, non pas par deux clefs, mais par une seule.

Ainsi se réalisait l'économie de non moins de trois clefs et il entrait dans les intentions de Monsieur Gorman chef de gare de réduire encore davantage le nombre des clefs de la gare en faisant monter, dans un avenir proche et aux frais de la compagnie, sur la porte de la salle d'attente une serrure identique à celles identiques déjà des portes des pas perdus et de son sanctuaire particulier. De ce dessein il s'était ouvert, au hasard d'un récent conclave, et à Monsieur Case et à Monsieur Nolan, sans se voir opposer de leur part la moindre objection. Mais ce qu'il n'avait confié ni à Monsieur Case, ni à Monsieur Nolan, était sa résolution de faire monter, dans des délais raisonnables, petit à petit, aux frais de la compagnie, sur le portillon et sur les portes de la cabine d'aiguillage, du foyer du porteur, de la consigne et des toilettes tant des dames que des messieurs, des serrures conçues de telle sorte que la clef qui ouvrait déjà, avec tant d'aisance, et la porte des pas perdus et la porte du sanctuaire du chef de gare, et qui si prochainement allait ouvrir, sans la moindre difficulté, la porte de la salle d'attente, finirait par ouvrir toutes ces autres portes aussi, l'une après l'autre, en temps voulu. Ainsi il laisserait derrière lui, à sa retraite, s'il ne mourait pas avant, ou à sa mort, s'il ne se retirait pas avant, une gare unique à cet égard, sinon à d'autres, parmi les gares de la ligne.

Les clefs du tiroir-caisse que Monsieur Gorman portait, l'une à sa chaîne de montre de crainte que sa poche de pantalon ne vienne à se trouer, comme le font si volontiers les poches de pantalon, ou que la clef, minuscule, ne soit retirée de la poche avec la menue monnaie et de cette façon perdue, et l'autre, de crainte que sa chaîne de montre ne soit perdue, ou l'objet d'un vol, dans sa poche de pantalon, ces petites clefs-là ne faisaient pas partie, aux yeux de Monsieur Gorman, des clefs de la gare. Et en effet les clefs du tiroir-caisse n'étaient pas du tout à proprement parler des clefs de gare. Car le tiroir-caisse de la gare, au contraire des portes de la gare, ne restait pas dans la gare, jour et nuit, mais quittait la gare avec Monsieur Gorman, quand il rentrait chez lui le soir, et n'y retournait que le lendemain matin, quand Monsieur Gorman retournait à la gare.

Monsieur Case considéra toutes ces données, ou tout au moins celles qu'il jugeait pertinentes, pesant le pour, et pesant le contre, sans passion. Il en arriva finalement à la conclusion qu'il ne pouvait rien faire, pour le moment. Quand le train rapide aurait fini de passer, et qu'il serait libre de rentrer chez lui, auprès de son épouse inquiète, à ce moment-là il pourrait faire quelque chose, il pourrait introduire Watt dans la salle d'attente, et l'y laisser. Mais il n'en était pas plus tôt arrivé à la conclusion qu'il pourrait faire ainsi, pour obliger Watt, qu'il comprit qu'il ne le pourrait qu'à une condition, celle de fermer à clef derrière lui la porte des pas perdus. Car pas question de s'en aller en laissant ouverte la porte des pas perdus, dans la gare endormie. Mais à cette condition-là, que Watt accepte d'être enfermé à clef dans les pas perdus, il pourrait obliger Watt, une fois que le train rapide aurait fini de passer. Mais il n'avait pas plus tôt décidé qu'il lui serait loisible d'obliger Watt, à cette condition-là, qu'il se rendit compte que non, même à cette condition-là il ne lui serait pas loisible d'obliger Watt, à moins que Watt ne consente à être enfermé à clef, non seulement dans les pas perdus, mais dans la salle d'attente aussi. Car pas question que Watt puisse avoir libre accès, toute la nuit, dans la gare endormie, au narthex du sanctuaire du chef de gare. Mais si Watt ne voyait pas d'inconvénient à être enfermé à clef jusqu'au matin, non seulement dans les pas perdus, mais dans la salle d'attente aussi, alors Monsieur Case ne voyait vraiment aucune raison pour que la salle d'attente ne soit pas mise à sa disposition, dès que le train rapide serait passé sans encombre, avec ses voyageurs et ses marchandises précieuses.

Monsieur Case fit part alors à Watt des dispositions qu'il avait arrêtées, dans son esprit, au sujet de la demande de Watt d'être admis dans la salle d'attente des voyageurs. Les raisons qui avaient conduit Monsieur Case à arrêter, dans son esprit, ces dispositions plutôt que d'autres, Monsieur Case eut la délicatesse de les garder pour lui, comme étant susceptibles de faire à Watt davantage de peine que de plaisir. Le matin venu, dit Monsieur Case, dès l'arrivée de Monsieur Gorman, ou de Monsieur Nolan, vous serez relâché et libre d'aller et venir, à votre guise. Watt répondit qu'il y avait là en effet de quoi exulter à l'avance, et de quoi le soutenir pendant la nuit, dans cette perspective d'être élargi, le matin venu, par les soins de Monsieur Gorman, ou à la rigueur de Monsieur Nolan, et laissé libre d'aller et venir, à sa fantaisie. En attendant, dit Monsieur Case, s'il vous plaît d'entrer dans la cabine, en fermant la porte, et de prendre un siège, vous êtes le bienvenu. Watt répondit qu'il ferait mieux d'attendre dehors. On le trouverait sur le quai, faisant les cent pas, ou assis sur un banc.

Watt s'allongea sur le banc, sur le dos, ses sacs sous la tête et son chapeau sur le visage. Il se trouvait ainsi à l'abri de la lune, jusqu'à un certain point, et des beautés moindres de cette nuit splendide. Le problème de la vision, en ce qui concernait Watt, ne comportait qu'une seule solution : l'œil ouvert dans le noir. Les résultats obtenus par l'œil fermé étaient, à l'avis de Watt, très peu satisfaisants.

Watt considéra d'abord la question du train rapide qui allait d'un moment à l'autre, d'un élan irrésistible, tonner à travers la gare endormie. Il concentra sur cette question toute la force de son attention. Finalement brusquement il cessa, aussi brusquement qu'il avait commencé, d'y penser.

Le voilà donc étalé sur le banc, veuf de toute pensée, de toute sensation, à part une légère impression de fraîcheur, à un pied. Les voix qui dans son crâne allaient chuchotant en canon étaient comme une galopade de souris, une rafale de menues pattes grises dans la poussière. C'était là sans doute une sensation aussi, à strictement parler.

Monsieur Case fut obligé d'expliquer son insistance. Mais il suffit de quelques mots. Quelques mots de la bouche de Monsieur Case et tout lui revint, à Watt. Monsieur Case portait à la main une lampe-tempête. Elle émettait un faisceau de lumière jaune, d'une faiblesse extraordinaire. Monsieur Case parla du train rapide, avec la fierté de l'homme de métier. Il était parti à l'heure, il était passé à l'heure et il arriverait à destination, sauf contretemps retardateur, à l'heure.

C'était donc là l'explication du fracas exogène de tantôt.

Il y avait bien deux heures déjà que Watt n'avait évacué ses eaux. Et pourtant il n'éprouvait aucun besoin, mieux,

241

aucun désir de le faire. D'eau, dit-il, je ne saurais évacuer la moindre goutte, la moindre larme, bonne ou mauvaise, dût-on me payer pour ne pas le faire. Lui qui en temps normal évacuait toutes les heures des eaux irrépressibles, des eaux délicieuses. Ce dernier lien avec le cirque, car il ne comptait pas pour tel sa selle hebdomadaire, ni son émission in vacuo nocturne semestrielle à la faveur des équinoxes, il en envisageait à présent le relâchement d'abord, ensuite la rupture, avec un mélange d'épouvante et de joie, nettement perceptibles l'une et l'autre dans une oscillation vertigineuse, et cela pendant un bon moment, avant d'aller mourir confondues.

Le voilà donc debout sur le plancher, ses sacs dans ses mains, et le plancher était de pierre sous ses pieds, et son corps fidèle ne tomba point, son corps inflexible, brusquement à genoux, ou sur le coccyx, et de là en avant sur le ventre, ou en arrière sur le dos, non, mais garda son équilibre, dans un style assez voisin de celui enseigné par sa mère et confirmé par sa jeunesse conformiste.

De plus en plus faible lui parvenait le bruit des pas, jusqu'à ce qu'il n'y en eût plus, plus un seul bruit de pas parmi tous les faibles bruits qui par l'air désert lui parvenaient, pour autant qu'il pût en juger. C'était là une musique qu'il goûtait fort, le silence entrouvert refermé comme par un groom, sur des pas qui s'éloignent et perturbations analogues. Mais le chemin de Monsieur Case le ramenait derrière la gare, et les pas de revenir, quatre ou cinq, petite griffure furtive, aux oreilles de Watt, qui jaillissaient de part et d'autre de sa tête comme celles d'un ? . Bientôt ils feraient la joie de Madame Case, de ses oreilles lasses des rumeurs sans pas, sur le sol toujours plus nets, jusqu'à la brusque sourdine de leur petite pelouse. Il était peu de sons, pour ne pas dire aucun, pour combler Madame Case autant que ceux-là. C'était une femme bizarre.

Une partie de la salle d'attente était faiblement éclairée,

par une lumière venue du dehors. La transition de cette partie à l'autre, maintenant que Watt n'écoutait plus, était d'une brutalité qu'il n'aurait pas cru possible, s'il ne l'avait vue, de ses propres yeux.

La salle d'attente était complètement nue, pour autant que Watt pût voir. Ni mobilier, ni objet d'aucune sorte. A moins qu'il n'y eût quelque chose derrière lui. Cela ne lui paraissait pas étrange. Et cela ne lui paraissait pas normal. Car à tort ou à raison il avait l'impression, ployé sigmoïde en son milieu, que c'était là une salle d'attente qui échappait à toute définition en termes d'étrange et de normal, si finement nuancés fussent-ils.

Dans un murmure elle expliqua, la bouche de femme, les lèvres minces se serrant et se desserrant, comme vides les salles d'attente peuvent accueillir un public plus nombreux qu'encombrées de fauteuils et de divans, et la vanité qu'il y a à s'asseoir, à s'étendre, quand dehors la pluie s'abat avec rage, ou la grêle, ou la neige, avec ou sans vent, ou le soleil, avec plus ou moins de verticalité. Le nom de cette femme avait été Price, sa personne d'une extrême maigreur, et quelque trente-cinq ans plus tôt elle avait doublé, tous pavillons dehors, le Horn de la ménopause. Watt n'était pas fâché de retrouver le son de sa voix et de revoir s'agiter les pâles arcs muqueux. Il n'était pas fâché non plus quand la bouche se tut, et disparut.

La salle d'attente était à présent moins nue que Watt ne l'avait d'abord supposé, à en juger par la présence, à quelque deux pas devant lui et sur sa droite, de ce qui semblait être un objet d'une certaine importance. Watt avait beau avancer la tête, non sans torsion du cou, il n'arrivait pas à en distinguer la nature. Il ne faisait pas partie du plafond, ni d'un mur, ni, quoique en contact apparemment avec le plancher, du plancher, voilà tout ce que Watt pouvait affirmer, au sujet de cet objet, et même ce peu il l'affirmait sous toute réserve. Mais ce peu était suffisant, plus que suffisant pour

Watt, et le sentiment qu'il lui devait de n'être peut-être pas seul, dans cette boîte, à ne pas faire corps avec ses limites.

Une odeur exceptionnellement infecte, et pourtant en même temps en quelque sorte familière, fit que Watt se demanda s'il ne se cachait pas, sous les lattes, à ses pieds, la carcasse pourrissante d'un petit animal quelconque, d'un petit chien par exemple, ou d'un chat, ou d'un rat, ou d'une souris. Car le sol, si à Watt il semblait de pierre, était en réalité planchéié sur toute sa superficie. Cette odeur était d'une telle virulence que Watt faillit déposer ses sacs et tirer son mouchoir de poche, ou plus exactement son rouleau de papier hygiénique, de sa poche. Car Watt, afin de s'épargner une lessive et sans doute aussi pour le plaisir de faire d'une seule pierre deux coups, ne se mouchait jamais le nez, sauf lorsque les circonstances se prêtaient à un mouchage digital direct, que dans du papier hygiénique, chacune des feuilles, une fois gorgée de morve, étant roulée en boule et jetée au loin, et les mains passées dans les cheveux, au grand profit de ces derniers, ou frottées l'une contre l'autre, jusqu'à ce qu'elles brillent.

Cette odeur cependant n'était pas ce que Watt avait d'abord supposé, mais tout autre chose, car elle se fit de plus en plus faible, ce qu'elle n'aurait pas fait si elle avait été ce que Watt avait d'abord supposé, et finit par disparaître, tout à fait.

Mais au bout d'un moment elle revint, la même odeur exactement, s'enfla et se dissipa, comme avant.

Elle se manifesta ainsi par intermittences, pendant quelques heures.

Cette odeur avait quelque chose que Watt ne pouvait s'empêcher de goûter. Cependant il n'était pas fâché quand elle disparut.

Dans la salle d'attente lentement l'obscurité s'épaissit. Il n'y eut bientôt plus une partie obscure et une partie moins obscure, non, mais l'obscurité se généralisa, et resta générale, pendant un certain temps. Ce changement frappant se fit par degrés insensibles.

La salle d'attente étant restée tout à fait obscure, pendant un certain temps, alors dans la salle d'attente lentement l'obscurité se dissipa, uniformément, par paliers infimes, toujours un peu plus, à la même cadence, jusqu'à rendre tout juste visible chaque partie de la salle d'attente, à l'œil dilaté.

C'est ainsi que Watt put enfin identifier l'objet qui pendant tout ce temps lui avait tenu compagnie. C'était une chaise. Elle lui tournait le dos. Peu à peu, à mesure que la lumière croissait, il fit avec cette chaise si ample connaissance qu'à la fin il la connaissait mieux que maintes chaises sur lesquelles il s'était assis, ou était monté, quand l'objet se trouvait hors de sa portée, ou avait posé les pieds, l'un après l'autre, pour les chausser, ou pour faire leur toilette, en curant et en rognant les ongles et en curetant les entre-doigts, avec une cuiller.

C'était une chaise en bois, haute, étroite et noire, munie d'accoudoirs et nantie de roulettes.

Un de ses pieds était vissé au plancher, à l'aide d'un crampon, ou cornière. Non pas qu'un seul, mais tous les autres pieds, portaient des fers semblables, sinon identiques. Non pas qu'un seul, mais tous ! Mais les vis qui sans doute jadis avaient fixé ceux-ci au plancher, on avait eu l'amabilité de les retirer. A travers les barreaux, verticaux, du dossier, Watt distinguait les sections d'un âtre, comblé de cendres et de poussière de cendres, d'une belle couleur grise.

Cette chaise était restée donc avec Watt, pendant tout ce temps, dans la salle d'attente, pendant toutes ces heures, heures presque sans lumière, heures sans lumière, et elle restait avec lui encore, dans l'aube exaltante. Il ne serait pas impossible, après tout, de l'enlever, et de la mettre ailleurs, ou de la vendre aux enchères, ou d'en faire cadeau.

A part cette chaise, pour autant que Watt pût voir, tout n'était que mur, ou plancher, ou plafond.

Emergea ensuite du mur, sans hâte, un grand chromo de l'illustre cheval Joss, vu de profil debout dans un champ. Watt identifia d'abord le champ, puis le cheval, puis l'illustre cheval Joss, grâce à une légende de grand ? . Ce cheval, ses quatre fers solidement ancrés au sol, tête basse, semblait considérer, sans appétit, l'herbe. Watt avança la tête pour essayer de voir si c'était vraiment un cheval, entier, et non pas une jument, ou un hongre. Mais cet intéressant détail était caché, de justesse, par un grasset, doublé d'une queue, moins pur sang que père la vertu. La lumière était celle des approches de la nuit, ou de l'imminence de l'orage, ou des deux. L'herbe était rare, flétrie et envahie par ce que Watt prenait pour une sorte d'ivraie.

Le cheval semblait à peine capable de tenir debout, sans parler de courir.

Cet objet non plus n'avait pas toujours été là, n'y serait peut-être pas toujours.

Les mouches, d'une maigreur squelettique, excitées à de nouveaux efforts par l'aube, encore une, quittaient les murs, le plafond, Watt et même le plancher, et se hâtaient nombreuses vers la fenêtre. Là, pressées contre la vitre impénétrable, elles jouiraient de la lumière, et de la chaleur, de la longue journée d'été.

Un sifflotement joyeux se fit maintenant entendre, au loin, et plus il approchait plus il devenait joyeux. Car le moral de Monsieur Nolan montait toujours, à mesure qu'il approchait de la gare, le matin. Il montait aussi, invariablement, le soir, à mesure qu'il s'en éloignait. Ainsi Monsieur Nolan était assuré, deux fois par jour, d'une montée de moral. Et quand le moral de Monsieur Nolan montait il ne pouvait pas plus s'empêcher de siffloter, joyeusement, qu'une alouette de chanter, quand elle monte dans le ciel.

Monsieur Nolan avait l'habitude, après avoir ouvert à toute volée toutes les portes de la gare, avec l'air de quelqu'un qui donne l'assaut à une bastille, de se retirer dans le foyer du

246

porteur et d'y boire une bouteille de stout, la toute première de la journée, en lisant le journal de la veille au soir. Monsieur Nolan était lecteur acharné du journal du soir. Il le lisait cinq fois, à l'heure du thé, du souper, du petit déjeuner, du stout matinal et du déjeuner. Dans le courant de l'après-midi, étant d'un naturel très galant, il le portait aux commodités des dames et l'y laissait, bien en évidence. Peu d'achats donnaient plus de joie, compte tenu de son prix modique, que le journal du soir de Monsieur Nolan.

Monsieur Nolan donc, ayant déverrouillé et envoyé dinguer contre leurs chambranles le portillon et la porte des pas perdus, arriva devant la porte de la salle d'attente. Son sifflotement aurait été moins perçant, et son entrée moins retentissante, qu'il aurait pu entendre, derrière cette porte, un bruit inquiétant, celui du soliloque sous dictée, et freiner son ardeur. Mais non, il tourna la clef et expédia son brodequin dans la porte avec une violence qui la fit voler, vers l'intérieur, à une vitesse foudroyante.

Les innombrables demi-cercles si brillamment amorcés de la sorte n'aboutirent pas, comme tous les autres matins, au bang que Monsieur Nolan aimait tant, non, mais tous furent brutalement stoppés, tous sans exception, au même point de leur parcours. Et la raison de cela était ceci, que Watt, là où il se tenait, vacillant, murmurant, se trouvait plus près de la porte d'attente que la porte d'attente n'était large.

Monsieur Nolan trouva Monsieur Gorman sur le pas de sa porte, qui prenait congé de sa mère.

Maintenant je suis en liberté, dit Watt, je suis libre d'aller et venir, à ma guise.

Il y avait quatre aisselles, là où les frises se rejoignaient, quatre belles aisselles. Watt voyait le plafond avec une grande netteté. Il était d'une blancheur qu'il n'aurait pas cru possible, si on la lui avait décrite. Cela le reposait, après le mur. Cela le reposait aussi, après le plancher. Cela le reposait tellement, après le mur, et le plancher, et la chaise, et le cheval, et les mouches, que les yeux de Watt se fermèrent, chose que normalement ils ne se permettaient jamais, dans la journée, sous aucun prétexte, sinon très rapidement de loin en loin, pour éviter de devenir trop secs.

Le pauvre, dit Monsieur Gorman, si on appelait les gendarmes.

Monsieur Nolan était partisan d'appeler les gendarmes, par téléphone.

Aide-le à se lever, dit Monsieur Gorman, des fois qu'il se serait cassé un os.

Mais Monsieur Nolan ne pouvait s'y résoudre. Il restait planté au milieu des pas perdus, incapable de faire un mouvement.

Tu te figures pas que je vais l'aider à se lever tout seul, dit Monsieur Gorman.

Monsieur Nolan ne se figurait rien.

Ho hisse à nous deux, dit Monsieur Gorman, soulevons-le. Puis tu appelleras les gendarmes, si ça se trouve.

Monsieur Nolan adorait téléphoner. C'était une joie qui lui était rarement accordée. Mais à la porte de la salle d'attente il s'arrêta pile et dit qu'il ne pouvait pas. Il était navré, dit-il, mais il ne pouvait pas.

Tu as peut-être raison, dit Monsieur Gorman.

(Hiatus dans le manuscrit.)

Mais on ne peut pas le laisser là comme ça, dit Monsieur Gorman. Le cinq heures cinquante-cinq va nous tomber dessus — il consulta sa montre — dans trente-sept minutes et... (Hiatus dans le manuscrit) ... plus bas, Et le six heures quatre le suit de près. L'idée du six heures quatre semblait le troubler particulièrement, pour une raison inconnue. Il n'y a pas un moment à perdre, s'écria-t-il. Il se redressa, rejeta la tête en arrière, baissa la main qui tenait la montre jusqu'au niveau du membre (il avait le bras très long)

248

viril (1), se posa l'autre sur la tempe et prit l'heure. Puis il se ramassa sur lui-même, les genoux ployés, le dos rond, la tête rentrée, la montre collée à son oreille, dans l'attitude de l'enfant qui se fait tout petit.

Il était, comme il le craignait, plus tard qu'il ne l'espérait.

Cours chercher un seau d'eau, dit Monsieur Gorman, un bon arrosage comme il faut et il est fichu de se lever tout seul.

Peut-être que le tuyau — , dit Monsieur Nolan.

Le seau, je te dis, dit Monsieur Gorman, au robinet.

Quel seau ? dit Monsieur Nolan.

Tu sais foutrement bien quel seau, vociféra Monsieur Gorman, dans un mouvement d'impatience rare chez lui, le foutu seau à ordures, espèce de — . Il s'interrompit. On était samedi. Espèce de demeuré, dit-il.

Watt percevait les bribes d'un chant :

......*Klippe zu Klippe geworfen*
Endlos..................hinab.

Monsieur Gorman et Monsieur Nolan avancèrent de concert, tenant à eux deux le seau lourd de fange.

Sœur, sœur......gare aux tristes taciturnes......toujours dans leurs songes......pensent jamais.

Vas-y mollo, dit Monsieur Gorman.

C'est ça la tronche ? dit Monsieur Nolan.

Mollo mollo, dit Monsieur Gorman. Tu l'as bien en main ?

Tu veux rire, dit Monsieur Nolan.

Lâche pas pour l'amour du ciel, dit Monsieur Gorman.

Ou un trou dans son froc ? dit Monsieur Nolan.

T'occupe pas, dit Monsieur Gorman. On y va ?

Attention à l'anse, dit Monsieur Nolan.

Merde pour l'anse, dit Monsieur Gorman. Penche le seau quand je te le dirai.

_____

1. Et la chaîne ?

Le pencher avec quoi ? dit Monsieur Nolan. On n'est pas des bœufs.

Monsieur Gorman cracha dans le seau avec violence, Monsieur Gorman qui ne crachait jamais, en temps normal, sinon dans son mouchoir de poche.

Pose le seau, dit Monsieur Gorman.

Ils posèrent le seau. Monsieur Gorman reprit l'heure, comme précédemment.

Dans dix minutes, dit Monsieur Gorman, on a Lady McCann dans les pattes.

Lady McCann était une lady qui tous les jours quittait les parages par le premier train du matin et y retournait par le dernier du soir. Ses raisons pour ce faire n'étaient pas connues. Le dimanche elle restait au lit où elle recevait, entre autres nourritures et visites, le saint sacrement.

Qu'elle crève, dit Monsieur Gorman. *Belle journée, Monsieur Gorman, encore une belle journée, Monsieur Gorman. Belle journée !*

Et Cox les Miches, dit Monsieur Nolan.

Et Waller l'Eventré, dit Monsieur Gorman.

Et Miller Cacagueule, dit Monsieur Nolan.

Et Madame Quat'Sous le Coup Pim, dit Monsieur Gorman.

Cette vieille pute, dit Monsieur Nolan.

Tu sais ce qu'elle me sort l'autre jour ? dit Monsieur Gorman.

Raconte, dit Monsieur Nolan.

Dans mon bureau particulier, dit Monsieur Gorman. Posant pouce et index sur ses pommettes il retroussa sa longue moustache pisseuse. Peu après le départ du onze heures vingt-quatre, dit-il. Monsieur Gorman, dit-elle, qu'importe la cime chenue si la verdeur demeure dans la vallée et dans — mais vous m'avez compris.

(Manuscrit illisible.)

La main droite ferme sur le bord, dit Monsieur Gorman, les doigts de la gauche accrochés — .

Je vous ai compris, dit Monsieur Nolan.

Ils se courbèrent.

Dieu sait pourquoi je me donne tout ce mal, dit Monsieur Gorman. Penche quand je te le dirai.

Le seau s'éleva lentement.

Pas d'une seule giclée, dit Monsieur Gorman, pas la peine de saloper le plancher plus qu'il ne faut.

C'est à cet instant que Monsieur Nolan lâcha le seau, ce qui obligea Monsieur Gorman, qui n'aimait pas mouiller le dehors de son pantalon, à en faire autant. Vivement comme un seul homme ils se mirent en lieu sûr à la porte.

Il m'a sauté tout vif des mains, dit Monsieur Nolan, aussi vrai que Dieu me voit.

Si ça ne le remet pas sur pied c'est à désespérer, dit Monsieur Gorman.

Du sang se mêlait maintenant à la fange. Monsieur Gorman et Monsieur Nolan ne se troublaient pas pour autant. Il y avait peu de chance pour qu'un organe vital soit touché.

Monsieur Case arriva. Sa nuit ne l'avait pas exactement reposé, mais il était d'excellente humeur. Il tenait, dans une main, un petit bidon de thé chaud et, dans l'autre, les *Chants d'un chemineau*, qu'à cause des événements fâcheux du petit matin il avait négligé de laisser, comme c'était son habitude, sur l'étagère de sa cabine.

Il souhaita le bonjour, et serra chaleureusement la main, d'abord à Monsieur Gorman, ensuite à Monsieur Nolan, qui à leur tour, et dans cet ordre, lui souhaitèrent bien le bonjour et lui serrèrent cordialement la main. Se souvenant alors, Monsieur Gorman et Monsieur Nolan, que dans la chaleur des péripéties matinales ils avaient omis de se souhaiter le bonjour, et de se serrer la main, ils s'empressèrent de le faire, avec chaleur, sans plus tarder.

La narration de Monsieur Case intéressa vivement Mon-

251

sieur Gorman, et Monsieur Nolan, par la lumière qu'elle jeta, et elle en jeta, là où jusqu'à présent tout avait été obscur. Il restait encore cependant beaucoup à tirer au clair.

Tu es sûr que c'est le même ? dit Monsieur Gorman.

Monsieur Case avança avec précaution jusqu'à l'endroit où Watt gisait. Il se pencha pour gratter, avec son livre, dans la vase qui recouvrait le visage.

Oh tu vas abîmer ton beau volume, dit Monsieur Nolan.

Les vêtements me semblent les mêmes, dit Monsieur Case. Il alla à la fenêtre et retourna, du bout de sa chaussure, le chapeau. Je remets le chapeau, dit-il. Il rejoignit Monsieur Gorman et Monsieur Nolan à la porte. Je revois les sacs, dit-il, mais je ne peux pas dire que je reconnais le visage. Il est vrai, si c'est le même, que je ne l'ai vu que deux fois, jusqu'à ce jour, et que les deux fois la lumière était mauvaise, très mauvaise. Et cependant j'ai la mémoire des visages, en règle générale.

Surtout d'un visage pareil, dit Monsieur Nolan.

Et des culs, ajouta Monsieur Case. Que seulement j'entrevoie un cul dans de bonnes conditions et je vous lui mettrai le doigt dessus, entre mille.

Monsieur Nolan chuchota à l'oreille de Monsieur Gorman.

Tu vas fort, dit Monsieur Gorman.

Pour le reste j'ai des trous, dit Monsieur Case, des trous énormes, demandez à ma femme.

Lady McCann s'unit au groupe. Il y eut échange de salutations, et de saluts. Monsieur Gorman lui raconta le peu qu'on savait.

C'est du sang que je vois ? dit Lady McCann.

Rien qu'un filet, milady, dit Monsieur Case, du nez, ou d'une oreille.

Cox les Miches et Waller l'Eventré arrivèrent ensemble. S'ensuivirent les compliments d'usage et mouvements de rigueur de la tête et des mains. Lady McCann les éclaira sur ce qui s'était passé.

Il faut faire quelque chose, dit Monsieur Cox.

Tout de suite, dit Monsieur Waller.

Un garçon parut, hors d'haleine. Il se dit dépêché par Monsieur Cole.

Monsieur Cole ? dit Lady McCann.

Du passage à niveau, milady, dit Monsieur Case.

Monsieur Cole désirait savoir pourquoi les sémaphores de Monsieur Case s'opposaient au passage du cinq heures cinquante-sept de Monsieur Cole qui en ce moment même arrivait à vive allure, du sud-est.

Miséricorde, dit Monsieur Case, où avais-je la tête ?

Mais il n'avait pas atteint la porte que Monsieur Gorman, alerté par le garçon, le pria de rester.

Monsieur Cole, dit le garçon, serait en outre très heureux d'apprendre pourquoi les sémaphores de Monsieur Case s'opposaient au passage du six heures six de Monsieur Cole qui à l'instant même fonçait vers lui, du nord-ouest.

Retourne, mon petit bonhomme, dit Lady McCann, retourne vers celui qui t'a envoyé. Dis-lui que — vient d'être le théâtre d'événements épouvantables, mais qu'à présent tout est bien. Maintenant répète après moi. Le théâtre... d'événements... épouvantables... mais qu'à présent... tout est bien... Parfait. Voici un penny.

Miller Cacagueule arriva. Miller Cacagueule ne saluait jamais personne, ni oralement ni autrement, et très peu de personnes saluaient Miller Cacagueule. Il s'agenouilla auprès de Watt et glissa la main sous sa tête. Il garda un bon moment cette touchante attitude. Puis il se leva et s'éloigna. Il s'arrêta sur le quai, le dos à la voie, face au portillon. Le soleil ne s'était pas encore levé, au-dessus de la mer. Il ne s'était pas encore levé, mais ça ne tarderait pas. Et voilà en effet qu'il se leva, suivi du regard patient, et luisit, de sa pâle luisance matinale, sur le visage.

Et voilà que Watt aussi se leva, à la joie non dissimulée

de Messieurs Gorman, Nolan, Cox et Waller. Lady McCann trouvait ça moins drôle.

Qui êtes-vous bon Dieu, dit Monsieur Gorman, et que diable voulez-vous ?

Watt retrouva son chapeau et le mit.

Monsieur Gorman réitéra sa question.

Watt retrouva ses sacs, d'abord l'un, puis l'autre, et les prit dans ses mains de la façon qui le gênait le moins. Le groupe s'écarta de la porte et Watt la franchit, pour gagner les pas perdus.

Qui est-il ? dit Monsieur Cox.

Et que veut-il ? dit Monsieur Waller.

Parlez, dit Lady McCann.

Watt s'immobilisa devant le guichet, déposa ses sacs une fois de plus, et frappa à la guillotine de bois.

Va voir ce qu'il veut, dit Monsieur Gorman.

Dès que Watt vit une tête dans la lunette il dit :

Donnez-moi un billet, je vous prie.

Il veut un billet, cria Monsieur Nolan.

Un billet pour où ? dit Monsieur Gorman.

Pour où ? dit Monsieur Nolan.

Pour le bout de la ligne, dit Watt.

Il veut un billet pour le bout de la ligne, cria Monsieur Nolan.

Est-ce un blanc ? dit Lady McCann.

Quel bout ? dit Monsieur Gorman.

Quel bout ? dit Monsieur Nolan.

Watt ne répondit pas.

Le bout rond ou le bout carré ? dit Monsieur Nolan.

Watt réfléchit un moment encore. Puis il dit :

Le bout le plus proche.

Le bout le plus proche, cria Monsieur Nolan.

Inutile de gueuler, dit Monsieur Cox.

La voix est voilée, et en même temps nette, dit Monsieur Waller.

Mais quel accent extraordinaire, dit Lady McCann.

Je vous demande pardon, dit Watt, je veux dire le bout le plus éloigné.

Ce qu'il vous faut, c'est un laisser-passer, dit Monsieur Nolan.

Donne-lui un troisième sans retour pour — , dit Monsieur Gorman, et finissons-en.

Un shilling trois, dit Monsieur Nolan.

Watt versa une à une, dans la coquille striée, une pièce d'un shilling, deux de six pence, trois de trois pence et quatre d'un penny.

Qu'est-ce que vous me donnez là ? dit Monsieur Nolan.

Trois shillings un, dit Watt.

Un shilling trois, hurla Monsieur Nolan.

Watt empocha la différence.

Le convoi ! s'écria Lady McCann.

Vite, dit Monsieur Cox, deux retours.

Monsieur Cox et Monsieur Waller, quoique de santé robuste, et tout en empruntant cette ligne tous les jours pour se rendre à la cité et pour en revenir, avaient coutume de renouveler chaque matin leurs titres de transport. Un jour c'était Monsieur Cox qui payait, le lendemain Monsieur Waller. Les raisons de cela ne sont pas connues.

Quelques minutes plus tard le six heures quatre entra en gare. Il ne ramassa pas un seul passager, en l'absence de Madame Pim. Mais il déchargea une bicyclette, pour une demoiselle Walker.

Monsieur Case, libre de nouveau de quitter sa cabine, rejoignit Monsieur Gorman et Monsieur Nolan, devant le portillon. D'ores et déjà le soleil était nettement au-dessus de l'horizon visible. Monsieur Gorman, Monsieur Case et Monsieur Nolan se tournèrent vers lui, comme souvent le font les hommes, de bon matin, en toute innocence. Grise, déserte, la route dormait encore, à cette heure, entre ses haies et ses fossés. De l'un de ces derniers une chèvre sortit, traînant son piquet et sa chaîne. Elle hésita au milieu de la route, avant de s'éloigner. De plus en plus faible, par l'air tranquille, le cliquetis leur parvenait et, le piquet happé par le creux, leur parvenait faiblement encore. On ne pouvait qu'admirer la mer tremblotante. Les feuilles frémissaient, ou donnaient cette impression, et les hautes herbes aussi, sous les gouttes, ou perles, d'une rosée ivre d'être bue. La longue journée d'été commençait bien. Si elle continuait ainsi sa fin vaudrait le déplacement.

Tout de même, dit Monsieur Gorman, elle a du bon, cette putain de vie. Il éleva les mains et les écarta, dans un geste d'adoration. Puis il les remit dans les poches de son pantalon. Tout compte fait, dit-il.

Encore ce bouc du père Riley, dit Monsieur Nolan, je le sens d'ici.

Et on dit qu'il n'y a pas de bon Dieu, dit Monsieur Case.

Ils s'esclaffèrent tous les trois à la pensée de cette énormité.

Monsieur Gorman consulta sa montre.

Au boulot, dit-il.

Ils se quittèrent. Monsieur Gorman partit dans une direction, Monsieur Case dans une autre et Monsieur Nolan dans une troisième. Mais ils n'étaient pas allés loin que Monsieur Case hésita, repartit, hésita de nouveau, s'arrêta, fit demi-tour et cria :

Et notre ami ?

Monsieur Gorman et Monsieur Nolan s'arrêtèrent et firent demi-tour.

Ami ? dit Monsieur Gorman.

Monsieur Gorman se trouvait entre Monsieur Case et Monsieur Nolan et par conséquent n'avait pas besoin de hausser le ton.

Tu veux dire cette rigole de foutre à la manque avec les sacs et le chapeau ? cria Monsieur Nolan.

Monsieur Nolan regarda Monsieur Case, Monsieur Case

Monsieur Nolan, Monsieur Gorman Monsieur Case, Monsieur Gorman Monsieur Nolan, Monsieur Nolan Monsieur Gorman, Monsieur Case Monsieur Gorman, Monsieur Gorman de nouveau Monsieur Case, de nouveau Monsieur Nolan, puis droit devant lui, dans le vide. Et ils restèrent ainsi un bon moment, Monsieur Case et Monsieur Nolan regardant Monsieur Gorman et Monsieur Gorman droit devant lui, dans le vide, aveugle aux charmes de la nature, au grand glissement du ciel vers la montagne, de la montagne vers la plaine, d'une beauté dans le jour naissant telle qu'il est rare de s'en voir offrir, dût-on cheminer du matin au soir.

ADDENDA (1)

sa vie d'épouse une longue alaise

—

qui du vieillard
l'histoire contera ?
dans une balance
absence pesera ?
avec une règle
manque mesurera ?
des maux du monde
la somme chiffrera ?
dans des mots
néant enfermera ?

—

les boutons de chaleur du judicieux Hooker

—

des limites à l'égalité de la partie avec le tout

---

1. On étudiera avec soin les matériaux précieux et éclairants
qui suivent et que seuls le dégoût et l'épuisement ont exilés
du corps de l'ouvrage.

calme de mort, puis un murmure, un nom, un nom murmuré, dans le doute, la crainte, l'amour, la crainte, le doute, vent d'hiver dans les branches noires, calme mer froide qui blanchit murmurant vers la grève, qui glisse, se précipite, s'enfle, passe, trépasse, issue de rien, à rien rendue

—

soupirer de jour en jour
et rêver rêver l'âme partie
jusques adieu jeunesse bonheur
et de la vie toute la vie

—

Watt apprit à accepter etc. Utiliser pour expliquer la pauvreté de la troisième partie. Watt ne peut pas parler de ce qui se passait au premier étage, parce que la plupart du temps rien ne s'y passait, sans protestation de sa part.

—

noter que la déclaration d'Arsene n'est revenue à Watt que peu à peu

—

une nuit Watt monte sur le toit

—

mouchage digital de Watt

—

Repas. Chaque jour l'écuelle de Monsieur Knott à une autre place. Watt marque à la craie.

—

plan d'eau noire, frisson des rides qui gagne, rives tampons, retour au calme

—

naître sans être né

—

âge adulte de l'âme fœtale (voir *Embryologie sacrée* de Cangiamila et *De Synodo Diocesana,* livre 7, chapitre 4, section 6, du Pape Benoît XIV)

—

sempiternelle pénombre

—

pour le bien que lui avaient valu ses fréquentes absences d'Irlande il aurait fait tout aussi bien d'y rester

—

une table ronde en bois, d'ample diamètre, reposant sur **un** lourd support tronconique, accaparait l'espace central

—

zitto ! zitto ! dass nur das Publikum nichts merke !

—

261

Dans le désert, sous le ciel, différenciés par Watt comme étant l'un au-dessous, l'autre au-dessus, de Watt. Que devant lui, derrière lui, tout autour de lui, il y eût autre chose, ni désert ni ciel, Watt n'en éprouvait pas la sensation. Et il n'avait toujours devant lui, de quelque côté qu'il se tourne, que leur longue et sombre coulée de concert vers un mirage d'union. Le ciel était de couleur sombre, d'où on serait tenté d'inférer que les feux habituels en étaient absents. Ils l'étaient. Le désert lui aussi, inutile de dire, était de couleur sombre. A vrai dire ciel et désert étaient de la même couleur sombre, ce qui n'a rien d'étonnant. Watt lui aussi, comme de juste, était de la même couleur sombre. Cette couleur sombre était si sombre que sa couleur ne se laissait pas identifier avec certitude. Par moments on aurait dit une sombre absence de couleur, ou un sombre mélange de toutes les couleurs, un blanc sombre. Mais comme Watt n'aimait pas l'expression blanc sombre il continuait d'appeler son sombre une couleur sombre tout court, ce qu'à strictement parler il n'était pas, vu que la couleur était sombre au point de défier toute identification comme telle.

La source de la faible lumière répandue sur cette scène est inconnue.

D'autres particularités de ce paysage d'âme :

La température était douce.

Au-dessous de Watt le désert se soulevait et retombait.

Tout était silencieux.

Au-dessus de Watt le ciel retombait et se soulevait.

Watt était rivé sur place.

—

tout cela
Watt le dira
mais quel cela

Knott comment
par Watt trouvé
comment vécu
comment quitté

le long chemin
le bref séjour
le long chemin
à rebours

les mains vides
le cœur vide
l'esprit errant
dans l'ombre aride

le feu de noirs
orages ceint
qui va s'éteignant
qui s'éteint

les mains vides
le cœur vide
l'esprit perdu
dans la nuit aride

c'est ce cela
que Watt dira
tout ce cela

———

die Merde hat mich wieder

———

pereant qui ante nos nostra dixerunt

———

Second tableau dans la chambre d'Erskine représentant monsieur en pied quoique assis, au piano, profil droit perdu, nu à part le giron caché par du papier à musique. De la main droite il plaque un accord que Watt n'a aucun mal à identifier comme le deuxième renversement de la fondamentale de do majeur, pendant que de l'autre il amplifie le pavillon de l'oreille gauche. Le pied droit, renforcé de l'autre appuyé dessus, écrase la pédale forte. Aux muscles épais du cou, du bras, du torse, de l'abdomen, du lombe, de la cuisse et du mollet, saillant comme des cordes sous l'effort, Monsieur O'Connery avait prodigué toutes les ressources de la tactilité jésuite. Des perles de sueur, exécutées avec un fini que n'aurait pas désavoué Heem, se répandaient généreusement sur les surfaces pectorales, subaxillaires et hypogastriques. Le tétin droit, d'où jaillissait long et roux un poil solitaire, était en état de tumescence manifeste, détail charmant. Le buste était penché sur le clavier et l'expression du visage, tourné légèrement vers le connaisseur, était celle de quelqu'un sur le point d'accoucher, après bien des jours, d'une selle exceptionnellement coriace, c'est-à-dire le front profondément plissé, les paupières serrées, les narines dilatées, les lèvres entrouvertes et la mâchoire tombante, dans une synthèse jolie à souhait faite d'angoisse, de concentration, d'effort, de délivrance et d'abandon, image de l'effet extraordinaire produit sur un tempérament de musicien par la faible cacophonie d'harmoniques lointains se mêlant à l'accord qui meurt. Le goût de Monsieur O'Connery pour le détail significatif se faisait jour encore dans le traitement des ongles de pied, d'une luxuriance remarquable et truffés de ce qui semblait être de la crasse. Les pieds eux-mêmes auraient gagné à un lavement, les jambes n'étaient pas exactement de la première fraîcheur, fesses et ventre appelaient un bain de siège à tout le moins, la poitrine était franchement dégoûtante, le cou tout simplement immonde, et on aurait pu semer dans les oreilles avec bon espoir d'une germination rapide.

Que cependant un chiffon mouillé eût été vivement passé à une époque récente sur les parties les plus voyantes du facies (mot latin signifiant face) ne semblait pas improbable.

(Citation latine.)

La moustache, roux pâle sauf là où décolorée par le tabac, l'usure du temps, la mastication nerveuse, les ennuis de famille, les débordements du nez et de la bouche, tombait en cascade sur les lèvres molles et rouges, et hors de la mâchoire molle et rouge, et de même hors du fanon idem, pointaient pâlement roux les débuts sans avenir d'une barbe drue roux pâle.

—

telle une fleur des taillis à jamais tue

—

complexe de Davus de Watt (crainte morbide des sphynges)

—

Une nuit Arthur vint dans la chambre de Watt. Il était agité. Il pensait qu'il avait été pris pour Monsieur Knott. Il ne savait pas s'il s'en sentait honoré ou non.

Se promenant dans le jardin il dit, Me voilà qui me promène dans le jardin, sans grand plaisir certes, mais néanmoins, de long en large, je me promène dans le jardin.

Il regarda ses jambes se mouvoir sous lui, en avant, en arrière. Je m'installe d'abord sur une jambe, dit-il, puis sur l'autre, comme ça, et de cette façon je vais de l'avant.

Admire comme sans y penser tu évites les pâquerettes, dit-il. Quelle sensibilité.

Il s'arrêta pour contempler l'herbe, à ses pieds.

Ce gazon trempé de rosée n'est pas à toi, dit-il. Il joignit les mains devant la poitrine. Il les éleva vers le créateur et donateur de toutes choses, de lui, des pâquerettes, de l'herbe. Merci, chef, dit-il. Il se mit au repos. Il repartit.

Ceci est censé être bon pour la santé, dit-il.

Il ne s'était pas écoulé beaucoup de temps depuis cet aphorisme qu'Arthur fut pris d'un rire si fou qu'il dut, pour ne pas tomber, s'appuyer contre un buisson, ou arbuste, qui passait par là et qui entra de bon cœur dans la plaisanterie.

Dès qu'il eut retrouvé son calme, il se retourna pour examiner l'arbuste, ou buisson. Ce n'était pas un genêt d'Espagne, c'est tout ce qu'il pouvait en dire.

Mais voilà qu'il aperçoit, avançant vers lui à travers l'herbe, une masse confuse. Un moment plus tard c'était un vieillard, tout de haillons vêtu.

Celui-là alors, dit-il, qui diantre peut-il bien être, je me le demande.

Un penny pour un pauvre vieux, dit le vieillard.

Arthur lui donna un penny.

Dieu te le rendra, dit le vieillard.

Amen, dit Arthur, et adieu.

Je me rappelle de toi petit merdeux, dit le vieillard, j'étais petit merdeux moi-même.

Alors nous étions merdeux ensemble, dit Arthur.

Tu étais mignon comme tout, dit le vieillard, et moi aussi.

Regarde-nous à présent, dit Arthur.

Tu étais toujours à t'oublier dans ton froc, dit le vieillard.

Je m'y oublie toujours, dit Arthur.

Je cirais les chaussures, dit le vieillard.

Si ce n'avait pas été toi, ç'aurait été un autre, dit Arthur.

Ton père était très bon pour moi, dit le vieillard.

Tel père tel fils, dit Arthur. Adieu.

C'est un beau coin, dit le vieillard, j'y ai donné un coup de main.

En ce cas, dit Arthur, tu pourras peut-être me dire le nom de cette plante extraordinaire.

C'est ce que nous appelons un laurier hardi, dit le vieillard.

Arthur rentra dans la maison et écrivit, dans son journal : Fait un tour dans le jardin. Remercié Dieu d'une petite bonté. Rigolé avec le laurier hardi. Fait l'aumône à un vieillard jadis au service de la famille Knott.

Mais cela ne lui suffisait pas. Il courut donc trouver Watt.

C'était la première fois que Watt entendait l'expression famille Knott.

Il y eut une époque où elle lui aurait fait plaisir, et la pensée qu'elle lui proposait, à savoir que Monsieur Knott lui aussi était sériel, dans une série vermiculaire. Mais plus maintenant. Car Watt était maintenant une vieille rose et se foutait du jardinier.

—

das fruchtbare Bathos der Erfahrung

—

faede hunc mundum intravi, anxius vixi, perturbatus egredior,
causa causarum miserere mei

—

changer tous les noms

—

chœur mixte entendu par Watt sur le chemin de la maison :

Sop.	De tout notre cœur aspirons tête un instant
Alt.	De tout notre cœur.....de...tout...notre...
Tén.	De tout.........de...tout...notre...cœur...
Bas.	Aspirons ....

Sop.	sombrement à part l'éther asphyxiant
Alt.	cœur.............aspirons aspirons
Tén.	................aspirons aspirons
Bas.	.... aspirons

Sop.	du malheur qui se meurt du bonheur mort hier
Alt.	du bonheur...................mort hier.....
Tén.	...........................l'a.....sphy....
Bas.	........................ouf !.............

Sop.	un instant sombrement l'asphyxiant éther
Alt.	l'a...sphy...xi...ant...é...ther........
Tén.	.xi.....ant.....é.....ther.............
Bas.	l'a...sphy...xi...ant...é...ther........

—

Watt l'air de quelqu'un qui arrive à la fin d'une série d'injections de pus stérile

—

parole non ci appulcro

—

honni soit qui symboles y voit